まえがき

簿記論と財務諸表論は同 ［…］」 ［…］ ！

本書を手にしたみなさんにとって大切なことは「まずは、いかにして税理士試験の会計科目（簿記論、財務諸表論）に合格していくか」ということではないでしょうか。

そこで、認識しておきたいのが、次の状況です。

・簿記論はほぼ100%計算問題であり、財務諸表論では50%が計算問題、残りの50%が理論問題で出題され、計算問題の内容は簿記論と財務諸表論で差がないこと
・これまで財務諸表論で出題されていた内容が突然簿記論で出題されるなど、片方だけの学習では網羅できない可能性があること
・計算問題を解くにも、理論的な背景（財務諸表論の理論部分）がわかっている方が有利なこと
・学習する際にも理論と計算を並行した方が頭には入りやすいこと
・財務諸表論の合格率は、平均すると20%弱と比較的高いこと
・仮に簿記論を落としても、財務諸表論さえ合格していれば、学習量的にみて税法に進めること

これらの状況を勘案すると、簿記論と財務諸表論は絶対に同時に学習した方がいい。1つの計算ミスで合否が入れ替わってしまう簿記論の試験のためだけに、1年かけて学習するのはリスクが大きすぎる。

このような判断から、簿記論・財務諸表論一体型の教科書及び問題集になっています。
さらに、本書はネットスクールが提供するWEB講座の採用教材にもなっていますので、独学で学習する方が授業を聴きたいと思ったときにも無駄になることなく活用いただけます。

また本書は、日商簿記３～２級の学習経験者がスムーズに学習し、合格してもらうために作られた本ですので、日商簿記３～２級の復習からはじまり、本試験のレベルまでを収載しています。

状況は我々が整えます。
みなさんは、この本で勇気を持って始め、本気で学んでみてください。
そうすれば、みなさん自身ばかりではなく、みなさんの周りの人たちをも幸せにできる、そんな人生が開けてきます。
さあ、この一歩、いま踏み出しましょう！

ネットスクール株式会社
代表　桑原　知之

目次
Contents

税理士試験　教科書
簿記論・財務諸表論Ⅰ　基礎導入編

本書で使用する略語や記号について …… iii
本書(教科書)の構成・特長 …… iv
講師からのメッセージ …… vi
ネットスクールの税理士WEB講座 …… vii
税理士試験合格に向けた学習 …… viii
ネットスクールWEB講座　合格者の声 …… x
簿財一体型の学習法 …… xii
今こそ税理士試験にチャレンジしよう！ …… xiii
税理士試験の2大特徴 …… xiv

Chapter1 簿記一巡

Section 1 簿記の手続きの流れ …… 1-2
Section 2 営業手続 …… 1-5
Section 3 決算手続 …… 1-6
Section 4 貸借対照表の作成 …… 1-19
Section 5 損益計算書の作成 …… 1-23
Section 6 開始手続 …… 1-27

Chapter2 現金預金

Section 1 現金 …… 2-2
Section 2 預金 …… 2-8
Section 3 小口現金 …… 2-17

Chapter3 金銭債権

Section 1 金銭債権 …… 3-2
Section 2 手形 …… 3-4
Section 3 関係会社に対する金銭債権・金銭債務 …… 3-12
Section 4 割引現在価値の計算 …… 3-16
Section 5 金銭債権の評価(貸倒引当金) …… 3-21

Chapter4 棚卸資産Ⅰ

Section 1 棚卸資産の範囲と取得原価の決定 …… 4-2
Section 2 値引き・返品などの処理 …… 4-5
Section 3 商品売買の処理方法 …… 4-9
Section 4 棚卸資産の評価方法 …… 4-21
Section 5 期末商品の評価 …… 4-27
Section 6 原価率などの算定 …… 4-33
Section 7 仕入・売上の計上基準 …… 4-39
Section 8 仕入諸掛 …… 4-44
Section 9 他勘定振替高 …… 4-51

Chapter5 有形固定資産

Section 1 有形固定資産の基礎知識 …… 5-2
Section 2 取得原価の決定 …… 5-4
Section 3 減価償却の手続き …… 5-15
Section 4 会計上の見積りの変更、会計方針の変更 …… 5-26
Section 5 売却・買換え・除却・滅失 …… 5-30
Section 6 圧縮記帳 …… 5-38
Section 7 資本的支出と収益的支出、修繕引当金 …… 5-43
Section 8 賃貸等不動産 …… 5-46

Chapter6 無形固定資産Ⅰ

Section 1 無形固定資産の会計処理 …… 6-2
Section 2 のれん …… 6-7
Section 3 ソフトウェアの会計処理 …… 6-9

Chapter7 営業費

Section 1 営業費の概要 …… 7-2
Section 2 人件費 …… 7-4
Section 3 諸経費(消耗品費、通信費等) …… 7-10

Chapter8 金融商品Ⅰ

Section 1 有価証券の基礎知識 …… 8-2
Section 2 有価証券の取得・売却 …… 8-4
Section 3 有価証券の期末評価 …… 8-10
Section 4 有価証券の減損処理 …… 8-28
Section 5 有価証券の認識基準 …… 8-31

索引

本書で使用する略語や記号について

本書で学習するうえで、次の略語を使用しています。下記の略語は、一般的にも使用されているので、ぜひ覚えてください。

①	B/S	：	貸借対照表(Balance Sheetの略)
②	P/L	：	損益計算書(Profit and Loss statementの略)
③	S/S	：	株主資本等変動計算書(Statements of Shareholders'equityの略)
④	C/F	：	キャッシュ・フロー計算書(Cash Flow statementの略) なおC/S(Cash flow Statement)と表記する場合もありますが、本書ではC/Fで統一しています。
⑤	C/R	：	製造原価報告書(Cost Reportの略)
⑥	T/B	：	試算表(Trial Balanceの略)
⑦	a/c	：	勘定(accountの略)
⑧	@	：	単価や単位(atの略)

なお、本書では勘定科目(表示科目)については、科目名を意識していただく狙いから『　』を使って記載しています。つまり『〇〇』は、「〇〇勘定」を意味しています。

(例)投資有価証券勘定に加算するとともに、その他有価証券評価差額金勘定に計上…
　　→『投資有価証券』に加算するとともに、『その他有価証券評価差額金』に計上…

本書は2024年4月時点の会計基準等にもとづいて作成しています。

本書(教科書)の構成・特長

❶ episode

冒頭で、これからどのような内容を扱うのか、何が問題なのかを簡潔にまとめてあります。内容がイメージでき、スムーズに学習を進めることが出来ます。

❷ 重要度ランキング

学習テーマごとに、A、B、Cで**重要度**を示しています(Aがもっとも重要度が高いことを表します)。なお、「簿記論」と「財務諸表論　計算問題」では重要度が異なることがあるので、簿A、財計Aと科目別に示しています。

また、本書は主に計算対策用の教材となりますが、財務諸表論の理論対策用教材として『税理士試験教科書　財務諸表論　理論編』がありますので併せてご利用ください。

❸ 側注

補足的な説明や知識を示しています。

❹ イラスト

イラストにより学習テーマの内容が理解しやすくなります。

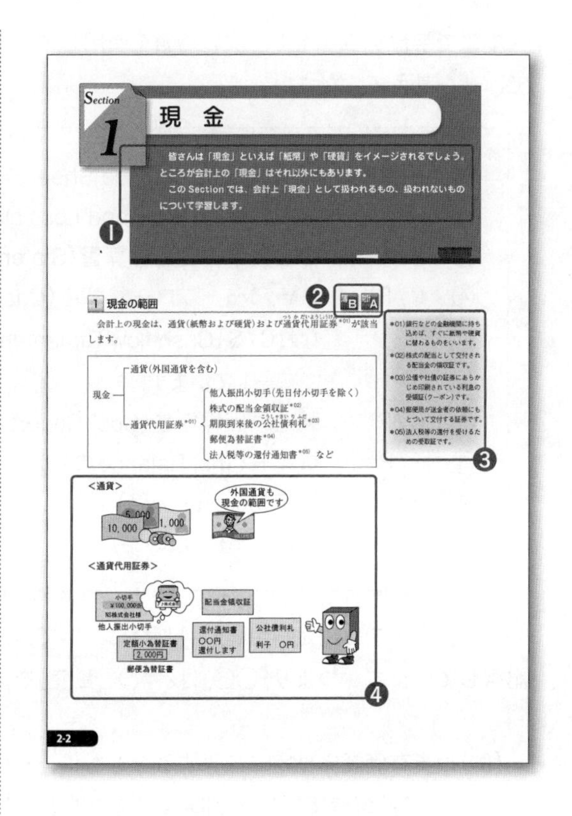

Section 1 現　金

❶ 皆さんは「現金」といえば「紙幣」や「硬貨」をイメージされるでしょう。ところが会計上の「現金」はそれ以外にもあります。

この Section では、会計上「現金」として扱われるもの、扱われないものについて学習します。

1 現金の範囲 ❷ 簿B 財計A

会計上の現金は、通貨(紙幣および硬貨)および通貨代用証券[*01]が該当します。

現金
- 通貨(外国通貨を含む)
- 通貨代用証券[*01]
  - 他人振出小切手(先日付小切手を除く)
  - 株式の配当金領収証[*02]
  - 期限到来後の公社債利札[*03]
  - 郵便為替証書[*04]
  - 法人税等の還付通知書[*05]　など

❸
- *01)銀行などの金融機関に持ち込めば、すぐに紙幣や硬貨に替わるものをいいます。
- *02)株式の配当として交付される配当金の領収証です。
- *03)公債や社債の証券にあらかじめ印刷されている利息の受領証(クーポン)です。
- *04)郵便局が送金者の依頼にもとづいて交付する証券です。
- *05)法人税等の還付を受けるための受取証です。

❹
<通貨>

<通貨代用証券>

2-2

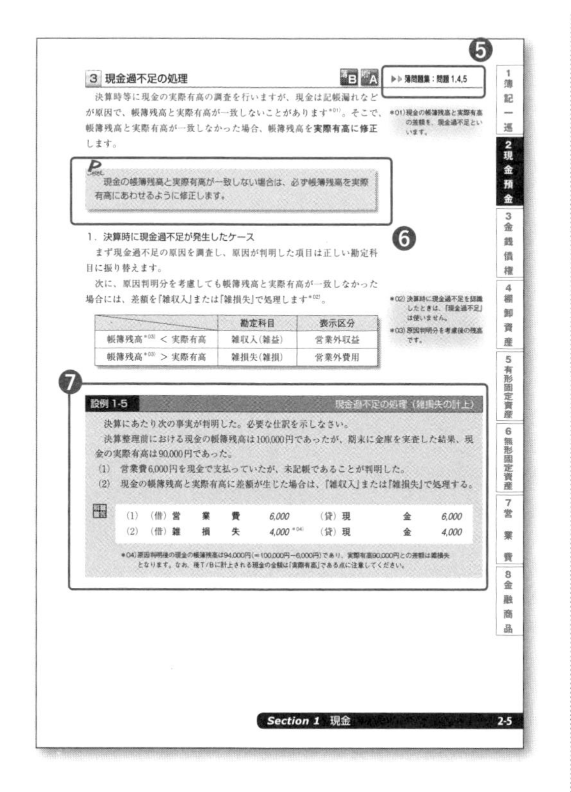

3 現金過不足の処理 簿B 財A

▶▶ 簿問題集：問題 1,4,5

　決算時等に現金の実際有高の調査を行いますが、現金は記帳漏れなどが原因で、帳簿残高と実際有高が一致しないことがあります*01)。そこで、帳簿残高と実際有高が一致しなかった場合、帳簿残高を**実際有高に修正**します。

*01) 現金の帳簿残高と実際有高の差額を、現金過不足といいます。

　現金の帳簿残高と実際有高が一致しない場合は、必ず帳簿残高を実際有高にあわせるように修正します。

1．決算時に現金過不足が発生したケース

　まず現金過不足の原因を調査し、原因が判明した項目は正しい勘定科目に振り替えます。

　次に、原因判明分を考慮しても帳簿残高と実際有高が一致しなかった場合には、差額を「雑収入」または「雑損失」で処理します*02)。

*02) 決算時に現金過不足を認識したときは、「現金過不足」は使いません。

	勘定科目	表示区分
帳簿残高*03) < 実際有高	雑収入(雑益)	営業外収益
帳簿残高*03) > 実際有高	雑損失(雑損)	営業外費用

*03) 原因判明分を考慮後の残高です。

設例 1-5　現金過不足の処理（雑損失の計上）

　決算にあたり次の事実が判明した。必要な仕訳を示しなさい。

　決算整理前における現金の帳簿残高は100,000円であったが、期末に金庫を実査した結果、現金の実際有高は90,000円であった。

(1)　営業費6,000円を現金で支払っていたが、未記帳であることが判明した。

(2)　現金の帳簿残高と実際有高に差額が生じた場合は、「雑収入」または「雑損失」で処理する。

(1)	(借) 営業費	6,000	(貸) 現金	6,000
(2)	(借) 雑損失	4,000*04)	(貸) 現金	4,000

*04) 原因判明後の現金の帳簿残高は94,000円(＝100,000円−6,000円)であり、実際有高90,000円との差額は雑損失となります。なお、後T/Bに計上される現金の金額は「実際有高」である点に注意してください。

Section 1 現金　2-5

❺ 問題番号

　基礎導入編の教科書と問題集は、学習内容が完全に対応されています。教科書の該当テーマを学習し終えたら、問題番号で示した問題を解くようにしましょう。なお、**「簿問題集」**は簿記論対策の問題、**「財問題集」**は財務諸表論(計算問題)対策の問題となります。

❻ ポイント

　テーマごとに「注意点」をPoint(ポイント)としています。復習するさいにもPointを追っていくことで、学習内容の再確認ができます。

❼ 設例

　会計の学習では数値例が必須です。テーマごとに【設例】を設けていますので、数値により確認しながら、内容の理解を深めることができます。

学習をはじめる前に

講師からのメッセージ

WEB講座の講師である中村雄行先生、穂坂治宏先生から、本書を学習する前の心構えとしてメッセージがございます。本書を最大限に有効活用するためにも、まずはこのメッセージをお読みください。

プロフィール

講師　中村雄行（なかむらゆうこう）

講師歴35年。

実務的な話を織り交ぜながら誰もが納得できるように工夫された、わかり易い講義が大好評！

WEB講座税理士簿記論講義等を担当。

プロフィール

講師　穂坂治宏（ほさかはるひろ）

講師歴21年、税理士開業(登録平成6年)。「わかればできる」をモットーに、経験に基づく実践的な講義は、楽しみながら学習出来ると大好評！

ＷＥＢ講座税理士財務諸表論講義等を担当。

◆基礎導入編の内容について

教科書と問題集は、「基礎導入編」「基礎完成編」「応用編」の３部構成となっています。

基礎導入編で主に取り上げられている項目は「現金預金」「金銭債権」「有形固定資産」「金融商品(有価証券)」などです。大半の内容は日商簿記３～２級までに学習済みのものですが、これらは税理士試験においても必ず出題される重要項目です。基礎項目ではありますが気を引き締めてしっかり学習しましょう。

◆まずはしっかり基礎固め

基礎導入編ではまず最初に「簿記一巡」を取り上げています。特に簿記論の学習を進めるにあたっては、この「簿記一巡」の手続きが正しく理解できていないといけません。また、財務諸表論で作成する貸借対照表や損益計算書なども、この「簿記一巡」の手続きを通じて算定された数値を基礎にして作成されるものです。

「現金預金」以降、基本かつ重要な個別論点が続いていきます。教科書の内容をしっかり理解(インプット)するように努めましょう。

◆アウトプットは必須

教科書の内容をインプットしただけでは、まだ試験で点数を取れる状態であるとは言えません。試験で点数を取れるようにするには、実際に問題を解く(アウトプット)学習が必須と言えます。基礎導入編の教科書と問題集は学習内容が完全に対応されていますので、教科書の学習を終えたら必ず問題集の問題を実際に解くようにしましょう。

ネットスクールの書籍シリーズのご案内

税理士試験合格に向けた学習

教科書／問題集　Ⅰ基礎導入編

次年度の試験に向けた学習を開始しましょう。まずは日商簿記検定３級・２級の学習内容を含めた基礎的な部分について、教科書でインプット学習をします。その後、教科書に準拠した問題集でアウトプット学習を行い、どれだけ理解できたかを確かめます。教科書には、問題集の問題番号が記載されているので、すぐに学習した内容の問題を解くことができます。

教科書／問題集　Ⅱ基礎完成編

基礎導入編での学習が終わったら、基礎完成編に移ります。基礎導入編と同様に、税理士試験で頻繁に出題される重要項目ばかりなので、漏れなく学習を進めましょう。

基礎完成編も基礎導入編と同様に、教科書でインプットしたことを必ず問題集を使ってアウトプットし、学習した知識を定着させましょう。

教科書／問題集　Ⅲ応用編

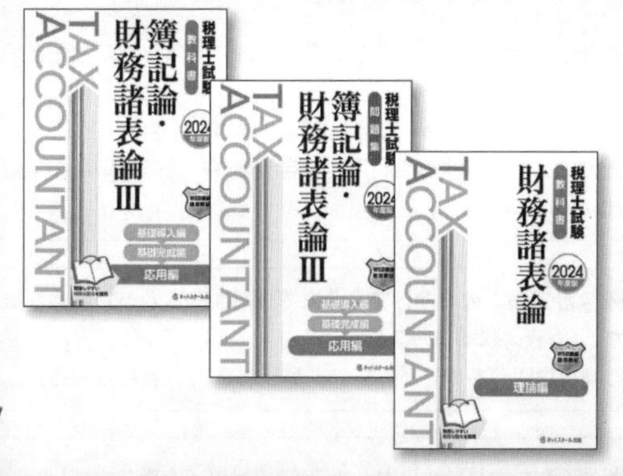

基礎完成編での学習が終わったら、応用編の学習に移ります。

また、理論問題対策用の教科書として、「財務諸表論 理論編」も刊行しています。「税理士試験 教科書 簿記論・財務諸表論」シリーズの各編（基礎導入編・基礎完成編・応用編）にある各 Chapter 名と同じテーマで並行して取り組んでいただくことで、計算対策と理論対策を同時に行うことができるようになっています。

穂坂式つながる会計理論

「財務諸表論」の " 効率的 " な理論学習を行なうための問題集で、模範解答を覚えることなく、問題集を「読む」ことで合格する力が付くような構成になっています。

この問題集を繰り返し解くことで、合格に必要な体系的な理論学習を行うことができます。本試験での応用的な出題にも対応できる力を身に付けましょう。

過去問ヨコ解き問題集

教科書や問題集を使った学習が一通り終わったら、本試験の過去問題を解きましょう。過去に出題された試験問題を解くことで、出題傾向や本試験のレベルを体験できます。

また、「ヨコ解き過去問題集」では、試験１回分を通しで解くのではなく項目ごとに解いていくため、苦手な項目をピンポイントで繰り返し解くことができます。苦手克服に繋げましょう。

解答・解説では解答方法の記載だけではなく、特筆すべき箇所については、各論点が実際に出題された際の考え方を『ポイント』や『参考』としてまとめておりますので、基本テキストを使った復習（今後の学習方法・戦略の立て方）にお役立てください。

ラストスパート模試

過去問題集での学習が終わったら、本試験形式で構成された模擬試験問題を解きましょう。本シリーズでは、ネットスクールの税理士講師の先生が作成した模擬問題を３回分収載しています。

試験問題を本体から取り外し、YouTube で配信している「試験タイマー」を流しながら解くことで、試験本番の臨場感の中で解くことができます。学習してきた力を試験本番で十分に発揮できるよう訓練をしましょう。

試験合格！

※掲載している書影は、すべて 2024 年 8 月現在の最新版、教科書／問題集シリーズは 2024 年度版のものとなります。
※書籍のお求めは全国の書店・インターネット書店、またはネットスクール WEB-SHOP をご利用ください。

多数の“合格者の声”が信頼と実績の証です！

ネットスクールWEB講座 合格者の声

ネットスクールで見事！合格を勝ち取った受講生様からのお言葉を紹介いたします。

takk 様（40 代男性、簿記論・財務諸表論合格）

簿記1級より引き続き、ネットスクールで簿記論・財務諸表論を受講し、合格をすることができました。ネットスクールの皆様には感謝の言葉しかありません。

1級合格後、簿記論と財務諸表論のテキストを購入しましたが、独学が非効率だと感じ、簿記論・財務諸表論上級コースを受講することにしました。1級と勝手が違うこと、既に講義が始まっていたこと、財務諸表論の理論は馴染みがなかったことから混乱しましたが、疑問点やスケジューリングなど、ことあるごとに先生に相談をしていました。

直前期はとにかく問題を解きました。総合問題を主軸に、理論は講義を受けつつアウトプットとして穂坂先生のつながる会計理論を周回していました。おかげで平均点はじりじりと上がっていきましたが、ときにはひどい点数の時もあり、何度先生に泣きついたか。陰鬱な内容を送ってしまうこともありましたが、聞き入れてくださり、気持ちを前向きにする助けとなりました。メンタルコントロールにとても配慮していただいたように思います。

試験当日は平常心を心掛け、ベストを尽くしてきました。ケアレスミスが若干あり、自己採点では合否どちらにも転がりうるという感じでしたが、結果は合格でした。ほっと胸を撫で下ろすとともに、合格の旨を報告させていただきました。

M.K. 様（30 代女性、医療従事者、財務諸表論合格）

簿記とは全く縁のない職種で働いておりますが、第一子の出産を機に、税理士を目指して簿記論と財務諸表論を独学で勉強しておりました。試験について無知であったため、直前対策コースを受講しましたが、学び足りないことを痛感して１年目の試験を受け、不合格でした。２年目は標準コースで学びなおそうと思い、受講したことが今回の財務諸表論の合格につながったと思っています。

本年は、育休から復帰し、仕事と家事と第一子の育児、また第二子の出産 (11 月) とイベントが多く、勉強する時間が限られておりました。しかし、講師の方々のわかりやすく丁寧な講義を早朝や通勤時間にダウンロードして見ることができたこと、再生スピードを調整することができたこと、また、試験までの見通しを把握して勉強できたことが合格につながったと思います。

簿記論は合格できませんでしたので、また来年度の試験に挑もうと思っております。税法にも挑戦できればいいなと思っているところです。

財務諸表論に合格できたのはひとえにネットスクール講師の先生のおかげだと思っております。本当にありがとうございました。

官報合格者も
続々輩出！

中井　優様（40代男性、会計事務所勤務、財務諸表論・官報合格）

所長税理士の引退が現実味を帯び、事務所内に有資格者がいない中、会計2科目を残す自分が合格を目指すしかない状況となった。2021年1月より簿記論・財務諸表論の学習を他校で開始した。第71回本試験では、両科目とも合格ボーダーに全く届かず。しかし、不十分ながらも最後まで学習を継続したことで、簿記の「歩留まり」が自分に発生する。

学習を継続して挑んだ第72回本試験では、簿記論は合格。財務諸表論は53点（理論18点、計算35点）で惜しくも不合格となった。時間的な余裕もないので、穂坂先生の講義を受けるべく、ネットスクールの門を叩いた。

答練期より、自身の学習スタイルが確立する。5時起床からの2時間の早朝学習。21時から23時までの2時間の夜学習の計4時間／日の学習の習慣化、学習時間の確保である。基本、この学習スタイルを継続した。休日はこの学習に数時間を加算した。通勤移動のスキマ時間には、スマートフォンなどを用いた理論の学習をした。答練期の一例では、早朝の2時間で過去問や答練の解答。夜に採点と間違いノートへの書き出しと復習を行った。答練の成績は大原で上位20%程度（上位40%位までが合格圏内）であった。

財務諸表論の理論学習については、つながる会計理論の知識を定着させること意識して、基本センテンスの書き出しや音読、デジタルアプリ「ノウン」の問題編をタブレットやスマートフォンで繰り返し回答した。

結果、合格確実ラインを超える点数（理論29点計算41点の計70点）を得て、官報合格を勝ち取ることができた。

C．T様（女性、財務諸表論合格）

以前は他社の通信講座で2年程学習していましたが、全く結果が出せなかったので、思い切ってネットスクールに乗り換えました。

そこでまず驚いたのが、手厚いサポートでした。最初のZoomカウンセリングにて、これまでの状況を手短に説明しただけで、熊取谷先生に「財務諸表論は計算問題から取り掛かるようにしたらどうですか」というアドバイスをもらいました。私にとってはすごく参考になりました。

講義もとにかく面白く分かり易かったです。ライブ授業の日は、毎回朝から楽しみでした。そして、ひたすら苦行だった理論の勉強が、穂坂先生の講義のお陰で、めちゃくちゃ楽しい時間に変わった事にも驚きました。試験対策だけではなく、背景にあるものや作問に関わっている先生方がどういう考えでいるかなど、とても興味深い話が聞けて、飽きることなく学べました。

現在、3人の子供達の子育てをしながら勉強しておりますが、今年は結果が届いてすぐ、子供達に「合格したよ！」と知らせる事ができ、心の底から嬉しかったです。子供達も一緒に喜んでくれました。毎年、子供達に少し寂しい思いをさせてしまいますが、今年は結果が出せて本当に良かったです。

ネットスクールが自信をもって提唱する

簿財一体型の学習法

【税理士受験を始めた人に共通する最大の悩み】

⇒簿財の会計2科目のボリュームが多くて心が折れそう……

しかし、実は簿財の学習内容は**50％重複**しています。

※　(　)内の時間は1年間での標準学習時間となりますが、日商簿記検定などの学習経験や学習時期などの相違により個人差があります。

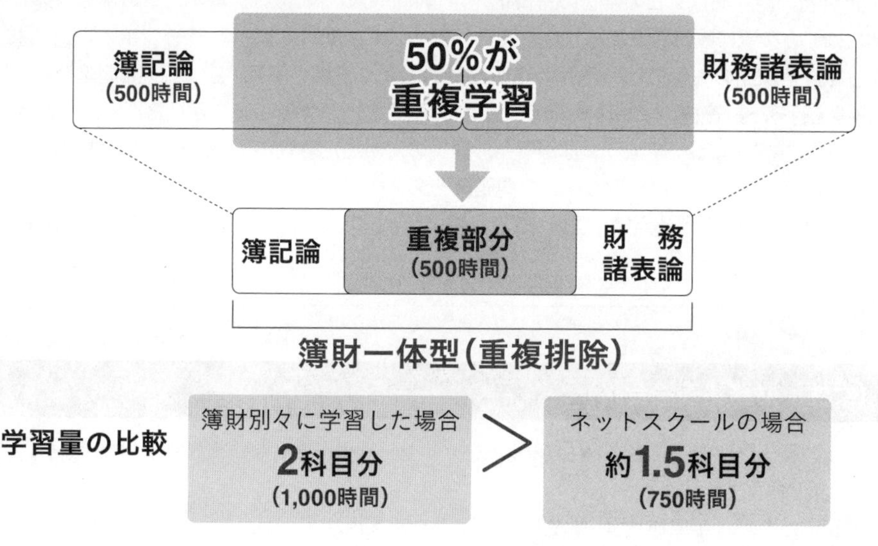

⇒悩みをスッキリ解決する新学習法が、**簿財一体型の学習法**です！

【参考】簿記論・財務諸表論の重複学習項目一覧

貸借対照表の作成	現金預金	金銭債権	棚卸資産	金融商品
有形固定資産	無形固定資産	繰延資産	営業費	負債会計
退職給付会計	純資産会計	外貨換算会計	リース会計	減損会計

なお、簿記論は基本的にはすべて計算問題として出題されますが、**財務諸表論では100点満点中50点までが理論問題の出題**となり、その出題量は相当なものとなりますので、**十分な理論対策が必要**となります。理論学習は日商簿記検定試験では1級会計学の出題内容となるため、特に3～2級までの学習修了者にとってはその理論対策が重要となってきます。

基礎導入編、基礎完成編、応用編の教科書・問題集は主に簿記論・財務諸表論の計算問題対策の教材となっていますので、財務諸表論の理論対策については別冊の**「財務諸表論教科書・理論編」**をご利用ください。

プロの会計人を目指すチャンス到来

今こそ税理士試験にチャレンジしよう！

簿記論および財務諸表論の受験資格が不要となったことに伴い、日商簿記の学習経験者にとってはこれまでよりも税理士試験（簿・財）にチャレンジしやすい環境になるものと考えられます。

これまで多くの税理士受験生が日商簿記検定の学習からスタートし、学習の進捗度合いや各級の合格を機に、簿記論や財務諸表論へステップアップしています。

そこで､以下の日商簿記検定試験の学習範囲との関連性（重複学習の度合い）をご参照いただき、今後における税理士試験へのチャレンジに向けて、学習開始の目安としていただきたいと思います。

なお、税理士試験では原価計算の出題はありません。また、工業簿記についても原価計算を行わない簡便的な工業簿記（商的工業簿記）の出題に限られています。

◆ 日商簿記検定試験の学習範囲との関連性

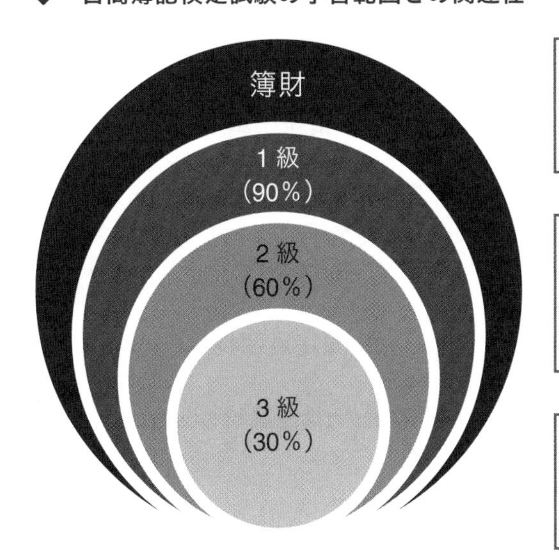

日商簿記1級

・ほとんどの内容は学習済みであり、復習もかねて学習を開始することができます。

・11月の検定試験後～年明けからのスタートが可能です。

日商簿記2級

・学習済みの内容も多く、比較的余裕をもって学習を開始することができます。

・理想は9月からですが、11月前後からのスタートも可能です。

日商簿記3級

・新規の学習項目も多くなりますが、基礎固めをしながら学習を進めていくことになります。

・9月から約1年をかけての学習をおススメします。

税理士試験（簿記論･財務諸表論）の学習については、これまででしたら日商簿記検定2級（商業簿記）の学習修了者が主な対象と考えられてきていたのですが、近年の日商簿記検定試験の出題範囲の改正等も考慮すると、**今後は日商簿記検定3級の学習修了者でも税理士試験（簿記論・財務諸表論）の学習開始は十分可能**であると考えられます。

さあ、今こそ税理士試験にチャレンジしましょう！

税理士試験は難易度の高い試験ではありますが、科目合格制度を採用しており、コツコツと努力を続ければ必ず合格できる可能性がある試験です。そして、税理士の資格は様々な分野で活躍できる魅力にあふれています。この魅力あふれる資格に今こそチャレンジしてみてください！

税理士試験の概要

税理士試験の2大特徴

特徴その1　科目選択制度

以下の試験科目全11科目から5科目を選択して受験する制度です。会計科目の2科目と選択必須科目1科目以上を含む税法科目3科目の合計5科目に合格する必要があります。

会計科目	必須の2科目	簿記論
		財務諸表論

税法科目	選択必須の1科目 ※法人税法または所得税法のいずれか	法人税法
		所得税法
	選択科目 [2科目または1科目選択]	相続税法
		消費税法または酒税法のいずれか
		国税徴収法
		固定資産税
		事業税または住民税のいずれか

特徴その2　科目合格制度

1度の受験で5科目全てに合格する必要はなく、1科目ずつ受験することができます。
なお、1度合格した科目は生涯有効となります。

税理士試験の受験資格及び試験日程については、国税庁ホームページをご覧下さい。

https://www.nta.go.jp/index.htm

国税庁ホームページ ＞ 税の情報・手続・用紙 ＞ 税理士に関する情報 ＞ 税理士試験

Chapter 1

簿記一巡

財務諸表は会社の 1 年間の活動を数字で表現したものですが、その財務諸表を作成するためには会社の取引活動をきちんと記録しなければなりません。そのために行われるのが簿記です。

Chapter1 では、簿記一巡の手続きを学習します。簿記の学習の基本知識ですから、これまでの学習内容を整理する意味でもしっかりとマスターしましょう。

また、代表的な財務諸表である「貸借対照表」と「損益計算書」についても、その概要を確認します。

Section 1

簿記の手続きの流れ

皆さんはこれから日商簿記３～２級の学習内容をベースにして、税理士簿記論・財務諸表論の学習を進めて行くことになります。

このSectionでは、簿記の手続きを整理する意味で、簿記の手続きの流れについて学習します。

1 簿記とは

簿記とは、企業の**財政状態**[*01]および**経営成績**[*02]を明らかにし、企業の**利害関係者**[*03]に会社の情報を提供するために、日々の取引活動を記録し、**財務諸表**[*04]を作成するための手続きをいいます。

*01) 資産や負債をどれだけ持っているかということです。

*02) 利益がどれだけあったかということです。

*03) 株主や銀行といった外部者と、経営者や管理者といった内部者がいます。

*04) 損益計算書、貸借対照表などです。

2 簿記の種類

簿記には、商品売買業を営む企業が行う**商業簿記**と、製造業を営む企業が行う**工業簿記**があります[*01]。

さらに、工業簿記は原価計算[*02]の手続きを行うかどうかにより、原価計算を行う**完全工業簿記**と原価計算を行わない**不完全工業簿記**(商的工業簿記)に分かれます。

このうち、**税理士試験では商業簿記と不完全工業簿記が出題範囲**[*03]となります。

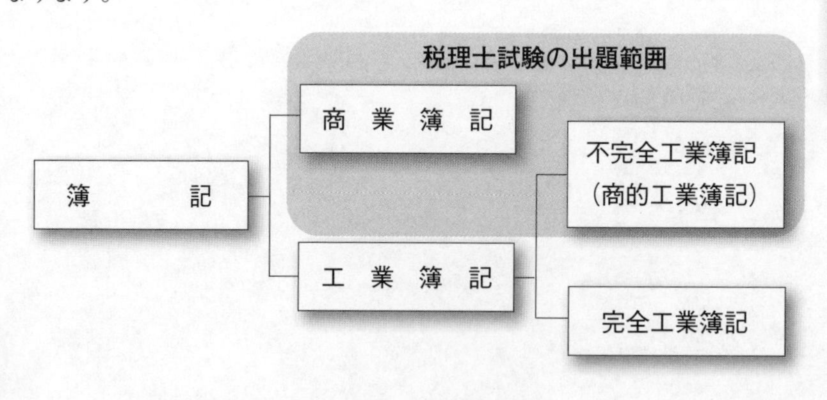

*01) このほかに銀行簿記などもありますが、学習の範囲外です。

*02) 材料や労働力などを使って作った製品１単位あたりの製造原価を計算することです。

*03) 日商２級や１級の学習で、工業簿記・原価計算で苦労した方には朗報です。原価計算で苦労することはないのです。

3 会計期間

企業は半永続的に存在するという前提[*01]で活動を行っており[*02]、企業の財政状態や経営成績は、本来は、企業の活動がすべて終了しなければ明らかにすることはできません。

そこで、簿記は、企業の利益を明らかにするために計算期間を通常**1年ごと**に区切ります。この計算期間を**会計期間**といい、そのスタートを**期首**、ゴールを**期末**あるいは**決算日**といいます。

したがって、簿記では半永続的に続く活動期間を1年単位で区切り、企業の財政状態と経営成績を明らかにします[*03]。

*01) ゴーイング・コンサーンといいます。

*02) 企業はあらかじめ閉店日を決めて活動を行っているわけではありません。

*03) これを期間損益計算といいます。

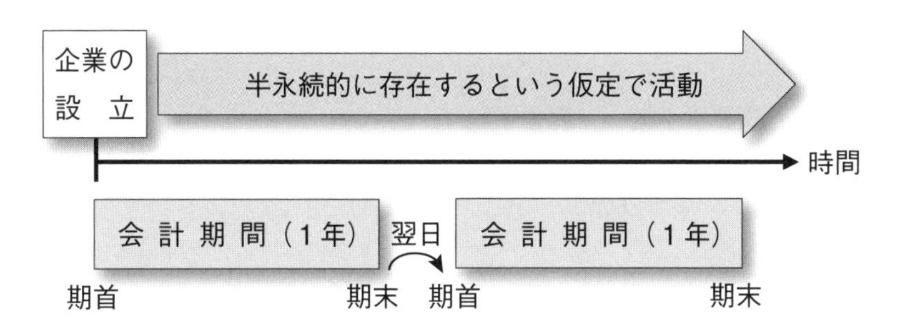

4 簿記一巡の手続き

簿記は、企業の財政状態と経営成績を明らかにするために、会計期間ごとに行われるわけですが、簿記一巡の手続きは大きく**開始手続**、**営業手続**、**決算手続**の3つに分けられます。

1. 開始手続

期首において営業手続に先立って行う帳簿への記入のことで、①繰越記入[*01]と、②経過勘定項目[*02]の再振替仕訳(および振戻仕訳)があります。このうち、①の繰越記入の方法は、決算手続で行われる帳簿の締切方法により異なります[*03]。

*01) 資産、負債、純資産に属する各勘定科目の残高を記入することです。

*02) 前払費用、前受収益、未払費用、未収収益のことです。

*03) 帳簿の締切方法には、大陸式簿記法と英米式簿記法の2つがあります。詳細はSection 3決算手続で学習します。

2. 営業手続

商品売買、固定資産の購入・売却、保険料の支払いといった期中に行った取引(期中取引)を帳簿に記入する手続きです。

3. 決算手続

期末において帳簿に記入された取引記録を整理して、財政状態と経営成績を明らかにするために行う手続きです。

この決算手続は、**決算予備手続**、**決算本手続**、**報告手続**からなります。

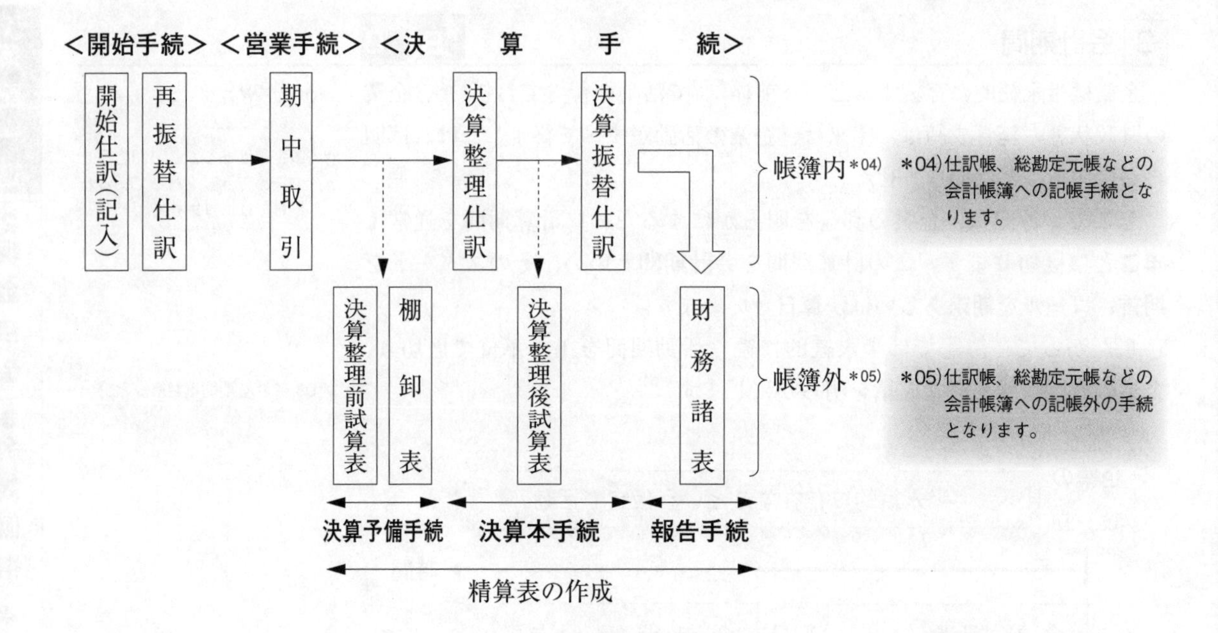

＊04) 仕訳帳、総勘定元帳などの会計帳簿への記帳手続となります。

＊05) 仕訳帳、総勘定元帳などの会計帳簿への記帳外の手続となります。

Section 2 営業手続

期中取引の帳簿記帳になります。この内容は簿記３級で学習する基礎的な内容となりますが、今後、様々な学習を進めていくと忘れがちになる項目です。

このSectionでは、営業手続で生じる取引により仕訳帳への記帳と総勘定元帳への転記を確認します。

1 取引の記帳 簿A

1．仕訳帳と総勘定元帳

取引が発生した際に、取引内容を仕訳帳に記帳し、総勘定元帳の勘定口座に転記を行います。

仕　訳　帳

日付		摘　要	元丁	借　方	貸　方
6	24	諸　口　（売　上）	20		150
		（現　金）＊01)	1	50	
		（売　掛　金）	5	100	

＊01)仕訳帳に借方「現金」と仕訳を行ったため、総勘定元帳の現金勘定も借方側に転記を行います。

転記

総勘定元帳

現　金　1

日付		摘　要	仕丁	借方	日付		摘　要	仕丁	貸方
6	24	売　上		50					

相手科目　金額

売　掛　金　5

日付		摘　要	仕丁	借方	日付		摘　要	仕丁	貸方
6	24	売　上		100					

売　上　20

日付		摘　要	仕丁	借方	日付		摘　要	仕丁	貸方
					6	24	諸　口		150

相手科目が複数の場合は「諸口＊02)」として転記します。

＊02)諸口は勘定科目ではなく諸々の勘定として相手科目が複数あることを示す簿記特有の用語です。

Section 3

決算手続

Section 1では、簿記の一巡の手続きについて学習しました。この手続きの中で特に重要な手続きが、決算手続といわれる期末（決算日）に行われる手続きです。

このSectionでは、決算手続の流れについて詳しく学習します。

1 決算手続の流れ

簿記は、企業の1年間の活動が終了する期末、つまり決算日に財政状態や経営成績を明らかにするために、最後の手続きとして決算手続を行います。

この決算手続は決算予備手続と決算本手続で構成されます。

2 決算予備手続

決算予備手続とは、決算本手続に入る前の準備として行われる手続きで、**(1)試算表の作成**と**(2)棚卸表の作成**という2つの手続きを行います。

(1)試算表（T／B）の作成

試算表とは、仕訳帳から総勘定元帳の各勘定口座への転記が間違いなく行われたかを確認する総勘定元帳の一覧表となります。

試算表は、合計試算表、残高試算表、合計残高試算表の3種類です。なお、試算表の作成は、決算整理仕訳の前後で作成されます*01)。

*01)決算整理前残高試算表は、「前T/B」と略されます。決算整理後残高試算表は、「後T/B」と略されます。

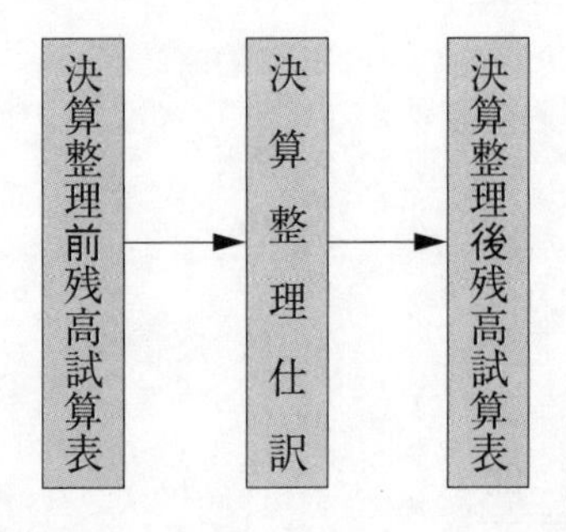

①合計試算表

合計試算表は、各勘定の貸借それぞれの合計額を計上して作成した試算表です。

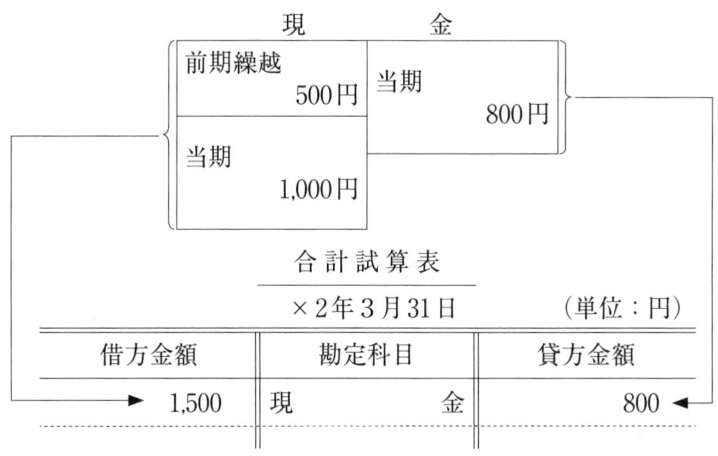

合計試算表

×2年3月31日　　(単位：円)

借方金額	勘定科目	貸方金額
1,500	現　金	800

②残高試算表

残高試算表は、各勘定の借方残高又は貸方残高を計上して作成した試算表です。

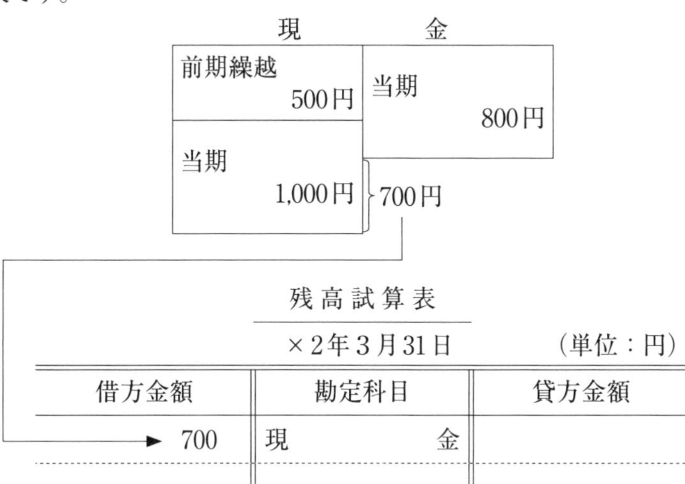

残高試算表

×2年3月31日　　(単位：円)

借方金額	勘定科目	貸方金額
700	現　金	

③合計残高試算表

合計残高試算表は、合計試算表と残高試算表を１つにまとめた試算表です。

合計残高試算表

×2年3月31日　　(単位：円)

借方		勘定科目	貸方	
残　高	合　計		合　計	残　高
700	1,500	現　金	800	

(2)棚卸表の作成

決算本手続で行う決算整理仕訳に必要な情報*02)を一覧表にまとめたものを棚卸表といいます。

*02)決算整理事項といいます。

【棚卸表の例】

棚　卸　表

×2年3月31日　　NS商事株式会社　　(単位：円)

決算整理事項	摘　要			金　額
①貸倒引当金	受取手形　1,000			
	売 掛 金　500			
	合計　1,500　に対し2％			30
②商　品	帳簿有高		2,500	
	棚卸減耗損	80		
	商品評価損	50	130	2,370
③減価償却費	営業用建物 3,000に対して5％			150
:	:			:
:	:			:

3 決算本手続

決算本手続では、**(1)決算整理仕訳**、**(2)決算整理後残高試算表の作成**、**(3)決算振替仕訳**を行います。

(1)決算整理仕訳

決算整理仕訳とは、決算整理事項にもとづいて行う仕訳*01)のことで、この仕訳により各勘定の残高が適切な金額に修正され、財政状態と経営成績を適正に把握することができます。

*01)減価償却費の計上、貸倒引当金の設定、売上原価の計算などの仕訳です。

〈経過勘定項目〉

費用・収益の見越し・繰延べとは、ある期間に属する損益を正しく認識*02)するために、期中に前払い・前受けした費用・収益を当期の分から除いて次期以降に繰り延べたり、期中に計上していない未払い・未収の費用・収益をその期の費用・収益として見越計上したりする会計処理をいいます。具体的には前払費用、前受収益、未払費用、未収収益の4つの項目があります。

*02)当期の分として計上すべき費用・収益を把握することです。

貸借対照表	
流動資産(借方)	流動負債(貸方)
前　払　費　用	未　払　費　用
未　収　収　益	前　受　収　益

※『長期前払費用』(1年を超えた将来に支払う費用)は固定資産に計上します。

貸借対照表(B／S)に計上する表示科目は左記の４種類ですが、仕訳などではもっと具体的な勘定科目を使うこともあります。

例：前払費用　→　前払保険料
　　未収収益　→　未収利息
　　未払費用　→　未払営業費
　　前受収益　→　前受家賃　　など

４つの経過勘定のうち「前」が付くもの(前払費用、前受収益)は繰延べ、「未」が付くもの(未収収益、未払費用)は見越しです。

【例１】営業費500円を繰り延べる。
　→(借)前払費用　500　(貸)営 業 費　500　と**資産計上**します。

【例２】営業費500円を見越計上する。
　→(借)営 業 費　500　(貸)未払費用　500　と**負債計上**します。

※営業費は費用のため、「前払**費用**」か「未払**費用**」が相手勘定になります。
　収益の勘定(受取利息など)の場合は、「前受**収益**」か「未収**収益**」が相手勘定になります。

設例 3-1　収益・費用の見越し、繰延べ

次の資料にもとづいて、決算整理仕訳を示しなさい。

【資料１】

決算整理前残高試算表(一部)　(単位：円)

営　業　費	6,800	受 取 家 賃	2,800
支 払 利 息	4,400		

【資料２】期末における経過勘定項目

前払利息　1,100円　　未払営業費　400円
前受家賃　600円　　未収家賃　200円

(借)	前 払 利 息	*1,100*	(貸)	支 払 利 息	*1,100*
(借)	営　業　費	*400*	(貸)	未払営業費	*400*
(借)	受 取 家 賃	*600*	(貸)	前 受 家 賃	*600*
(借)	未 収 家 賃	*200*	(貸)	受 取 家 賃	*200*

※「前払利息⇒前払費用」のように表示科目を使用しても可。

解説

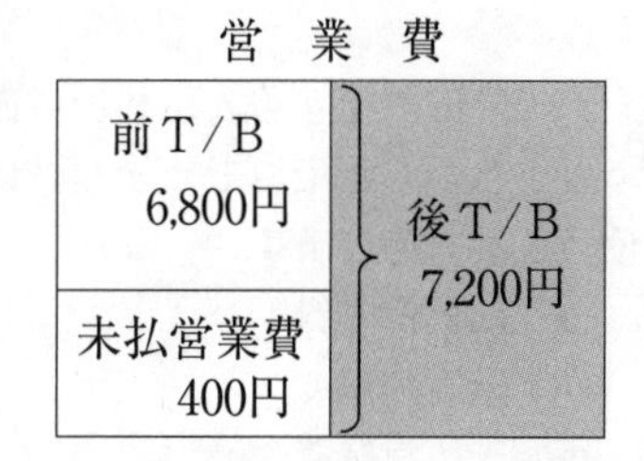

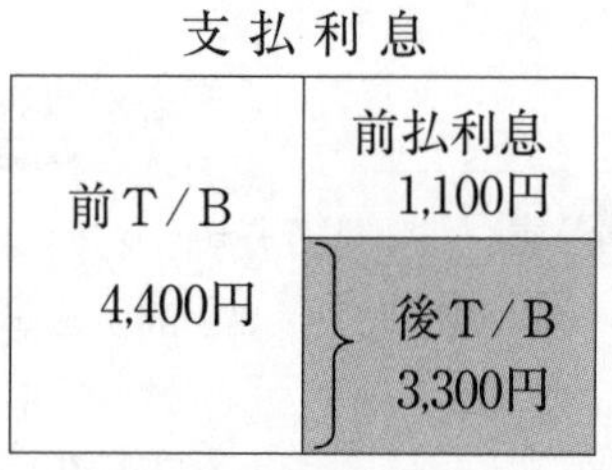

受取家賃

前受家賃
600円
前T/B
2,800円
後T/B
2,400円
未収家賃
200円

※「後T/Bの金額」がP/Lに記載される収益・費用の金額です。

決算整理後残高試算表 (単位：円)

前払利息	1,100	未払営業費	400
未収家賃	200	前受家賃	600
営業費	7,200	受取家賃	2,400
支払利息	3,300		

貸借対照表に表示すると次のようになります。

貸借対照表 (単位：円)

前払費用	1,100	未払費用	400
未収収益	200	前受収益	600

(2)決算整理後残高試算表の作成

決算整理後残高試算表(後T/B)*03)とは、決算整理仕訳にもとづく総勘定元帳の各勘定口座の記入に間違いがなかったかどうかを確認するために作成される試算表のことです。

*03)決算整理前残高試算表に決算整理仕訳を加えたものです。

(3)決算振替仕訳

決算振替仕訳とは、決算整理仕訳が行われた総勘定元帳の各勘定を集計し、経営成績及び財政状態を把握する手続をいいます。なお、決算振替仕訳を行うことで帳簿の締切りが行われることになります。また、資産・負債・純資産に関しては**大陸式簿記法**と**英米式簿記法**による記帳方法があります。

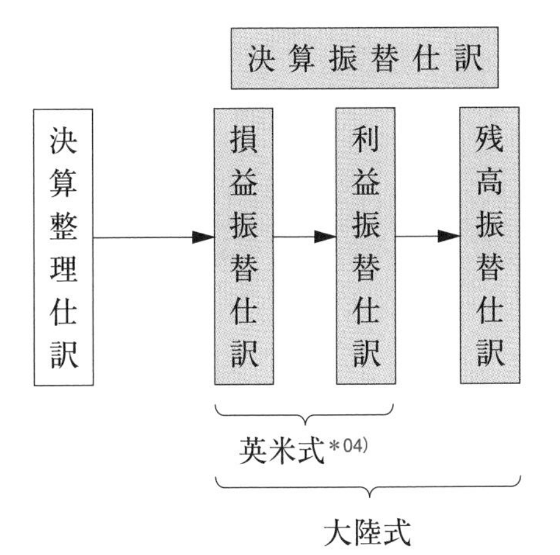

＊04)英米式の場合は、残高振替仕訳を行わず、資産・負債・純資産の締切りを行います。

①損益振替仕訳

損益振替仕訳は、費用・収益の諸勘定を損益勘定に集計する手続となり、当期純利益(純損失)が把握されます。

②利益振替仕訳

利益振替仕訳は、損益勘定で算定された当期純利益(純損失)を繰越利益剰余金勘定へ振替える手続です[＊05)]。

＊05)個人企業の場合は、資本金勘定に振替えが行われます。

③残高振替仕訳

資産・負債・純資産の諸勘定を(閉鎖)残高勘定に集計する手続となり、純資産が把握されます。

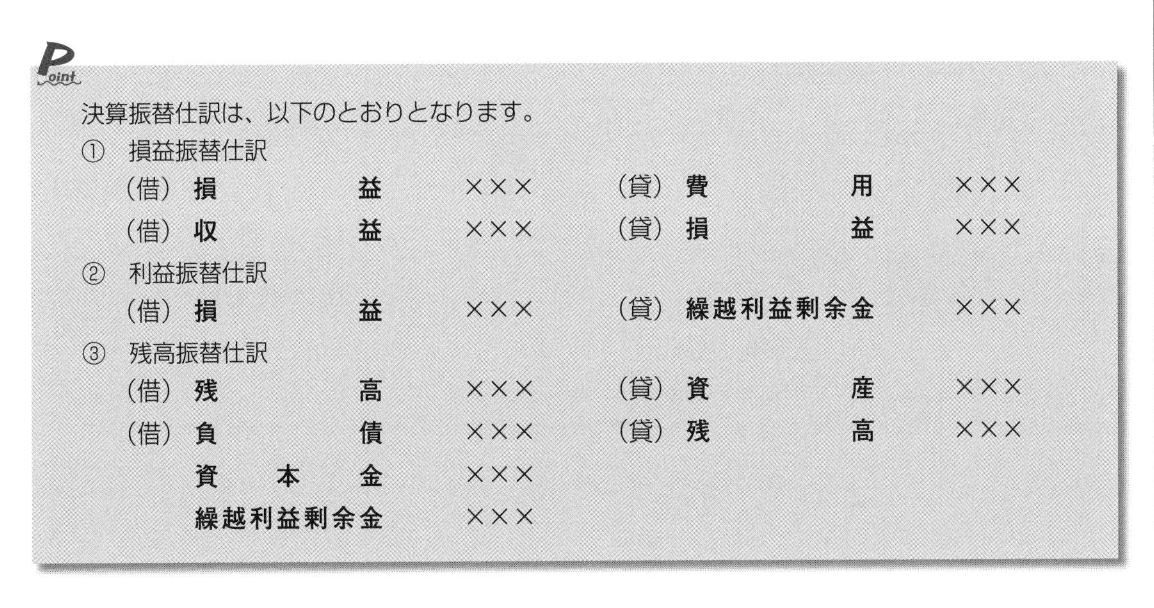
Point

決算振替仕訳は、以下のとおりとなります。

① 損益振替仕訳

(借)	**損　益**	×××	(貸)	**費　用**	×××
(借)	**収　益**	×××	(貸)	**損　益**	×××

② 利益振替仕訳

(借)	**損　益**	×××	(貸)	**繰越利益剰余金**	×××

③ 残高振替仕訳

(借)	**残　高**	×××	(貸)	**資　産**	×××
(借)	**負　債**	×××	(貸)	**残　高**	×××
	資本金	×××			
	繰越利益剰余金	×××			

1．大陸式簿記法

大陸式簿記法における決算振替仕訳は、損益振替仕訳、利益振替仕訳、残高振替仕訳が行われます。なお、大陸式簿記法は**純大陸式**と**準大陸式**の２種類があります。

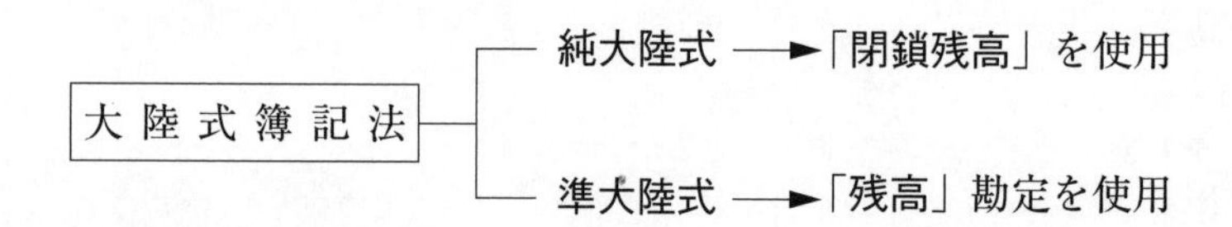

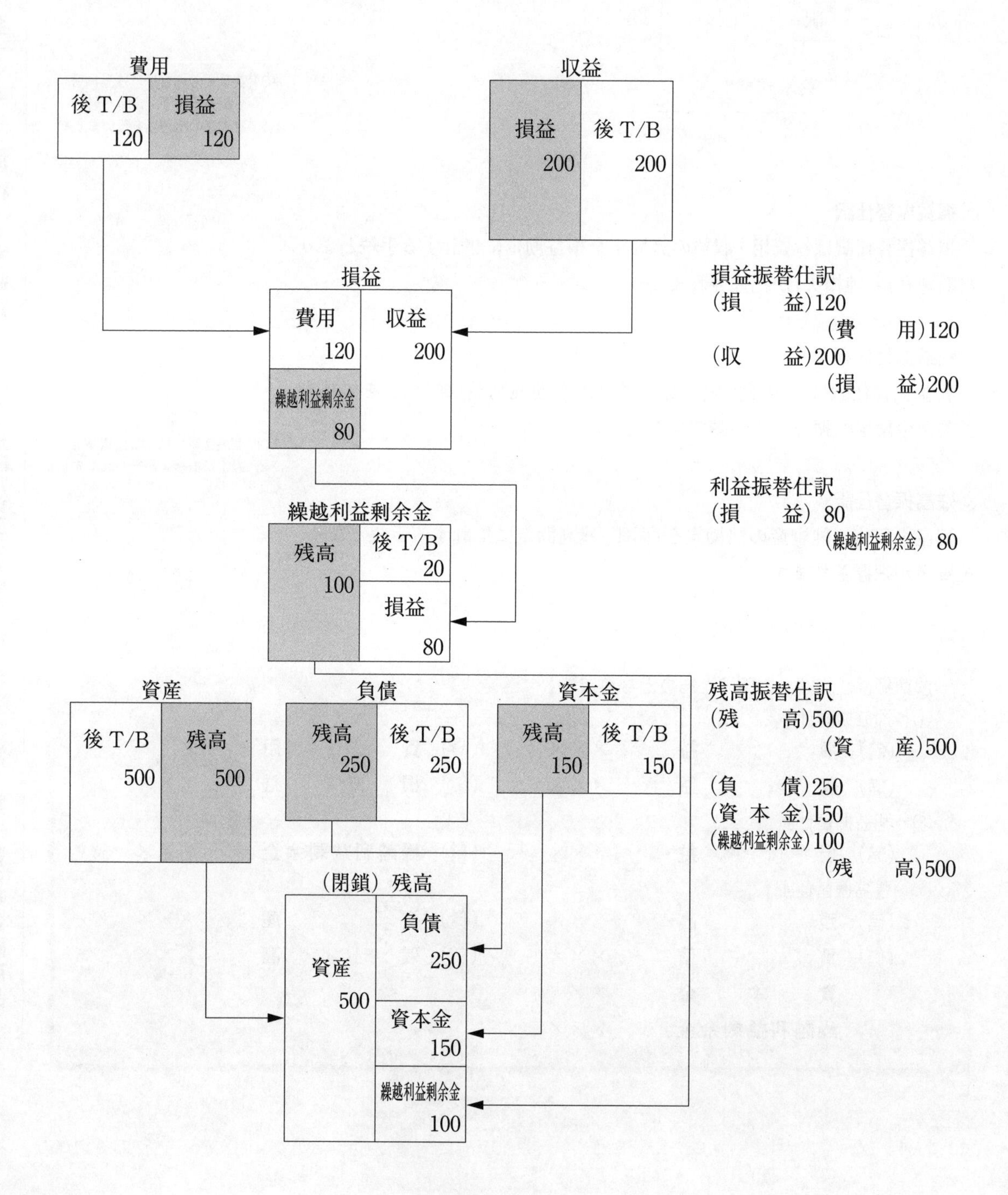

(1)準大陸式

決算整理後残高試算表　　(単位：円)

現金	400	買掛金	140
売掛金	200	資本金	500
繰越商品	100	繰越利益剰余金	10
仕入	800	売上	1,000
販売管理費	150		
	1,650		1,650

<決算振替仕訳>

損益振替仕訳

(借)	損益	950	(貸)	仕入	800
				販売管理費	150
(借)	売上	1,000	(貸)	損益	1,000

利益振替仕訳*06)

(借)	損益	50	(貸)	繰越利益剰余金	50

残高振替仕訳

(借)	残高	700	(貸)	現金	400
				売掛金	200
				繰越商品	100
(借)	買掛金	140	(貸)	残高	700
	資本金	500			
	繰越利益剰余金	60			

*06)損益勘定に集計された費用・収益の差額で計算された当期純利益が振替仕訳となります。

<総勘定元帳>

損益*07)

3/31	仕入	800	3/31	売上	1,000
〃	販売管理費	150			
〃	繰越利益剰余金	50			
		1,000			1,000

*07)集合勘定のため、相手科目が複数科目であっても諸口とせず、すべての相手科目を記入します。

繰越利益剰余金

3/31	残高	60		後T/B残高	10
			3/31	損益	50
		××			××

残　　高*08)

3/31	現　　　金	400	3/31	買　掛　金	140
〃	売　掛　金	200	〃	資　本　金	500
〃	繰越商品	100	〃	繰越利益剰余金	60
		700			700

*08)集合勘定のため、相手科目が複数科目であっても諸口とせず、すべての相手科目を記入します。

売　　上

3/31	損　　益*09)	1,000		後T/B残高	1,000
		××			××

*09)相手勘定科目は「損益」となります。

現　　金

	後T/B残高	400	3/31	残　　高*10)	400
		××			××

*10)相手勘定科目は「残高」となります。

(2)純大陸式

純大陸式の決算振替仕訳は、準大陸式とほぼ同一ですが、資産・負債・純資産の集計として「**閉鎖残高**」勘定を使用します。

＜決算振替仕訳＞

残高振替仕訳

(借)	閉鎖残高	700	(貸)	現　　金	400
				売　掛　金	200
				繰越商品	100
(借)	買　掛　金	140	(貸)	閉鎖残高	700
	資　本　金	500			
	繰越利益剰余金	60			

＜総勘定元帳＞

閉鎖残高*11)

3/31	現　　　金	400	3/31	買　掛　金	140
〃	売　掛　金	200	〃	資　本　金	500
〃	繰越商品	100	〃	繰越利益剰余金	60
		700			700

*11)集合勘定のため、相手科目が複数科目であっても諸口とせず、すべての相手科目を記入します。

現　　金

	後T/B残高	400	3/31	閉鎖残高	400
		××			××

2．英米式簿記法

英米式簿記法では、損益振替仕訳、利益振替仕訳は大陸式簿記法と同様となりますが、資産・負債・純資産の諸勘定については残高振替仕訳を行わず、総勘定元帳の勘定口座において繰越記入として**決算日の日付**で「**次期繰越**」を行うとともに、**翌期首の日付**で「**前期繰越**」と同時記入を行います。また、残高勘定に代わり**繰越試算表**の作成を行い帳簿記帳に誤りがないか確認します。

＜総勘定元帳＞

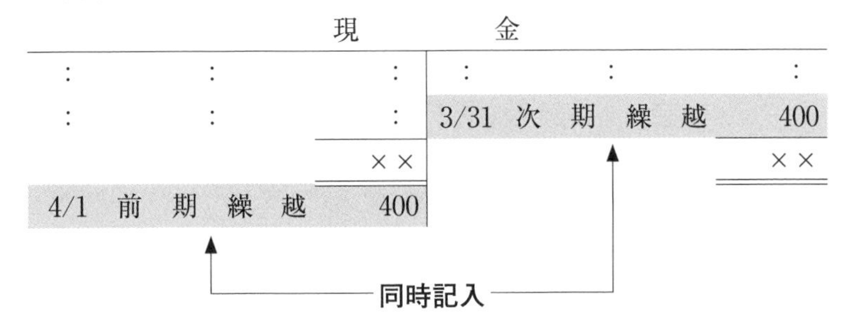

＜繰越試算表＞

繰越試算表　　　　(単位：円)

借方科目	金額	貸方科目	金額
現金	400	買掛金	140
売掛金	200	資本金	500
繰越商品	100	繰越利益剰余金	60
	700		700

繰越試算表は、総勘定元帳の資産・負債・純資産の諸勘定に基づき帳簿外の手続として作成される一覧表となります。

4 財務諸表の作成

『損益』や『閉鎖残高』(あるいは繰越試算表)にもとづいて貸借対照表(B/S)、損益計算書(P/L)、株主資本等変動計算書(S/S)等を作成します。以下に各財務表のひな型を示します*01)。

*01)表示科目は下記に示した以外にもたくさんありますが、表示上の特徴を一読しておきましょう。

(1)貸借対照表(B/S)のひな型の例

貸借対照表

NS商事株式会社　×2年3月31日現在　(単位：円)

資産の部		
I流動資産		
現金預金*02)		140,000
受取手形	45,000	
売掛金	35,000	
貸倒引当金*03)	△ 1,600	78,400
有価証券*04)		79,500
商品*05)		50,000
貯蔵品		41,000
未収収益*06)		28,600
未収入金		36,000
流動資産合計		453,500
II固定資産		
1有形固定資産		
建物	200,000	
減価償却累計額*07)	△72,000	128,000
土地		511,000
リース資産	125,000	
減価償却累計額	△25,000	100,000
有形固定資産合計		739,000
2無形固定資産		
ソフトウェア		12,400
のれん		42,000
無形固定資産合計		54,400
3投資その他の資産		
投資有価証券*08)		81,500
関係会社株式*09)		118,000
長期性預金		21,000
破産更生債権等	9,000	
貸倒引当金	△ 4,500	4,500
繰延税金資産		20,000
投資その他の資産合計		245,000
固定資産合計		1,038,400
III繰延資産		
株式交付費		4,500
社債発行費		3,600
繰延資産合計		8,100
資産合計		1,500,000

負債の部		
I流動負債		
支払手形		34,000
買掛金		29,300
短期借入金		31,000
未払法人税等		26,200
未払消費税等		21,000
リース債務		18,400
賞与引当金		17,250
流動負債合計		177,150
II固定負債		
社債		250,000
長期借入金		101,000
長期リース債務		55,200
退職給付引当金		31,500
固定負債合計		437,700
負債合計		614,850
純資産の部		
I株主資本		
1資本金		560,000
2資本剰余金		
(1)資本準備金	66,000	
(2)その他資本剰余金	28,150	
資本剰余金合計		94,150
3利益剰余金		
(1)利益準備金	48,500	
(2)その他利益剰余金		
任意積立金	37,000	
繰越利益剰余金	109,800	
利益剰余金合計		195,300
4自己株式		△32,050
株主資本合計		817,400
II評価・換算差額等		
1その他有価証券評価差額金		13,000
評価・換算差額等合計		13,000
III新株予約権		54,750
純資産合計		885,150
負債及び純資産合計		1,500,000

(2)損益計算書(P/L)のひな型の例

損 益 計 算 書

NS商事株式会社　自　×1年4月1日　至　×2年3月31日　(単位：円)

Ⅰ 売上高		750,000
Ⅱ 売上原価		
1 期首商品棚卸高	72,000	
2 当期商品仕入高	508,000	
合計	580,000	
3 期末商品棚卸高	55,000	
差引	525,000	
4 商品評価損[*10)]	5,000	530,000
売上総利益		220,000
Ⅲ 販売費及び一般管理費		98,300
営業利益		121,700
Ⅳ 営業外収益		
1 受取利息配当金	4,200	
2 有価証券利息	6,300	
3 有価証券評価益	5,100	
4 為替差益	54,500	70,100
Ⅴ 営業外費用		
1 支払利息	14,800	
2 社債利息	12,000	
3 株式交付費償却	4,500	
4 社債発行費償却	1,800	33,100
経常利益		158,700
Ⅵ 特別利益		
1 固定資産売却益	72,000	
2 関係会社株式売却益	1,250	
3 投資有価証券売却益	3,200	
4 保険差益	13,150	89,600
Ⅶ 特別損失		
1 固定資産除却損	42,000	
2 投資有価証券評価損	36,100	
3 火災損失	50,000	
4 減損損失	78,200	206,300
税引前当期純利益		42,000
法人税、住民税及び事業税	26,200	
法人税等調整額	△9,400	16,800
当期純利益[*11)]		25,200

*02)現金と当座預金などはまとめられます。
*03)貸倒引当金は債権のマイナス項目です。
*04)売買目的有価証券などが含められます。
*05)繰越商品とは表示しません。
*06)未収利息とは表示しません。
*07)建物の下に表示するので、『建物減価償却累計額』とは表示しません。
*08)満期保有目的の債券などが含められます。
*09)子会社株式などが含められます。
*10)商品評価損は売上原価の内訳項目となります。
*11)株主資本等変動計算書の当期純利益の行に移記されます。

(3)株主資本等変動計算書(S/S)のひな型の例

株 主 資 本 等 変 動 計 算 書

NS商事株式会社　　自×1年4月1日　至×2年3月31日　　(単位:円)

	株主資本										評価・換算差額等		新株予約権	純資産合計
	資本金	資本剰余金			利益剰余金				自己株式	株主資本合計	その他有価証券評価差額金	評価・換算差額等合計		
		資本準備金	その他資本剰余金	資本剰余金合計	利益準備金	その他利益剰余金		利益剰余金合計						
						任意積立金	繰越利益剰余金							
当期首残高	550,000	56,000	29,000	85,000	47,000	37,000	101,100	185,100	△36,000	784,100	8,350	8,350	54,750	847,200
当期変動額														
新株の発行	10,000	10,000		10,000						20,000				20,000
剰余金の配当					1,500		△16,500	△15,000		△15,000				△15,000
当期純利益							**25,200**	25,200		25,200				25,200
自己株式の処分			△850	△850					3,950	3,100				3,100
株主資本以外の項目の当期変動額(純額)											4,650	4,650		4,650
当期変動額合計	10,000	10,000	△850	9,150	1,500	—	8,700	10,200	3,950	33,300	4,650	4,650	—	37,950
当期末残高*11)	560,000	66,000	28,150	94,150	48,500	37,000	109,800	195,300	△32,050	817,400	13,000	13,000	54,750	885,150

*11)当期末残高の行に示される金額が貸借対照表の純資産の部の金額に一致します。つまり、株主資本等変動計算書は純資産の期中の増減を示す財務諸表なのです。

Section 4

貸借対照表の作成

貸借対照表は、会社が「何」を「いくら」もっているかを一覧表にしたものです。一覧表といっても、ただ並べているわけではありません。そこには一定のルールがあります。

このSectionでは、基本となるルールとフォームについて学習します。

1 貸借対照表とは

貸借対照表とは、企業の財政状態を明らかにするために決算日(貸借対照表日といいます)におけるすべての資産・負債および純資産を記載して、株主や債権者などの利害関係者に示す計算書類です。

2 貸借対照表とその構造

貸借対照表上、資産は「流動資産」、「固定資産*01)」、「繰延資産」の3つに分けられ、負債は「流動負債」と「固定負債」の2つに分けられます*02)。

純資産は「株主資本」、「評価・換算差額等」、「株式引受権」、「新株予約権」の4つに分けられます。

*01) さらに「有形固定資産」「無形固定資産」「投資その他の資産」に分類されます。

*02) 流動項目については、基本的に現金収入(支出)となる時期が早い順に記載されます。

〈貸借対照表の構造〉

貸借対照表 (単位：千円)

(資産の部)		(負債の部)	
Ⅰ 流動資産		Ⅰ 流動負債	
現金預金	87,000	支払手形	34,000
受取手形	45,000	買掛金	29,300
売掛金	35,000	短期借入金	31,000
商品	94,500	Ⅱ 固定負債	
Ⅱ 固定資産		社債	150,000
1 有形固定資産		退職給付引当金	31,500
建物	283,100	(純資産の部)	
備品	100,000	Ⅰ 株主資本	
2 無形固定資産		1 資本金	160,000
ソフトウェア	12,400	2 資本剰余金	94,150
のれん	42,000	3 利益剰余金	111,700
3 投資その他の資産		Ⅱ 評価・換算差額等	
投資有価証券	33,000	その他有価証券評価差額金	63,350
Ⅲ 繰延資産		Ⅲ 株式引受権	17,250
株式交付費	45,000	Ⅳ 新株予約権	54,750
資産合計	777,000	負債・純資産合計	777,000

3 流動・固定の分類基準

1．流動・固定の分類基準

資産および負債を流動・固定に分類する基準として、**(1)正常営業循環基準**と**(2)一年基準**があります。

(1)正常営業循環基準

商品を販売する会社はa．掛けで商品を仕入れ、b．仕入れた商品を掛けで販売します。その後、c．売掛金を現金で回収し、d．それを買掛金の支払いにあてます。この一連の流れを営業サイクルといい、正常営業循環基準とは、この循環の中に入っているものを流動項目とする基準です*01)。

*01)例：自動車メーカーの自動車
- 製品として販売する場合→流動資産(商品)
- 社用車として使用する場合→固定資産(車両)

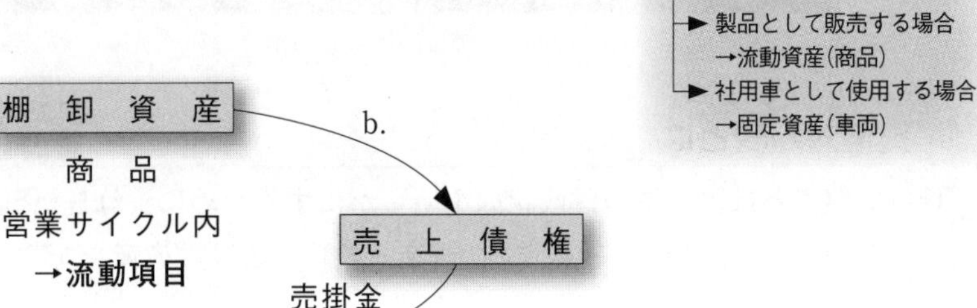

(2)一年基準

一年基準とは、貸借対照表日の翌日から起算して、1年以内に現金化するものを流動項目、そうでないものを固定項目とする基準です*02)。

*02)未払費用、前受収益、未収収益の経過勘定項目は、例外的に一年基準の適用を受けずに、つねに流動項目となります。

設例 4-1　長期前払費用の処理

次の取引の仕訳を示しなさい。

決算にさいし、保険料を20カ月分前払いしていることが判明した。必要な仕訳を示しなさい。なお、保険料は1カ月あたり10,000円である。

解答

(借)		(貸)	
前払費用	120,000	保険料	200,000
長期前払費用	80,000		

2．現行制度での適用

現行制度では、まず(1)正常営業循環基準によって、営業サイクルに入るものを流動項目とし、入らないものについては(2)一年基準によって流動・固定項目に分類します。

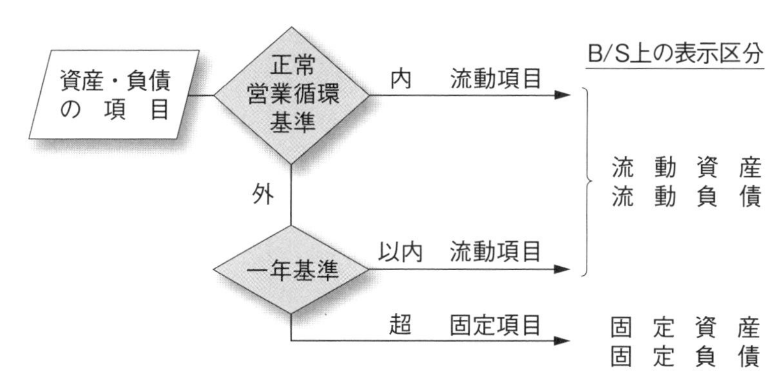

Point
流動項目か固定項目かの分類は、(1)正常営業循環基準、(2)一年基準の順で判断します。

4 勘定科目と表示科目

簿A 財計A

1．勘定科目

勘定科目とは、仕訳を行うさいに使用する科目のことをいいます。企業の経営実態や管理方針にあわせて設定されるため、同じ取引に対して、企業によっては異なる科目を使用して仕訳をする可能性があります。

【例】商品を100円で売り上げ、代金は当座預金口座に振り込まれた。

A社が行った仕訳：(借)当座預金 100 (貸)売 上 100
B社が行った仕訳：(借)預　　金 100 (貸)売 上 100
C社が行った仕訳：(借)現金預金 100 (貸)売 上 100
} どれも正しい仕訳

2．表示科目

表示科目とは、B／SやP／Lなどの財務諸表に金額を記載するさいに使用する科目のことをいいます。規則等により使用できる科目が決められているものについては、どの企業においても同じ表示科目を使うことになります。

【例】決算の結果、当座預金の残高は100円であった。

A社の表示(B／S)：現金預金 100 ← 『当座預金』残高
B社の表示(B／S)：現金預金 100 ← 『預　　金』残高
C社の表示(B／S)：現金預金 100 ← 『現金預金』残高
} どの勘定を使っていても『現金預金』で表示します

勘定科目と表示科目との対比例

勘定科目と表示科目で異なるものについては、各Chapterで学習します。

	勘定科目	表示科目
B/S例	現金 当座預金 普通預金 預金 現金預金	現金預金 (または現金及び預金)
P/L例	有価証券評価損益	有価証券評価益 有価証券評価損

※有価証券評価損益はP/L表示上、純額(評価益と評価損の差額)を記載します。そのため、勘定科目では『有価証券評価損益』を使っている場合でも、P/Lを作成する段階で、評価益が生じているなら『有価証券評価益』を、評価損が生じているなら『有価証券評価損』を使います。

Section 5 損益計算書の作成

一般商品売買や特殊商品売買などの、企業の販売活動の費用・収益の項目は損益計算書に計上されるため、損益計算書についての知識が必要となります。
このSectionでは、基本となるルールとフォームについて学習します。

1 損益計算書(P/L)とは

損益計算書とは、企業の経営成績を明らかにするために、一会計期間の収益と費用を記載して、当期純利益(または当期純損失)を算定表示した計算書類です。

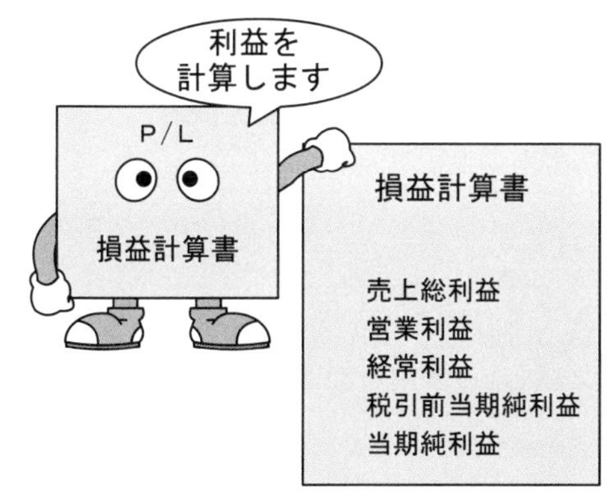

企業が行う活動は、企業の主目的たる営業活動[*01]と資金の調達や返済といった主目的たる営業活動以外の経常的な活動[*02]に分けることができ、それぞれの活動から収益と費用が生じます。

そこで損益計算書は、それぞれの活動からどれだけ収益・費用が発生し、利益が獲得できたかがわかるように、活動内容ごとに区別して表示します。損益計算書のひな型を示すと、次のとおりです。

*01) たとえば小売業の商品売買です。

*02) 銀行からの借入れや有価証券による資金運用などです。

損 益 計 算 書	(単位：千円)	
Ⅰ 売 上 高	750,000	営業損益計算
Ⅱ 売 上 原 価	530,000	
売上総利益	220,000	
Ⅲ 販売費及び一般管理費	98,300	
営 業 利 益	121,700	
Ⅳ 営 業 外 収 益	70,100	経常損益計算
Ⅴ 営 業 外 費 用	33,100	
経 常 利 益	158,700	
Ⅵ 特 別 利 益	89,600	純損益計算
Ⅶ 特 別 損 失	206,300	
税引前当期純利益	42,000	
法人税、住民税及び事業税	16,800	
当 期 純 利 益	25,200	

2 損益計算書の区分

損益計算書の３つの表示区分の内容は、次のとおりです。

1．営業損益計算の区分

営業損益計算の区分は、その企業が行った「主目的たる営業活動(売上の獲得とそれにかかる活動)」によって生じる収益と費用を記載して、営業利益を計算する区分です。

損益計算書

営業損益計算			
Ⅰ 売上高		750,000	…… 当期に販売した商品販売代金の合計
Ⅱ 売上原価			
1 期首商品棚卸高	72,000		
2 当期商品仕入高	508,000		
合計	580,000		
3 期末商品棚卸高	55,000		
差引	525,000		……………… 期中に販売した商品購入原価の合計
4 商品評価損	5,000	530,000	…… 当期の商品販売に対応する売上原価
売上総利益		220,000	…… 商品の販売益*01)
Ⅲ 販売費及び一般管理費			
1 給料	20,000		
2 減価償却費	8,300		
3 その他営業費	70,000	98,300	…… 当期の売上収益を獲得するためにかかった費用
営業利益		121,700	…… 当期の営業活動によって獲得できた利益

*01）粗利益（あらりえき）ともいいます。

2．経常損益計算の区分

経常損益計算の区分は、営業損益計算の結果（営業利益）を受けて経常利益を計算する区分で、「主目的たる営業活動でない活動」で、かつ毎期経常的に発生する収益と費用を記載します。

経常損益計算			
Ⅳ 営業外収益			
1 受取利息配当金	4,200		
2 有価証券利息	6,300		
3 有価証券評価益	5,100		
4 為替差益	54,500	70,100	…… 売上にかからない収益で、かつ経常的なもの 主に財務収益
Ⅴ 営業外費用			
1 支払利息	14,800		
2 社債利息	12,000		
3 株式交付費償却	4,500		
4 社債発行費償却	1,800	33,100	…… 売上にかからない費用で、かつ経常的なもの 主に財務費用
経常利益		158,700	…… 当期の経常的な活動によって得た利益 企業の正常な状態の収益力を示す

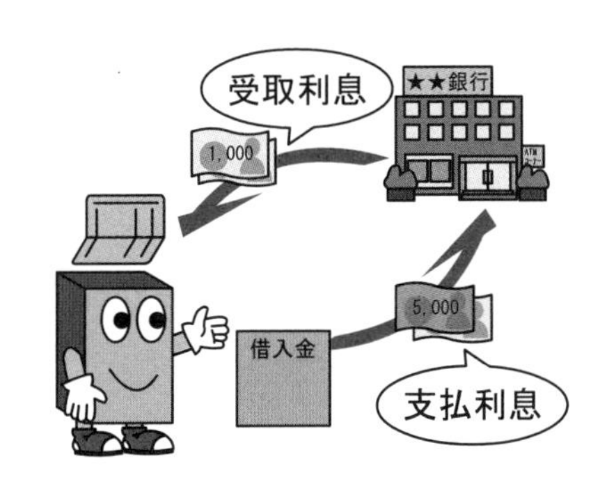

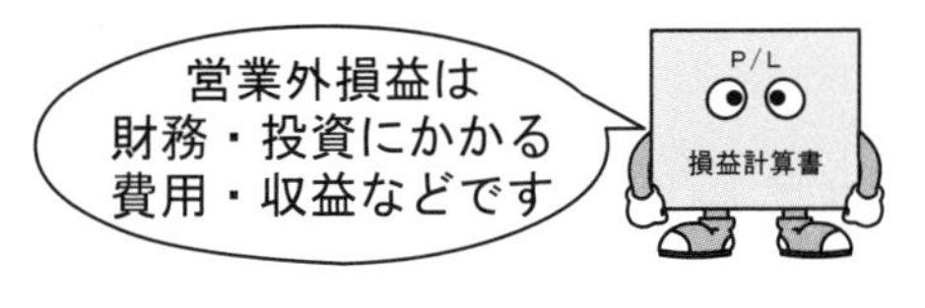

3．純損益計算の区分

純損益計算の区分は、経常損益計算の結果(経常利益)を受けて、当期純損益を計算する区分です。具体的には、企業の正常な営業活動とは直接関係のない臨時的な損益としての臨時損益に関する利益および損失などを記載します。

純損益計算				
Ⅵ 特別利益				
	1 固定資産売却益	72,000		
	2 社債償還益	1,250		
	3 投資有価証券売却益	3,200		
	4 保険差益	13,150	89,600	……臨時的なもの*02)にかかる損益
Ⅶ 特別損失				
	1 固定資産除却損	42,000		
	2 投資有価証券評価損	36,100		
	3 火災損失	50,000		
	4 減損損失	78,200	206,300	…
	税引前当期純利益		42,000	……税金(法人税等)を控除する前の損益
	法人税、住民税及び事業税		16,800	
	当期純利益		25,200	……当期の結果的な損益

*02)固定資産の売却損益などです。

Section 6

開始手続

資産・負債・純資産の前期末残高が当期首に繰越されてきます。この繰越されてきた資産・負債・純資産が当期における企業活動のスタートとなります。
このSectionでは、営業手続の準備として期首に行う開始手続の学習をします。

1 概要

期首において、営業手続(期中取引)に先立って行う帳簿への記入には、資産・負債・純資産の勘定残高の繰越記入と、経過勘定項目の再振替仕訳があります。繰越記入については、大陸式簿記法と英米式簿記法のいずれかを採用しているかにより異なります。

	資産・負債・純資産	経過勘定項目
大陸式簿記法	開始仕訳	再振替仕訳
英米式簿記法	開始記入	

2 開始仕訳（大陸式簿記法）

大陸式簿記法を採用している場合は、前期末において資産・負債・純資産の諸勘定について残高の金額を「(閉鎖)残高」勘定に振替を行い、締切りがされています。ただし、総勘定元帳の資産・負債・純資産の諸勘定について前期末の残高が当期首の有り高として記帳されていないため、**仕訳帳に開始仕訳**を行い、総勘定元帳の資産・負債・純資産の諸勘定に転記を行う必要があります。

なお、開始仕訳は、純大陸式と準大陸式で異なります。

1．純大陸式

純大陸式では、「開始残高」勘定を設け、資産・負債・残高の諸勘定の相手科目として開始仕訳を行い、総勘定元帳への転記を行います。

(前期末)　閉　鎖　残　高

3/31	現　　金	400	3/31	買　掛　金	140
〃	売　掛　金	200	〃	資　本　金	500
〃	繰越商品	100	〃	繰越利益剰余金	60
		700			700

<開始仕訳>

（借）	現　　　金	400	（貸）	開始残高	700
	売　掛　金	200			
	繰越商品	100			
（借）	開始残高	700	（貸）	買　掛　金	140
				資　本　金	500
				繰越利益剰余金	60

<総勘定元帳>

開　始　残　高*01)

4/1	買　掛　金	140	4/1	現　　　金	400
〃	資　本　金	500	〃	売　掛　金	200
〃	繰越利益剰余金	60	〃	繰越商品	100
		700			700

現　　　金

4/1	開始残高*02)	400			

*01）集合勘定のため、相手科目が複数科目であっても諸口とせず、すべての相手科目を記入します。
なお、開始残高勘定は資産・負債・純資産が貸借逆で集計されてしまいます。

*02）相手勘定科目は「開始残高」となります。

純大陸式の問題点

① 仕訳帳への記帳金額

開始残高勘定を設けることにより一致した資産合計と負債・純資産合計の２倍の金額が仕訳帳に記帳されてしまいます。

資産合計：700円　　負債・純資産合計：700

（資　　産）	700	（開始残高）	700	1,400
（開始残高）	700	（負債・純資産）	700	

② 開始残高勘定

開始仕訳により資産・負債・純資産が開始残高勘定に転記されますが、資産が貸方、負債・純資産が借方に記帳され貸借逆に集計がされてしまいます。

上記の問題点を解消するため、準大陸式による開始仕訳が行われることとなります。

2. 準大陸式

準大陸式では、開始仕訳の際、開始手続独自の勘定科目を設置せず、借方を資産、貸方を負債・純資産とした仕訳を行います。

(前期末)　　　　残　　　高

3/31	現　　　金	400	3/31	買　掛　金	140
〃	売　掛　金	200	〃	資　本　金	500
〃	繰越商品	100	〃	繰越利益剰余金	60
		700			700

<開始仕訳>

(借)	現　　　金	400	(貸)	買　掛　金	140
	売　掛　金	200		資　本　金	500
	繰越商品	100		繰越利益剰余金	60

<総勘定元帳>

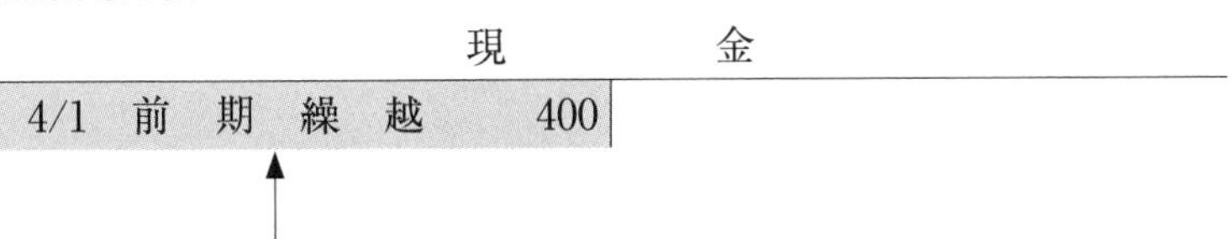

取引により発生した金額でないため「諸口」とはせず、前期から繰越されてきた金額であるため、「**前期繰越**」と記入を行います。

3 開始記入(英米式簿記法)

英米式簿記法を採用している場合は、前期末に総勘定元帳の勘定口座において「次期繰越」記入と同時に「前期繰越」記入が終了しています。そのため、開始仕訳による転記が必要ありません。

仕　訳　帳

日付		摘　　　要	元帳	借　方	貸　方
4	1	前　期　繰　越	√	700	700

<総勘定元帳>

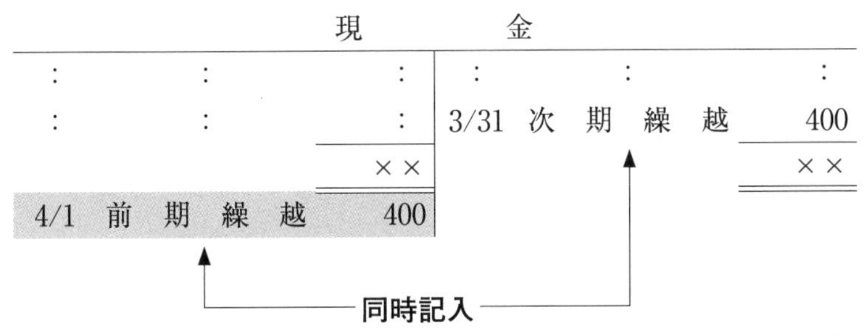

前期末に当期首の日付をもって「前期繰越」記入がされています。
そのため、開始仕訳による転記が不要となります。

4 再振替仕訳

簿A ▶▶簿問題集：問題 1,2,3,4.5,6

前期末の決算整理仕訳で費用・収益の見越や繰延を行った場合には、当期首に経過勘定項目の再振替仕訳を行う必要があります。再振替仕訳は、前期末の費用・収益の見越や繰延で行った仕訳の逆仕訳を行えばよいです。

設例 4-1 再振替仕訳

次の資料に基づき、当期首の再振替仕訳を示しなさい。

【資料１】期首繰越試算表

繰 越 試 算 表 （単位：円）

前払利息	1,100	未払営業費	400
未収利息	200	前受家賃	600

解答

再振替仕訳

（借）	支払利息	*1,100*	（貸）	前払利息	*1,100*
（借）	受取利息	*200*	（貸）	未収利息	*200*
（借）	未払営業費	*400*	（貸）	営業費	*400*
（借）	前受家賃	*600*	（貸）	受取家賃	*600*

解説

前期末に行った決算整理仕訳は以下のとおりであり、当期首はこの逆仕訳を行います。

（借）	前払利息	1,100	（貸）	支払利息	1,100
（借）	営業費	400	（貸）	未払営業費	400
（借）	受取家賃	600	（貸）	前受家賃	600
（借）	未収利息	200	（貸）	受取利息	200

Chapter 2
現金預金

『現金』という言葉に対して皆さんはどんなイメージをお持ちですか？　紙幣？　それとも硬貨？　どちらもまさに『現金』です。ところが会計上の『現金』はそれだけではありません。Chapter 2では、現金と預金について学習します。日商３級でも学習したテーマですが、話が細かくなりますから、決して甘くみてはダメですよ。

Section 1 現　金

皆さんは「現金」といえば「紙幣」や「硬貨」をイメージされるでしょう。ところが会計上の「現金」はそれ以外にもあります。

このSectionでは、会計上「現金」として扱われるもの、扱われないものについて学習します。

1 現金の範囲

会計上の現金は、通貨(紙幣および硬貨)および通貨代用証券(つうかだいようしょうけん)*01)が該当します。

- 現金
  - 通貨(外国通貨を含む)
  - 通貨代用証券*01)
    - 他人振出小切手(先日付小切手を除く)
    - 株式の配当金領収証*02)
    - 期限到来後の公社債利札(こうしゃさいりふだ)*03)
    - 郵便為替証書*04)
    - 法人税等の還付通知書*05)　など

＊01)銀行などの金融機関に持ち込めば、すぐに紙幣や硬貨に替わるものをいいます。

＊02)株式の配当として交付される配当金の領収証です。

＊03)公債や社債の証券にあらかじめ印刷されている利息の受領証(クーポン)です。

＊04)郵便局が送金者の依頼にもとづいて交付する証券です。

＊05)法人税等の還付を受けるための受取証です。

<通貨>

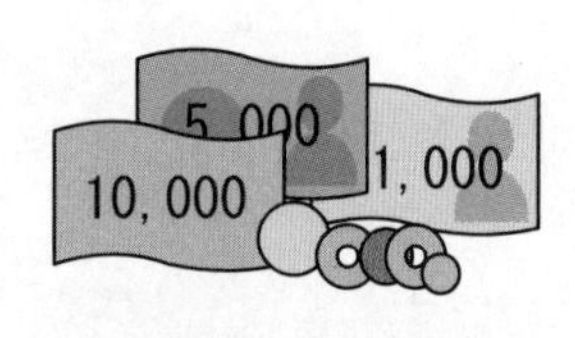

<通貨代用証券>

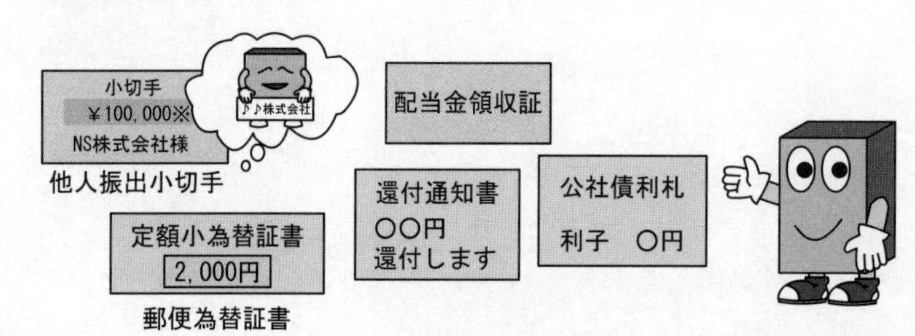

Point

現金に該当するものは、すべて『現金』で処理しますが、預金とあわせて『現金預金』や『現金及び預金』で処理することも試験では多々あります。

勘定科目を書く問題の場合には、問題文や答案用紙をよく読んで適切な勘定科目を使うように心がけましょう！

※なお、B/S 上の表示科目は『現金預金』（または『現金及び預金』）です。

2 現金と間違えやすい項目

1．先日付小切手 ⇨ 『受取手形』

先日付小切手とは、小切手に記載されている振出日が実際の振出日より先の日付になっている小切手のことです。この小切手は、記載されている振出日(将来)まで銀行に呈示しないという約束のうえ、振り出しています。そのため、手形を受け取った場合と同様の性質から『受取手形』で処理します。

設例 1-1 先日付小切手の処理

次の取引の仕訳を示しなさい。

売掛金の回収として、翌期の4月15日が振出日となっている先日付小切手5,000円を受け取った。

(借) 受取手形	5,000	(貸) 売掛金	5,000

2．自己振出小切手 ⇨ 『当座預金』

自己振出小切手とは、当社が以前に振り出した小切手のことをいいます。この小切手を代金回収等により回収した場合は、『当座預金』の増加として処理します[*01]。

なお、小切手の未渡しを原因として、期末に自己振出小切手が当社にある場合[*02]も同様に『当座預金』の増加として処理をします。

*01) この小切手は当社が回収したため、結局、当座預金は減少しないことになるからです。

*02) 未渡小切手といいます。詳しくは本ChapterのSection 2で学習します。

設例 1-2 自己振出小切手の処理

次の取引の仕訳を示しなさい。

商品3,000円を販売し、代金として当社がかつて振り出した小切手3,000円を受け取った。

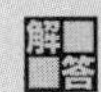

(借) 当座預金	3,000	(貸) 売上	3,000

3．借用証書　⇨　『貸付金』

借用証書とは、金銭を貸し付けたさいに貸し付けた相手から受け取る証書のことで、『貸付金』で処理します。

設例 1-3　借用証書の処理

次の取引の仕訳を示しなさい。

取引先に現金8,000円を貸し付け、同額が記載されている借用証書を受け取った。

解答

(借) 貸　付　金	8,000	(貸) 現　　　金	8,000

4．その他の現金と間違えやすい項目

	未使用分	使 用 分
郵便切手・はがき*03)	『貯蔵品』	『通 信 費』*04)
収　入　印　紙	『貯蔵品』	『租税公課』*04)
消　　耗　　品	『貯蔵品』または『消耗品』	『消耗品費』*04)

*03) はがきは官製はがきをイメージしてください。

*04) P/Lの販売費及び一般管理費です。

これらの項目は、本試験では「期末に金庫を実査して発見された」というパターンで多く出題されます。つまり訂正仕訳が基本となるので、訂正仕訳に慣れるようにしましょう！

設例 1-4　現金と間違えやすい項目のまとめ

決算にあたり金庫を実査した結果、次のものが保管されていた。各事項について、適切な訂正仕訳を示しなさい。

(1) 先日付小切手5,000円(期中に受け取ったさい、現金として処理していた)

(2) 自己振出小切手3,000円(期中に受け取ったさい、現金として処理していた)

(3) 取引先から受け取った借用証書8,000円(現金で支払っていたが、未処理である)

(4) 未使用の切手850円分、収入印紙1,600円分(購入時に費用処理している)

解答

(1)	(借) 受 取 手 形	5,000	(貸) 現　　　金	5,000
(2)	(借) 当 座 預 金	3,000	(貸) 現　　　金	3,000
(3)	(借) 貸　付　金	8,000	(貸) 現　　　金	8,000
(4)	(借) 貯　蔵　品	2,450	(貸) 通　信　費	850
			租 税 公 課	1,600

3 現金過不足の処理

▶▶簿問題集：問題 1,4,5

決算時等に現金の実際有高の調査を行いますが、現金は記帳漏れなどが原因で、帳簿残高と実際有高が一致しないことがあります*01)。そこで、帳簿残高と実際有高が一致しなかった場合、帳簿残高を**実際有高に修正**します。

*01) 現金の帳簿残高と実際有高の差額を、現金過不足といいます。

現金の帳簿残高と実際有高が一致しない場合は、必ず帳簿残高を実際有高にあわせるように修正します。

1．決算時に現金過不足が発生したケース

まず現金過不足の原因を調査し、原因が判明した項目は正しい勘定科目に振り替えます。

次に、原因判明分を考慮しても帳簿残高と実際有高が一致しなかった場合には、差額を『雑収入』または『雑損失』で処理します*02)。

*02) 決算時に現金過不足を認識したときは、『現金過不足』は使いません。

	勘定科目	表示区分
帳簿残高*03) ＜ 実際有高	雑収入(雑益)	営業外収益
帳簿残高*03) ＞ 実際有高	雑損失(雑損)	営業外費用

*03) 原因判明分を考慮後の残高です。

設例 1-5　現金過不足の処理（雑損失の計上）

決算にあたり次の事実が判明した。必要な仕訳を示しなさい。

決算整理前における現金の帳簿残高は100,000円であったが、期末に金庫を実査した結果、現金の実際有高は90,000円であった。

(1)　営業費6,000円を現金で支払っていたが、未記帳であることが判明した。

(2)　現金の帳簿残高と実際有高に差額が生じた場合は、『雑収入』または『雑損失』で処理する。

(1)	(借)	営業費	6,000	(貸)	現金	6,000
(2)	(借)	雑損失	4,000*04)	(貸)	現金	4,000

*04) 原因判明後の現金の帳簿残高は94,000円(＝100,000円－6,000円)であり、実際有高90,000円との差額は雑損失となります。なお、後T/Bに計上される現金の金額は「実際有高」である点に注意してください。

設例 1-6　現金過不足の処理（雑収入の計上）

決算にあたり次の事実が判明した。必要な仕訳を示しなさい。

決算整理前における現金の帳簿残高は100,000円であったが、期末に金庫を実査した結果、現金の実際有高は95,000円であった。

(1)　営業費6,000円を現金で支払っていたが、未記帳であることが判明した。

(2)　現金の帳簿残高と実際有高に差額が生じた場合は、『雑収入』または『雑損失』で処理する。

解答

(1)	(借) 営業費	6,000	(貸) 現金	6,000
(2)	(借) 現金	1,000	(貸) 雑収入	1,000＊05)

＊05) 原因判明後の現金の帳簿残高は94,000円(＝100,000円－6,000円)であり、実際残高95,000円との差額は雑収入となります。なお、後T/Bに計上される現金の金額は「実際有高」である点に注意してください。

2．期中に現金過不足が発生したケース

帳簿残高を実際有高に修正し、超過額または不足額を一時的に『現金過不足』で処理しておきます。その後、原因が判明したときは正しい勘定科目に振り替えます。

また、決算日になっても原因が判明しなかった場合には、『現金過不足』の残高を『雑収入』(営業外収益)または『雑損失』(営業外費用)へ振り替えます。

設例 1-7　現金過不足の処理（期中の処理１）

次の取引の仕訳を示しなさい。

(1)　期中において現金の帳簿残高は100,000円であったが、金庫を実査した結果、現金の実際有高は90,000円であった。

(2)　決算にあたり、(1)の不足額のうち6,000円は営業費の支払いの記帳漏れであることが判明した。現金の帳簿残高と実際有高に差額が生じた場合は、『雑収入』または『雑損失』で処理する。

解答

(1)	(借) 現金過不足	10,000＊06)	(貸) 現金	10,000
(2)	(借) 営業費	6,000	(貸) 現金過不足	10,000
	雑損失	4,000		

＊06) 100,000円－90,000円。まずは帳簿残高を実際有高に修正する仕訳を行います。

設例 1-8　現金過不足の処理（期中の処理2）

次の取引の仕訳を示しなさい。

(1)　期中において現金の帳簿残高は100,000円であったが、金庫を実査した結果、現金の実際有高は95,000円であった。

(2)　決算にあたり、(1)の不足額のうち6,000円は営業費の支払いの記帳漏れであることが判明した。現金の帳簿残高と実際有高に差額が生じた場合は、『雑収入』または『雑損失』で処理する。

解答

(1)	(借)	現金過不足	5,000 *07)	(貸)	現金	5,000
(2)	(借)	営業費	6,000	(貸)	現金過不足	5,000
					雑収入	1,000

*07) 100,000円−95,000円。まずは帳簿残高を実際有高に修正する仕訳を行います。

Section 2

預　金

日常生活で普通預金や定期預金といった言葉を耳にしますね。企業も支払いを簡単にするために、また、多額の現金を手許に置くのは危険をともなうので、金融機関に預金をします。
このSectionでは預金の分類を中心に学習します。

1 預金の分類と表示

預金は満期日の有無、満期日までの期間によって次のように分類されます。

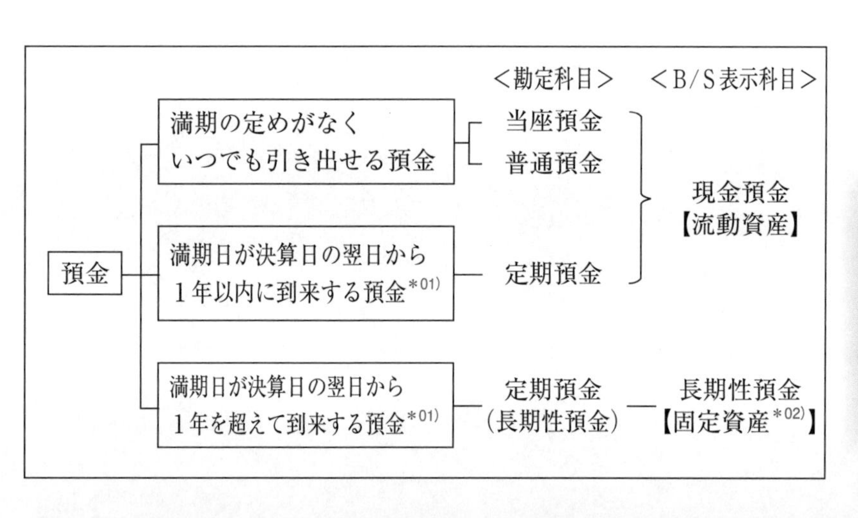

*01) 定期預金は一年基準によって判定します。一年基準とは、決算日の翌日から1年以内に満期日の到来するものについては流動項目とし、1年を超えるものは固定項目とする基準のことです。

*02) 固定資産の「投資その他の資産」に表示されます。

設例 2-1　預金の範囲と表示区分

次の資料をもとに、当社の第5期(×1年4月1日～×2年3月31日)の貸借対照表(一部)の金額を記入しなさい。

【資　料】

決算整理前残高試算表の現金預金の金額12,060円の内訳は次のとおりである。

通貨及び当座預金	9,230円
自己振出小切手	480円
他人振出小切手	350円(このうち100円は振出日が翌期中の日付である)
定　期　預　金	2,000円(満期日：×3年9月30日)

解答

貸 借 対 照 表　　　　(単位：円)

Ⅰ 流 動 資 産		
現 金 預 金	9,960 *03)	：
受 取 手 形	100 *04)	
Ⅱ 固 定 資 産		
3 投資その他の資産		
長 期 性 預 金	2,000 *05)	

*03) 9,230円＋480円＋350円－100円＝9,960円

*04) 先日付小切手です。

*05) 当期末の翌日から１年を超えて満期となるので、長期性預金とします。

2 当座預金

当座預金とは、銀行と当座取引契約を結ぶことで開設する預金です。この預金は無利息ですが、口座を開設することで小切手を振り出すことができるようになるため、決済等の利便性があがります。

1．当座預金への預入れ

現金を当座預金に預け入れたときには、『当座預金』の増加として処理します。なお、他人振出小切手を受け取って即座に当座預金に入金した場合*01)や、自己振出小切手を受け取った場合*02)も同様の処理を行います。

*01) 他人振出小切手を受け取っただけの場合は『現金』の増加です。

*02) 詳しくは本ChapterのSection 1 ②を参照してください。

設例 2-2　　当座預金への預入れ

次の取引の仕訳を示しなさい。
口座の残高を補充するため、現金75,000円を当座預金に預け入れた。

(借) 当 座 預 金	75,000		(貸) 現 金	75,000

2．当座預金からの引出し

小切手の振出し等を行った場合は、当座預金を減少させます*03)。

*03) 当座預金は、普通預金のようにキャッシュカード等で引き出すことはできません。小切手の振出し等によって行います。

設例 2-3　　当座預金からの引出し

次の取引の仕訳を示しなさい。
商品30,000円を仕入れ、代金は小切手を振り出して支払った。

(借) 仕 入	30,000		(貸) 当 座 預 金	30,000

3 当座借越

簿A 財計A ▶▶財問題集：問題７

あらかじめ取引銀行との間に当座借越契約を結んでおくと、当座預金残高を超える小切手を振り出しても、銀行が超過額を一時的に立て替えて支払ってくれます。この立替額を『当座借越』といい、一時的な借入れを意味します。

1．当座借越の処理

当座借越の処理では、借越しをしたとき、当座借越を決済したとき（当座借越の状態にある口座に入金があったとき）の２つが問題となります。

なお、このさいの処理方法には「二勘定制」と「一勘定制」とがあります。

(1) 二勘定制

二勘定制とは、『当座預金』と『当座借越』（負債勘定）の２つを用いて処理する方法です。この場合、残高を超えて振り出した超過分は『当座借越』で処理します。

設例 2-4 当座借越（二勘定制）

次の取引の仕訳を示しなさい。なお、当座預金の処理は二勘定制によっている。

(1)　買掛金支払いのため、200,000円の小切手を振り出した。当座預金残高は50,000円であり、また借越限度300,000円の当座借越契約を取引銀行との間に結んでいる。

(2)　(1)のあと、現金400,000円を当座預金口座に振り込んだ。

解答

(1)	(借) 買掛金	*200,000*	(貸) 当座預金	*50,000*
				当座借越	*150,000*
(2)	(借) 当座借越	*150,000* *01)	(貸) 現金	*400,000*
		当座預金	*250,000*		

*01) 銀行は入金額の中から当座借越の金額150,000円を自動的に差し引くので、残額250,000円を『当座預金』とします。

(2) 一勘定制

一勘定制とは、当座預金に関する処理（当座借越の処理を含む）を『当座』のみで行う方法です。

設例 2-5 当座借越（一勘定制）

次の取引の仕訳を示しなさい。なお、当座預金の処理は一勘定制によっている。

(1)　買掛金支払いのため、200,000円の小切手を振り出した。当座預金残高は50,000円であり、また借越限度300,000円の当座借越契約を取引銀行との間に結んでいる。

(2)　(1)のあと、現金400,000円を当座預金口座に振り込んだ。

解答

(1)	(借) 買掛金	*200,000*	(貸) 当座	*200,000*
(2)	(借) 当座	*400,000*	(貸) 現金	*400,000*

2．貸借対照表の表示科目

二勘定制であっても一勘定制であっても、当座借越は貸借対照表上『短期借入金』（流動負債）として表示します。

設例 2-6　当座借越と短期借入金

決算日における当座預金残高は、A銀行の当座預金90,000円とB銀行の当座借越50,000円を相殺した純額である。必要な仕訳を示し、貸借対照表を作成しなさい。

決算整理前残高試算表　（単位：円）

当　座　預　金	40,000	

解答

（借）**当　座　預　金**　*50,000*　（貸）**当　座　借　越**　*50,000*

貸　借　対　照　表　（単位：円）

Ⅰ　流　動　資　産		Ⅰ　流　動　負　債	
現　金　預　金＊02)	*90,000*	**短　期　借　入　金**＊03)	*50,000*

＊02）当座預金のB／S表示科目は『現金預金』です。

＊03）当座借越のB／S表示科目は『短期借入金』です。

Point

当座借越は一時的な借入れなので、貸借対照表上は『短期借入金』と表示します。

4　銀行勘定調整表

簿A　財計B　▶▶簿問題集：問題 2,3,6

当座預金勘定残高（当座預金出納帳の残高）と銀行における当座預金残高は、本来一致するはずです。しかし、「振り出した小切手がまだ銀行に呈示されていない」とか、「公共料金の自動引落しの連絡がいまだ企業にされていない」といった理由等で、両者の残高は必ずしも一致するとは限りません。

そこで、その原因を調べて調整するために作成するのが銀行勘定調整表です。

銀行勘定調整表の作成方法には、「両者区分調整法＊01)」、「銀行残高基準法」、「企業残高基準法」があります。

＊01）試験対策上、両者区分調整法を中心に説明します。

両者区分調整法とは、企業側の当座預金勘定残高と銀行側の銀行残高証明書残高とのそれぞれについて不一致原因を加減して、適正な当座預金勘定残高を求める方法です。両者区分調整法により求めた残高が、決算整理後残高試算表の当座預金の金額となります。

1．企業側(当座預金)の調整

不一致原因	当座預金に	内　　容
未渡小切手(みわたし)	加　算	当社が支払いのために作成した小切手だったが、取引先に渡されておらず、手許に残っている小切手
振込未達	加　算	取引先から当座預金に振込みが行われたが、その連絡が未達であり当社において未処理だったもの
引落未達	減　算	自動引落しや支払手形の決済が行われたが、銀行からの連絡が未達であり当社において未処理だったもの
誤記入	加減算	企業が誤った勘定や金額で記入しているもの

設例 2-7 未渡小切手

次の事項につき、適切な仕訳を示しなさい。
買掛金の支払いのために作成した小切手5,000円が未渡しであることが判明した。

解答

(借) 当座預金*02)	5,000	(貸) 買掛金*02)	5,000

*02)小切手が未渡しだったので、当座預金も買掛金も減少していません。したがって、小切手振出時の逆仕訳を行います。

設例 2-8 振込未達

次の事項につき、適切な仕訳を示しなさい。
得意先より売掛金4,000円の振込みがあったが、当社にその連絡は未達であった。

解答

(借) 当座預金	4,000	(貸) 売掛金	4,000

設例 2-9 引落未達

次の事項につき、適切な仕訳を示しなさい。
電気料金(営業費) 12,000円が自動引落しされたが、当社にその連絡は未達であった。

解答

(借) 営業費	12,000	(貸) 当座預金	12,000

設例 2-10 誤記入

次の事項につき、適切な仕訳を示しなさい。
売掛金の振込額6,000円を6,600円と誤記していた。

解答

(借) 売掛金	600*03)	(貸) 当座預金	600*03)

*03)当社が行った仕訳「当座預金6,600／売掛金6,600」の逆仕訳である「売掛金6,600／当座預金6,600」と、正しい仕訳「当座預金6,000／売掛金6,000」の合計が修正仕訳となります。

2．銀行側の調整(当社は修正仕訳を行いません)[*04]

不一致原因	調整方法	内　容
時間外預入	加　算	銀行の営業時間終了後に夜間金庫などに預け入れたため、銀行が翌日に受入れの処理をする預入金
未取立(みとりたて)小切手	加　算	銀行に小切手代金の取立てを依頼しているが、いまだ取り立てられていない小切手
未取付(みとりつけ)小切手	減　算	当社が支払いのために振り出した小切手であるが、いまだ取引先から銀行に呈示されていない小切手

＊04)銀行勘定調整表の作成目的は、適切な当座預金勘定残高を求めることであるので、企業側の修正項目についてのみ修正仕訳を行います。

設例 2-11　銀行勘定調整表の作成（両者区分調整法）

決算日における当社の当座預金勘定残高は30,000円、銀行残高証明書残高は47,200円であり、不一致の原因を調べたところ、次の事実が判明した。両者区分調整法による銀行勘定調整表を作成するとともに、必要な修正仕訳を示しなさい。

(1)　仕入先に対する買掛金6,000円の支払いのために作成した小切手が未渡しである。
(2)　広告費支払いのために作成した小切手7,000円が未渡しであった。
(3)　得意先より受取手形の回収分8,000円が当座預金に振り込まれたが、その連絡が当社に未達であった。
(4)　借入金に対する利息4,500円が引き落されたが、その連絡が当社に未達であった。
(5)　当社では、得意先からの売掛金3,300円が当座預金にて決済されたが、3,600円として記入していた。
(6)　決算日に現金3,000円を預け入れたが、営業時間外であったため、銀行では翌日預入れとしていた。
(7)　得意先から受け取った小切手5,000円を銀行が取り立てていなかった。
(8)　取引先に対する買掛金の支払いのため、小切手9,000円を振り出したが、いまだ銀行に呈示されていなかった。

銀　行　勘　定　調　整　表

○○銀行△△支店　　　×1年3月31日　　　(単位:円)

当座預金勘定残高		30,000	銀行残高証明書残高		47,200
加算			加算		
(1) 未渡小切手	6,000		(6) 時間外預入	3,000	
(2) 未渡小切手	7,000		(7) 未取立小切手	5,000	8,000
(3) 手形代金取立未達	8,000	21,000			
減算			減算		
(4) 支払利息引落未達	4,500		(8) 未取付小切手		9,000
(5) 誤記入	300	4,800			
		＊05) 46,200			46,200

(修正仕訳)

(1)	(借) 当座預金	*6,000*	(貸) 買掛金[*06)]	*6,000*
(2)	(借) 当座預金	*7,000*	(貸) 未払金[*07)]	*7,000*
(3)	(借) 当座預金	*8,000*	(貸) 受取手形	*8,000*
(4)	(借) 支払利息	*4,500*	(貸) 当座預金	*4,500*
(5)	(借) 売掛金	*300*	(貸) 当座預金	*300*
(6)	(借) 仕訳なし[*08)]		(貸)	
(7)	(借) 仕訳なし[*08)]		(貸)	
(8)	(借) 仕訳なし[*08)]		(貸)	

*05) この金額が、後T/Bに計上される当座預金の金額となります。

*06) 負債項目(支払手形・買掛金など)の支払いのために振り出された小切手が未渡しの場合は、負債の返済に実際にはあてられていないので、小切手振り出し時の逆仕訳を行います。

*07) 費用項目(営業費など)の支払いのために振り出された小切手が未渡しの場合は、費用はすでに発生していますが、実際には支払いを行っていないので『未払金』で処理します。

*08) 銀行側の調整のため、仕訳なしとなります。

企業側の調整 ⇒ 修正仕訳が必要
銀行側の調整 ⇒ 修正仕訳は不要

〈銀行残高基準法と企業残高基準法〉

(1) 銀行残高基準法

銀行残高基準法とは、銀行残高証明書残高を基準として不一致原因を加減して、企業の当座預金勘定残高の金額に一致させる形式で銀行勘定調整表を作成する方法です。

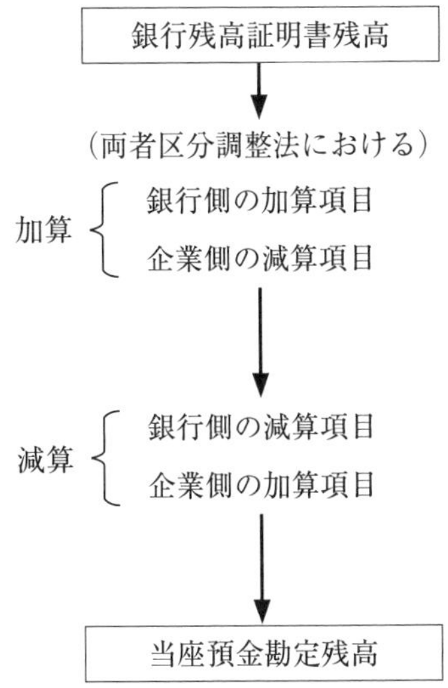

銀行残高証明書残高
↓
（両者区分調整法における）
加算 ｛ 銀行側の加算項目 / 企業側の減算項目
↓
減算 ｛ 銀行側の減算項目 / 企業側の加算項目
↓
当座預金勘定残高

銀行勘定調整表

○○銀行△△支店	×1年3月31日	（単位：円）
銀行残高証明書残高		47,200
加算		
(4) 支払利息引落未達	4,500	
(5) 誤記入	300	
(6) 時間外預入	3,000	
(7) 未取立小切手	5,000	12,800
減算		
(1) 未渡小切手	6,000	
(2) 未渡小切手	7,000	
(3) 手形代金取立未達	8,000	
(8) 未取付小切手	9,000	30,000
当座預金勘定残高		30,000

なお、この方法では適正な当座預金の金額は算定できません。
（当社の前T／Bの当座預金残高を推定するさいなどに用います）

(2) 企業残高基準法

企業残高基準法とは、企業の当座預金勘定残高を基準として不一致原因を加減して、銀行残高証明書残高に一致させる形式で銀行勘定調整表を作成する方法です。

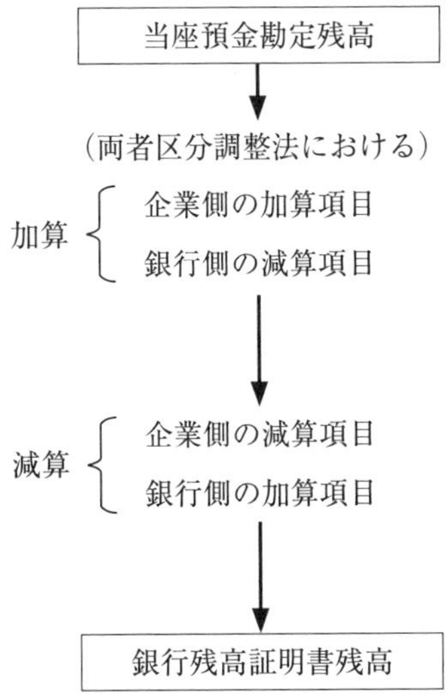

当座預金勘定残高
↓
（両者区分調整法における）
加算 ｛ 企業側の加算項目 / 銀行側の減算項目
↓
減算 ｛ 企業側の減算項目 / 銀行側の加算項目
↓
銀行残高証明書残高

銀行勘定調整表

○○銀行△△支店	×1年3月31日	（単位：円）
当座預金勘定残高		30,000
加算		
(1) 未渡小切手	6,000	
(2) 未渡小切手	7,000	
(3) 手形代金取立未達	8,000	
(8) 未取付小切手	9,000	30,000
減算		
(4) 支払利息引落未達	4,500	
(5) 誤記入	300	
(6) 時間外預入	3,000	
(7) 未取立小切手	5,000	12,800
銀行残高証明書残高		47,200

なお、この方法でも適正な当座預金の金額は算定できません。

5 現金・預金の注記事項

▶▶財問題集：問題8

預金が**担保**に供されているときは、その事実を開示しなければなりません。開示事項は、**①資産が担保に供されている旨、②資産の内容とその金額、③担保されている債務の金額**を注記により開示します。

【注記例】

＜貸借対照表等に関する注記＞

長期性預金のうち1,000円を短期借入金2,000円の担保に供している。

Section 3

小口現金

企業は多額の現金を手許に置くのは危険であり、管理も大変なので主に預金を利用します。ただ、日常的に発生する少額の経費を支払うためにわざわざ小切手を振り出したりするのも不便ですね。

そこで、そのような少額の経費を支払うために一定の現金を手許に置いておきます。これを小口現金といいます。

このSectionでは小口現金の基本的な会計処理を学習します。

1 小口現金

▶▶簿問題集：問題9,10,11

企業は現金管理の負担を軽減するため、金銭の受入れおよび支払いについて、預金口座で処理するのが一般的です。しかし、交通費・切手代・電話代・電力料など少額な日常的経費を支払うためには現金も必要です。このために用意された現金を**小口現金**といいます。

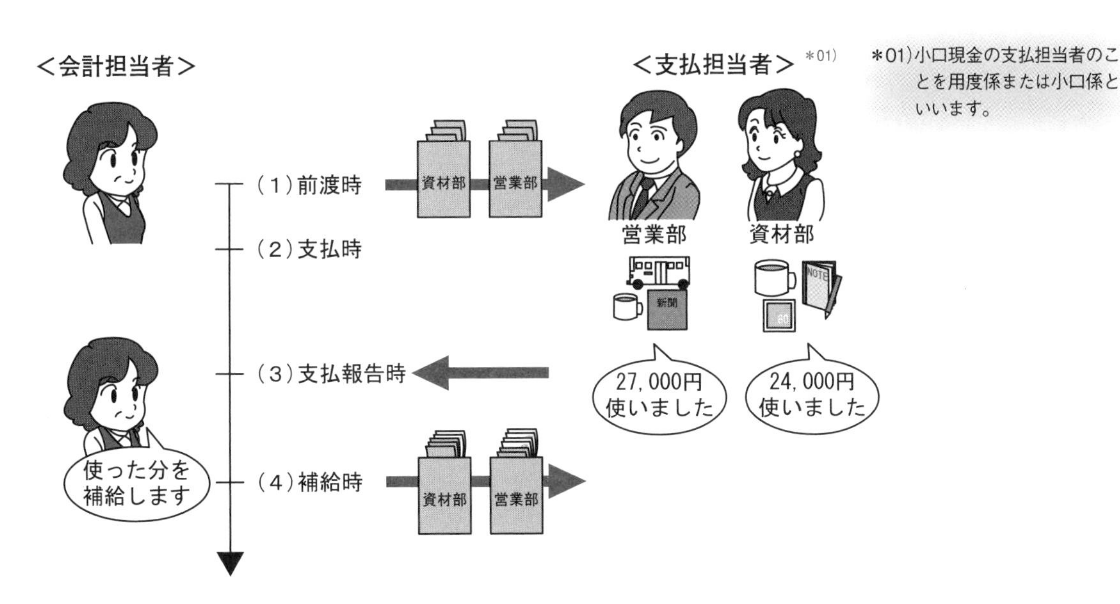

*01)小口現金の支払担当者のことを用度係または小口係といいます。

1．小口現金の補給方法

(1)定額資金前渡制(インプレスト・システム)

定額資金前渡制とは、小口現金の額を一定額に定めて、支払った金額と同額を定期的(1週間または1カ月ごと等)に補給する小口現金制度のことをいいます。

(2) 随時補給制

随時補給制とは、小口現金が不足した場合に、適時に補給する小口現金制度のことをいいます。

※なお、本書では(1)**定額資金前渡制**を前提に説明をしていきます。

2．小口現金の会計処理

(1) 前渡時

支払担当者に資金の前渡しをしたときには、『小口現金』(資産勘定)の増加として処理します。なお、資金の前渡しや補給のさいには、小切手を振り出して支払担当者に渡し、それを換金するという方法が採られます。

設例 3-1 小口現金（前渡時の処理）

次の取引の仕訳を示しなさい。

当社は、当期から小口現金(定額資金前渡制)を採用することとしたため、支払担当者に、小口現金として小切手50,000円を振り出した。

(借)	小口現金	*50,000*	(貸) 当座預金	*50,000*

(2) 経費支払時

支払担当者が支払いを行ったときには仕訳を行わず、後日、支払担当者から支払明細についての報告を受けたときに仕訳を行います。

設例 3-2 小口現金（経費支払時の処理）

次の取引の仕訳を示しなさい。

支払担当者は、通信費12,000円、交通費10,000円、光熱費13,000円、雑費5,000円を小口現金から支払った。

(借)	仕訳なし		(貸)	

⑶ 支払報告時

支払明細についての報告を受けたときに、各種経費の計上と『小口現金』を減らす仕訳を行います。

設例 3-3　小口現金（支払報告時の処理）

次の取引の仕訳を示しなさい。

支払担当者から**設例3-2**の通信費12,000円、交通費10,000円、光熱費13,000円、雑費5,000円について小口現金の支払報告を受けた。

（借）	通信費	*12,000*	（貸）小口現金	*40,000*
	交通費	*10,000*		
	光熱費	*13,000*		
	雑　費	*5,000*		

⑷ 補給時

会計担当者が小切手を振り出して、報告を受けた金額だけ『小口現金』を補給します。なお、小口現金の補給は、期末（月末）に行う場合と、期首（月初）に行う場合があります。

設例 3-4　小口現金（補給時の処理）

次の取引の仕訳を示しなさい。

支払報告を受けた40,000円について、会計担当者は同額の小切手を振り出して資金の補給をした。

（借）	小口現金	*40,000*	（貸）当座預金	*40,000*

なお、即日補給したとき（支払報告と補給を同時に行う場合）は、次の仕訳を行います。なお、この仕訳は、⑶支払報告時と⑷補給時の仕訳を合計したものです。

設例 3-5　小口現金（支払報告時の処理）

次の取引の仕訳を示しなさい。

支払担当者から**設例3-2**の通信費12,000円、交通費10,000円、光熱費13,000円、雑費5,000円の小口現金の支払報告を受け、即時に同額の小切手を振り出して補給した。

（借）	通信費	*12,000*	（貸）当座預金	*40,000*
	交通費	*10,000*		
	光熱費	*13,000*		
	雑　費	*5,000*		

このChapterでの表示と注記

貸借対照表			
（資産の部）		（負債の部）	
Ⅰ　流動資産		Ⅰ　流動負債	
現金預金	×××	短期借入金	×××
Ⅱ　固定資産		（純資産の部）	
⋮		⋮	
3　投資その他の資産			
長期性預金	×××		

損益計算書	
⋮	
Ⅳ　営業外収益	
雑収入	×××
Ⅴ　営業外費用	
雑損失	×××

【注記例】（一部）
〈貸借対照表等に関する注記〉
・長期性預金のうち×××円は短期借入金×××円の担保に供している。

Chapter 3

金銭債権

皆さんはお金を貸した経験はありますか？　お金を貸したら、「後で返してもらえる」、これが金銭債権です。会社間取引では掛取引、手形取引など様々な形でこの金銭債権が生じます。

Chapter 3では、金銭債権について学習します。日商３級で学習した内容が中心です。がんばってクリアしましょう。

Section 1

金銭債権

債権、ちょっと難しい言葉ですが、要は「相手に○○をしてね」といえる権利のことです。「商品を納入してね」とか「会社の宣伝をしてね」とか…。ちなみに、金銭債権を簡単に言うと「将来お金を貰える権利（＝お金を支払ってね）」です。

このSectionでは債権の分類と表示について学習します。

1 債権の分類

債権とは、債権者が特定の相手方(債務者)に対して、一定の物品やサービスの提供を要求することができる権利をいいます。債権は、その発生原因に応じて、次のように分類されます。

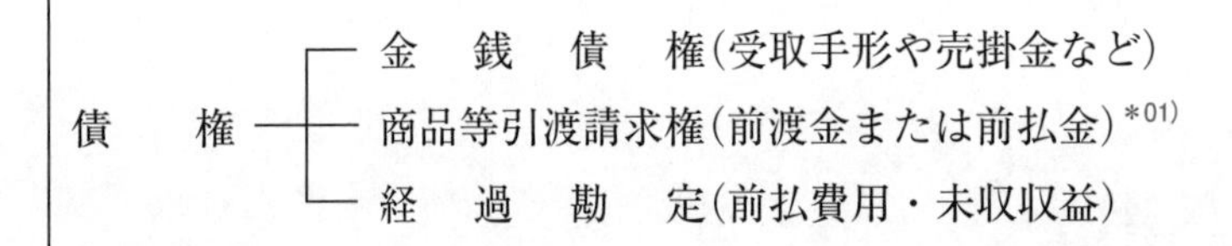

*01)前渡金(商品に対する手付金)や前払金は金銭債権にならないことに注意！

2 金銭債権とは

簿B 財計B

金銭債権とは、将来(最終的に)、他人から現金預金を受け取る権利をいいます。金銭債権は、その発生原因に応じて次のように分類されます。

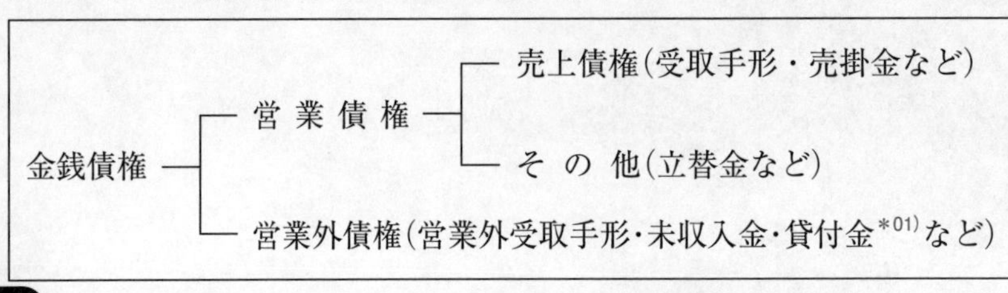

*01)得意先に対するものなど、営業取引上必要と認められるものは、営業債権になります。

3 金銭債権の表示

金銭債権のうち、営業債権は貸借対照表上、**正常営業循環基準により流動資産**に表示し、営業外債権は**一年基準により流動資産または固定資産**に表示します。

金銭債権の主な科目の貸借対照表上の表示をまとめると、次のようになります。

1．営業債権

勘　定　科　目	B/S 上の表示科目	B/S 上の表示区分
受　取　手　形	受　取　手　形	流　動　資　産
売　　掛　　金	売　　掛　　金	

正常営業循環基準により、営業債権は必ず（期間に関係なく）流動資産となります。

2．営業外債権

勘　定　科　目	一年基準の適用	B/S 上の表示科目	B/S 上の表示区分
未収入金（または未収金）	1年内	未　収　入　金	流　動　資　産
	1年超	長期未収入金	固定資産（投資その他の資産）
貸　　付　　金	1年内	短　期　貸　付　金	流　動　資　産
	1年超	長　期　貸　付　金	固定資産（投資その他の資産）

4 取締役等に対する金銭債権・金銭債務

取締役・執行役・監査役[*01)]に対して貸付金や借入金などの金銭債権・金銭債務がある場合には、注記が必要になります。そのさい、具体的な科目名は使用せず、金銭債権または金銭債務としてまとめて表示します。

*01) 取締役・執行役・監査役をまとめて役員とすることもあります。

【注記例】

＜貸借対照表等に関する注記＞
取締役に対する金銭債権が3,500千円ある。
監査役に対する金銭債務が2,000千円ある。

Section 2

手　形

手形…といっても手の形をしているわけではありません（笑）。立派な有価証券の一種です。手形には切符手形（略して切手です！）から時代劇に登場する通行手形まで多くの種類がありますが、会計で登場するのは約束手形と為替手形がメインです。

このSectionでは手形の種類と会計処理について学習します。また、手形債権を電子化した「電子記録債権」についてもこのSectionで取り上げていきます。

1 約束手形と為替手形

1．約束手形

約束手形とは、手形の振出人が受取人（または手形所持人）に対して、一定の期日に券面記載の金額を支払うことを約束する証券をいいます。

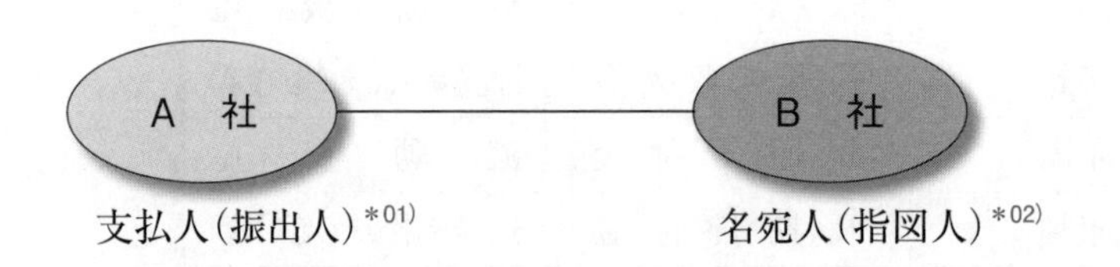

＊01）約束手形の発行人。手形代金の支払義務を負う人のことです。

＊02）約束手形の受取人。手形代金を受け取る権利をもつ人のことです。

設例 2-1　約束手形の処理

次の取引について、A社とB社の仕訳を示しなさい。

(1)　A社は仕入先B社に対する買掛金200,000円を支払うため、同社を指図人とする約束手形を振り出した。

(2)　手形の決済期日につき、A社は(1)の手形代金を当座預金口座を通じてB社に支払った。

解答

A社の仕訳

(1)	(借) 買　掛　金	200,000	(貸) 支　払　手　形	200,000
(2)	(借) 支　払　手　形	200,000	(貸) 現　金　預　金	200,000

B社の仕訳

(1)	(借) 受　取　手　形	200,000	(貸) 売　掛　金	200,000
(2)	(借) 現　金　預　金	200,000	(貸) 受　取　手　形	200,000

2．為替手形

為替手形とは、手形の振出人が名宛人(支払人)に対して、一定の期日に券面記載の金額を受取人(または手形所持人)に対して支払うことを委託する証券をいいます。

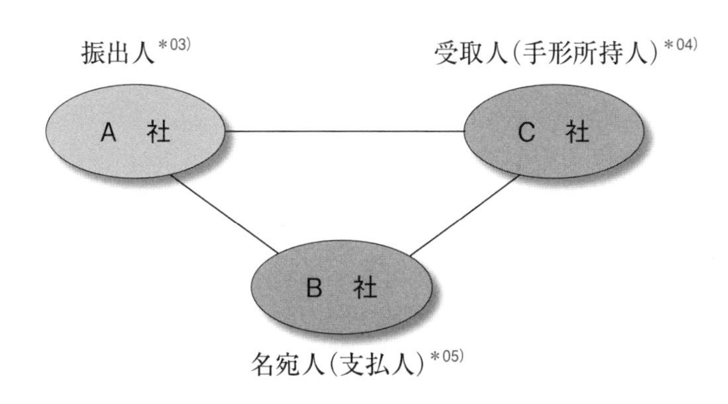

*03)為替手形の発行人。

*04)為替手形の受取人。手形代金を受け取る権利をもつ人のことです。

*05)手形代金の支払義務を負う人のことです。

設例 2-2 為替手形の処理

次の取引について、A社・B社・C社の仕訳を示しなさい。

(1)　A社は仕入先C社に対する買掛金200,000円を支払うため、得意先B社を名宛人とする為替手形を振り出し、B社の引受けを得てC社に渡した。

(2)　手形の決済期日につき、B社は(1)の手形代金を当座預金口座を通じてC社に支払った。

解答

A社の仕訳

(1)	(借) 買　掛　金	200,000	(貸) 売　掛　金	200,000
(2)	(借) 仕 訳 な し		(貸)	

B社の仕訳

(1)	(借) 買　掛　金	200,000	(貸) 支 払 手 形	200,000
(2)	(借) 支 払 手 形	200,000	(貸) 現 金 預 金	200,000

C社の仕訳

(1)	(借) 受 取 手 形	200,000	(貸) 売　掛　金	200,000
(2)	(借) 現 金 預 金	200,000	(貸) 受 取 手 形	200,000

2 手形の割引・裏書と保証債務

簿B 財計B

▶▶簿問題集：問題2, 3
▶▶財問題集：問題13

1．保証債務とは

保証債務とは、債務保証の結果として発生した債務のことをいいます。

債務保証とは「債務者が債務を返済すること」を保証することをいい、仮に債務者が債務を返済しなかった場合には、債務者に代わって保証人が債務を返済しなければなりません*01)。

*01)借金の保証人になることが債務保証、保証人になったことで負わなければならない返済義務が保証債務です。

2．保証債務の発生

手形の割引や裏書きを行うと受取手形は消滅しますが、その手形代金の支払人が支払いを行わなかった場合、手形の割引や裏書きを行った当社が支払人に代わって手形の支払いをする必要が生じる可能性があります*02)。これは、債務保証を行った場合と同じなので、その支払いの可能性に応じて保証債務を時価評価して『保証債務』(負債勘定)を計上する必要があります。

なお、相手勘定は『保証債務費用』*03)(費用勘定)となります。

*02)遡求(そきゅう)義務といいます。

*03)『手形売却損』を使う場合もあります。

設例 2-3 保証債務の発生

次の取引の仕訳を示しなさい。

期中に受け取っていた得意先振出しの約束手形20,000円を銀行で割り引き、割引料300円を控除した残額を現金で受け取った。なお、保証債務の時価相当額は200円と評価された。

	借方科目	金額		貸方科目	金額
(借)	現金預金	19,700 *04)	(貸)	受取手形	20,000
	手形売却損	300			
(借)	保証債務費用	200	(貸)	保証債務	200

なお、問題文に「保証債務費用は手形売却損に含めて処理する」等の指示がある場合は、次のように仕訳をします。

	借方科目	金額		貸方科目	金額
(借)	現金預金	19,700 *04)	(貸)	受取手形	20,000
	手形売却損	500 *05)		保証債務	200

*04)20,000円(手形金額)−300円(割引料)＝19,700円
*05)300円(割引料)＋200円(保証債務費用)＝500円

3．保証債務の解消

割引または裏書きした手形が無事に決済された場合は債務保証の必要がなくなるので、保証債務を取り崩します。この場合の相手勘定は、『保証債務取崩益』(収益勘定)となります。

設例 2-4　保証債務の解消

次の取引の仕訳を示しなさい。

設例2-3の銀行で割り引いた約束手形が満期日をむかえ、無事に決済された。

(借) 保　証　債　務	200	(貸) 保証債務取崩益	200

4. 手形遡求義務

手形の割引や裏書きを行った場合において、決算日現在においていまだ決済が行われていないものがあるときは、その残高につき注記が必要になります。

【注記例】

＜貸借対照表等に関する注記＞

受取手形の割引高が1,000千円ある。

受取手形の裏書譲渡高が1,500千円ある。

3 不渡手形

▶▶簿問題集：問題1
▶▶財問題集：問題14

1. 手形の不渡りとは

手形の不渡りとは、手形の受取人が満期日(支払期日)に手形代金の支払いを受けられなくなることをいいます*01)。

これは単に支払期日に手形代金の支払いを受けられなかったという事実を意味するもので、手形代金の回収不能(貸倒れ)を意味するものではありません。

*01) 手形債務者の当座預金残高が手形金額に満たない場合等が原因です。

2. 不渡手形の処理

手形が不渡りとなった場合、手形の受取人は、改めて手形の振出人または裏書人等に対して手形代金等の支払いを請求することができます。ただし、通常の受取手形と区別するため、『不渡手形』*02)(資産勘定)で処理します。

(1) 所持している手形が不渡りとなった場合

手形の**額面金額**および**手形の不渡りにともなう諸費用***03)のすべてを『不渡手形』として計上します。

*02) 債務者の財政状態によっては、『破産更生債権等』(本ChapterのSection 5で学習します)とする場合もあります。

*03) 償還請求費用といい、拒絶証書作成費用や法定利息などが該当します。

設例 2-5　　所有手形の不渡り

次の取引の仕訳を示しなさい。

期中に受け取っていた得意先振出しの約束手形20,000円が不渡りとなり、その得意先に償還請求を行った。なお、償還請求費用1,000円は現金で支払った。

解答

(借)	不渡手形	21,000	(貸) 受取手形	20,000
			現金預金	1,000

(2) 割引または裏書きした手形が不渡りとなった場合

不渡りとなった手形の**償還請求金額**を『不渡手形』として計上します。なお、割引または裏書きした手形に対して保証債務が計上されていた場合には、その債務保証を実行したことになるため、保証債務を取り崩します。

設例 2-6　　割引・裏書手形の不渡り

次の取引の仕訳を示しなさい。

期中に銀行で割り引いた約束手形が不渡りとなり、諸費用とあわせて21,000円の償還請求を受けたので、現金で銀行に弁済した。なお、割引時に保証債務200円を計上している。

(借)	不渡手形	21,000	(貸) 現金預金	21,000
(借)	保証債務	200	(貸) 保証債務取崩益	200

4 営業外手形

簿B　財計B　▶▶簿問題集：問題 4,5

手形は、主たる営業目的である商品や製品の売買といった営業取引だけでなく、有価証券や固定資産の売買といった営業外取引においても使用することがあります。

営業外取引により生じた手形債権・債務は、営業取引から生じた手形と区別するため、『営業外受取手形』、『営業外支払手形』を用いて処理します*01)。

なお、営業外手形は貸借対照表上、一年基準により長期と短期に区分して計上します。

*01) 営業外手形という特別の手形があるわけではなく、振出(受取)目的が営業外なだけで、いままで学習してきた約束手形や為替手形を振り出して(受け取って)いるだけです。

営業外手形は営業取引から生じた手形とは区別し、一年基準により長期と短期に区分します。

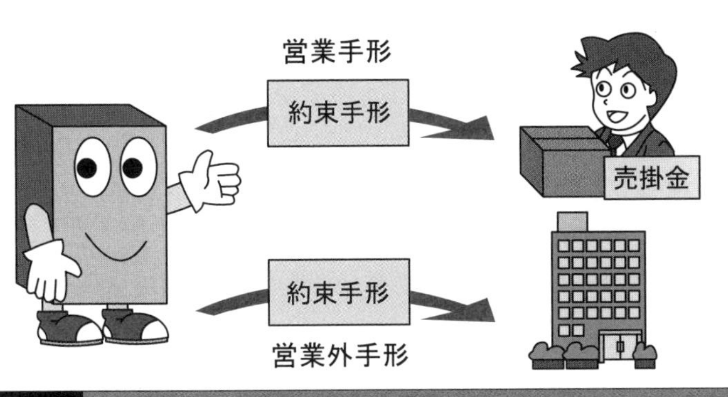

設例 2-7 営業外の受取手形

次の取引の仕訳を示しなさい。
土地200,000円を売却し、同額の約束手形を受け取った。

(借) 営業外受取手形*02)	200,000	(貸) 土　　地	200,000

*02)『固定資産売却受取手形』でも可。

設例 2-8 営業外の支払手形

次の取引の仕訳を示しなさい。
備品100,000円を購入し、同額の約束手形を振り出して支払った。

(借) 備　　品	100,000	(貸) 営業外支払手形*03)	100,000

*03)『固定資産購入支払手形』でも可。

5 営業外受取手形の表示

営業外受取手形とは、商品の販売など企業の主目的である営業取引以外の取引によって受け取った手形をいいます。営業外受取手形は各取引の内容により、貸借対照表上、次のように表示します。

内　容	一年基準の適用	B/S 上の表示科目	B/S 上の表示区分
固定資産の売却による受取手形	1年内	短期固定資産売却受取手形*01)	流動資産
	1年超	長期固定資産売却受取手形*01)	固定資産(投資その他の資産)
有価証券の売却による受取手形	1年内	短期有価証券売却受取手形*01)	流動資産
	1年超	長期有価証券売却受取手形*01)	固定資産(投資その他の資産)
手形貸付による受取手形	1年内	短期貸付金	流動資産
	1年超	長期貸付金	固定資産(投資その他の資産)

なお、手形貸付とは、お金を貸すときに相手方から借用証書ではなく、手形を受け取る場合をいいます。この場合の手形は実質的には借用証書の代わりであるので、受取手形ではなく貸付金として処理します。

*01) 短期営業外受取手形や長期営業外受取手形という科目も認められます。

6 電子記録債権（電子記録債務）

▶▶簿問題集：問題6
▶▶財問題集：問題15

1．電子記録債権とは

電子記録債権とは、**電子債権記録機関**＊01)への電子記録をその発生・譲渡等の要件とする、既存の売掛債権や手形債権とは異なる**新たな金銭債権**＊02)です。事業者は、保有する売掛債権や手形債権を電子化することで、インターネット上で安全・簡易・迅速に取引できるようになり、**紙の手形**＊03)に代わる決済手段として活用することができます。

＊01)コンピュータ上で、電子債権の債権者・債務者の名前、支払額・支払期日などの情報を記録・管理する業務を行います。

＊02)金銭債権であるため、貸倒引当金の設定対象になります。

＊03)手形は、紙媒体を使用するため、紛失・盗難のリスクなどがありますが、電子記録債権は、そうした問題点を解消することができます。

2．仕訳

電子記録債権は、受取手形に準じて処理します。電子記録債権に関する主な取引として、⑴発生、⑵譲渡、⑶消滅があります。

手形の⑴受取り、⑵割引・裏書、⑶決済と対応させてイメージしてみると良いでしょう。

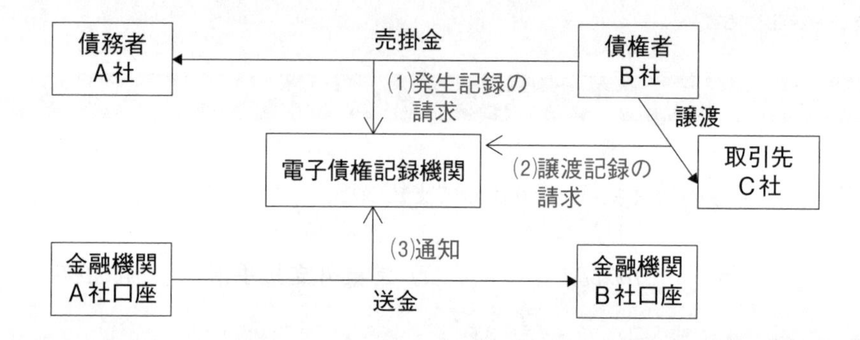

⑴電子記録債権の発生 — 手形の受取りをイメージ

債権者と債務者が電子債権記録機関に「発生記録」の請求をし、電子債権記録機関が記録を行うことで電子記録債権は発生します。

売掛金について電子記録債権の発生記録が行われた場合

(借) 電子記録債権	××	(貸) 売　掛　金	××

⑵電子記録債権の譲渡 — 手形の割引・裏書をイメージ

譲渡人(じょうとにん)と譲受人(ゆずりうけにん)が電子債権記録機関に**「譲渡記録」の請求をし、電子債権記録機関が記録を行うことで電子記録債権を譲渡できます**＊04)。

買掛金と引換えに電子記録債権を譲渡し、譲渡記録が行われた場合

(借) 買　掛　金	××	(貸) 電子記録債権	××

＊04)「分割記録」の請求をすることで、電子記録債権を分割譲渡することもできます。

(3) 電子記録債権の消滅 ― 手形の決済をイメージ

債務者の預金口座から債権者の預金口座に払込みによる支払が行われた場合、電子記録債権は消滅し、電子債権記録機関は金融機関から通知を受けることにより記録します。

当座預金口座に振り込まれた場合

(借) 当座預金	××	(貸) 電子記録債権	××

設例 2-9 電子記録債権・電子記録債務

次の取引について、A社及びB社の仕訳を示しなさい。

① A社は、商品をB社に6,000円で掛けで販売した。
② A社のB社に対する売掛金について、電子記録債権(債務) 6,000円の発生記録が行われた。
③ A社は、譲渡記録により電子記録債権2,000円をC社に1,900円で譲渡し、代金は当座預金とした。
④ A社は、譲渡記録により電子記録債権2,000円をD社に買掛金2,000円と引換えに譲渡した。
⑤ B社の当座預金口座から、A社の当座預金口座に電子記録債権(債務) 2,000円の払込みによる支払が行われた。

解答

A社の仕訳

	借方	金額	貸方	金額
①	(借) 売掛金	6,000	(貸) 売上	6,000
②	(借) 電子記録債権	6,000	(貸) 売掛金	6,000
③	(借) 当座預金	1,900	(貸) 電子記録債権	2,000
	電子記録債権売却損	100		
④	(借) 買掛金	2,000	(貸) 電子記録債権	2,000
⑤	(借) 当座預金	2,000	(貸) 電子記録債権	2,000

B社の仕訳

	借方	金額	貸方	金額
①	(借) 仕入	6,000	(貸) 買掛金	6,000
②	(借) 買掛金	6,000	(貸) 電子記録債務	6,000
③	(借) 仕訳なし		(貸)	
④	(借) 仕訳なし		(貸)	
⑤	(借) 電子記録債務	2,000	(貸) 当座預金	2,000

Section 3

関係会社に対する金銭債権・金銭債務

会社の取引相手は様々です。ときには親会社あるいは子会社といった関係会社との取引も生じます。関係会社との取引から生じた金銭債権・債務はどのように扱うのでしょう。

このSectionでは、関係会社に対する金銭債権・債務の財務諸表への表示方法を中心に学習します。

1 関係会社とは

関係会社とは、当社の親会社、子会社、関連会社ならびに当社が他の会社などの関連会社である場合におけるその他の会社(その他の関係会社)のことです。

〈関係会社の範囲〉

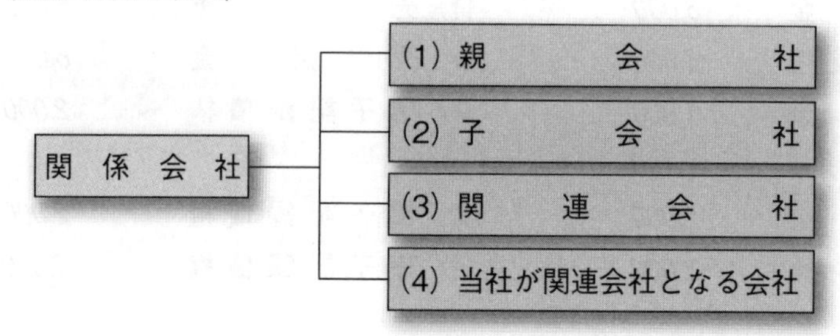

(1)親会社

親会社とは、当社の財務および事業の方針の決定を支配している会社等のことです。

(2)子会社

子会社とは、当社が財務および事業の方針の決定を支配している会社等のことです。なお、子会社の具体的な要件は、主に次のものがあります。

・当社および当社の子会社が他の会社等の議決権の過半数(50%超)を所有している場合

・当社および当社の子会社が他の会社等の議決権の40%以上、50%以下の議決権を所有している場合であって、かつその会社の意思決定機関*01)を支配していると認められるなどの一定の事実がある場合

*01)株主総会や取締役会などが該当します。

(3)関連会社

関連会社とは、当社が財務および事業の方針の決定に対して重要な影響を与えることができる会社等のことです。なお、関連会社の具体的な要件は、主に次のものがあります。

・当社および当社の子会社が他の会社等の議決権の20%以上の議決権を所有している場合
・当社および当社の子会社が他の会社等の議決権の15%以上、20%未満の議決権を所有している場合であって、かつその会社に重要な影響を与えると認められる一定の事実がある場合

(4)当社が関連会社となる会社

当社が関連会社となる会社とは、当社を関連会社としている他の会社等のことです。

2 関係会社に対する金銭債権・金銭債務の表示方法 

▶▶財問題集：問題16,17

関係会社に対する金銭債権・金銭債務に関する表示方法には、**(1)独立科目表示方式**、**(2)科目別注記方式**、**(3)一括注記方式**という3つの表示の方法があります。

関係会社に対する金銭債権・金銭債務について、項目ごとに分けて貸借対照表に計上する方法を(1)独立科目表示方式といいます。

また、関係会社と他の会社に分けないで金銭債権・債務を貸借対照表に計上する方法に(2)科目別注記方式、(3)一括注記方式があります。

関係会社に対する金銭債権・金銭債務は、貸借対照表上で独立した科目で表示するか、注記によらなければなりません。

〈関係会社に対する金銭債権・金銭債務の表示方法〉

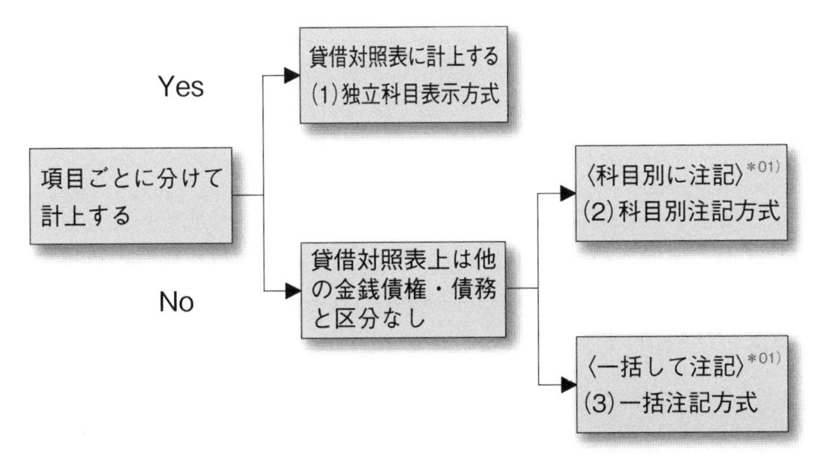

*01)両者は貸借対照表上の違いはありませんが、注記の記入方法が異なります。

【注記例】

<貸借対照表等に関する注記>

(科目別注記方式)

関係会社に対する受取手形が800千円、売掛金が1,300千円、長期貸付金が2,500千円ある。

(一括注記方式)

関係会社に対する短期金銭債権が2,100千円、長期金銭債権が2,500千円ある。

設例 3-1 関係会社に対する金銭債権・金銭債務

次の資料にもとづき、貸借対照表を作成しなさい。

問1　独立科目表示方式にもとづく貸借対照表

問2　科目別注記方式にもとづく貸借対照表

問3　一括注記方式にもとづく貸借対照表

【資　料】

残 高 試 算 表 (単位：千円)

受取手形	20,000	支払手形	9,000
短期貸付金	6,000	長期借入金	5,000

1. 受取手形のうち5,000千円、短期貸付金のうち3,500千円は甲社(当社が総株主の議決権の28%を所有)*02)に対するものである。
2. 支払手形のうち6,000千円、長期借入金のうち2,000千円は丙社(当社の総株主の議決権の55%を所有)*03)に対するものである。

解答

問1　独立科目表示方式にもとづく貸借対照表

貸 借 対 照 表 (単位：千円)

Ⅰ 流動資産		Ⅰ 流動負債	
受取手形	*15,000*	支払手形	*3,000*
関係会社受取手形	*5,000*	関係会社支払手形	*6,000*
短期貸付金	*2,500*	Ⅱ 固定負債	
関係会社短期貸付金	*3,500*	長期借入金	*3,000*
		関係会社長期借入金	*2,000*

資産項目について、受取手形は関係会社分の5,000千円を関係会社受取手形として貸借対照表に表示します。短期貸付金も関係会社分の3,500千円を関係会社短期貸付金として表示します。負債項目についても同様に、関係会社の金銭債務をそれぞれ関係会社支払手形、関係会社長期借入金として表示します。

*02) 甲社は関連会社に該当します。

*03) 丙社は親会社に該当します。

問２　科目別注記方式にもとづく貸借対照表

貸　借　対　照　表　　(単位：千円)

Ⅰ　流　動　資　産		Ⅰ　流　動　負　債	
受　取　手　形	*20,000*	支　払　手　形	*9,000*
短　期　貸　付　金	*6,000*	Ⅱ　固　定　負　債	
		長　期　借　入　金	*5,000*

<貸借対照表等に関する注記>

1．関係会社に対する受取手形は5,000千円、短期貸付金は3,500千円である。

2．関係会社に対する支払手形は6,000千円、長期借入金は2,000千円である。

問３　一括注記方式にもとづく貸借対照表

貸　借　対　照　表　　(単位：千円)

Ⅰ　流　動　資　産		Ⅰ　流　動　負　債	
受　取　手　形	*20,000*	支　払　手　形	*9,000*
短　期　貸　付　金	*6,000*	Ⅱ　固　定　負　債	
		長　期　借　入　金	*5,000*

<貸借対照表等に関する注記>

1．関係会社に対する短期金銭債権は8,500千円である。

2．関係会社に対する短期金銭債務は6,000千円、長期金銭債務は2,000千円である。

一括注記方式では科目別注記方式と同じで、貸借対照表上では関係会社とその他の会社に対する債権債務に区分することはありません。貸借対照表等に関する注記を行うということも変わりません。

異なる点は、注記の内容を貸借対照表の区分ごとに一括して表示している点です。金銭債権ごと・金銭債務ごとに、長期または短期に分類した上で、まとめて注記します。そのため短期金銭債権は、甲社に対する受取手形5,000千円と短期貸付金3,500千円を合計した8,500千円になります。

Section 4

割引現在価値の計算

税理士試験を学習するうえで、貸倒見積高の算定やリース会計、減損会計など様々な論点で「割引現在価値の計算」が必要になります。

このSection では、基本的な割引現在価値の計算方法を学習します。

1 割引現在価値とは

資産の評価[*01]にあたって時間の経過を認識するのが、現代の会計の基本的な考え方です。将来の金額を現在の金額におきかえることを割引計算といい、計算された金額を割引現在価値といいます。

*01) 金額を決めることを評価といいます。

たとえば、利子率10％で、現在の1,000円は１年後の1,100円、２年後の1,210円と同じ価値を持ちます。つまり１年後の1,100円の割引現在価値は、1,000円となります。

現　在		1年後		2年後
1,000円	×（1＋0.1）→	1,100円	×（1＋0.1）→	1,210円
1,000円	←÷（1＋0.1） $\times\frac{1}{(1+0.1)}$	1,100円	←÷（1＋0.1） $\times\frac{1}{(1+0.1)}$	1,210円

2 計算方法（基本編）

ここでは、将来に１回だけの現金収入[*01]がある場合を想定します。

*01) キャッシュ・フローといいます。

1．利子率で計算する方法

将来の現金収入額（資産価値）を割引期間にわたり割引率（１＋利子率）で割って、割引現在価値を計算します。

割引現在価値の計算（利子率を使用）

$$割引現在価値 = \frac{将来の価値}{(1+利子率)^{n}} \quad (nは年数(割引回数))$$

設例 4-1 割引現在価値の計算 1

3年後に10,000円となる資産の割引現在価値を計算しなさい。なお、利子率は年10%とし、円未満の端数が生じた場合は計算の最後で四捨五入すること。

7,513[*02)] 円

解説

10,000円 ÷ (1 + 0.1) ÷ (1 + 0.1) ÷ (1 + 0.1) ≒ 7,513円[*03)]

＊02) これは3年後の10,000円は現在では7,513円相当の価値しかないことを意味します。

＊03) $\frac{10{,}000円}{(1+0.1)^3}$ と同じ計算式です。

2．現価係数で計算する方法

割引現在価値を求めるにあたり、利子率にもとづいてあらかじめ計算された係数を用いることがあります。この係数を現価係数[*04)]といいます。

この係数が与えられた場合は、次の算式で割引現在価値を計算します。

＊04) 現在の価値を計算するための係数という意味です。

割引現在価値の計算（現価係数を使用）

割引現在価値 ＝ 将来の価値 × 現価係数

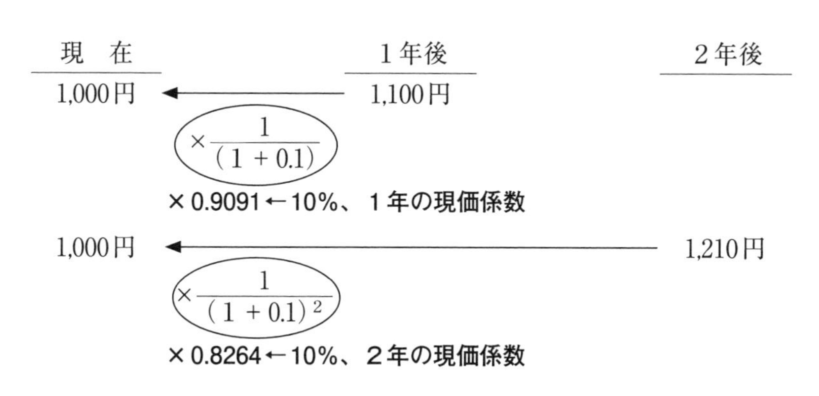

設例 4-2　　割引現在価値の計算2

現価係数表を用いて3年後に10,000円となる資産の割引現在価値を求めなさい。なお、利子率は年10%である。

年＼利子率	9%	10%	11%
1年	0.9174	0.9091	0.9009
2年	0.8417	0.8264	0.8116
3年	0.7722	0.7513	0.7312

7,513＊05) 円

＊05) 10,000円×0.7513＝7,513円

※本試験で現価係数が与えられた場合は、必ず現価係数表の数値を使って計算してください。

該当する「年」と「利子率」が交差する場所に記載されているもの（**設例4-2**では0.7513）が求める係数の値となります。仮に問題文に「2年後に〜利子率は年11%」と与えられたら0.8116が求める係数の値となります。

なお、これは年金現価係数表（後述）も同様の読み方をします。

3 計算方法（実践編）

簿A 財計B ▶▶簿問題集：問題7

ここでは、将来に複数回の現金収入がある場合の割引現在価値(の総和)の計算方法を学習します。

1．利子率で計算する方法

将来の現金収入額ごとに割引現在価値を計算して、それらを合計することで、割引現在価値(の総和)を計算します。

割引現在価値の計算(利子率を使用)

$$割引現在価値 = \frac{将来の価値}{(1+利子率)^n} \quad (nは年数(割引回数))$$

設例 4-3 割引現在価値の計算3

1年後から3年間にわたり毎年10,000円ずつ受け取ることができる資産の割引現在価値を計算しなさい。なお、利子率は年10%とし、円未満の端数が生じた場合は計算のつど、その最後で四捨五入すること。

解答 24,868 円

解説

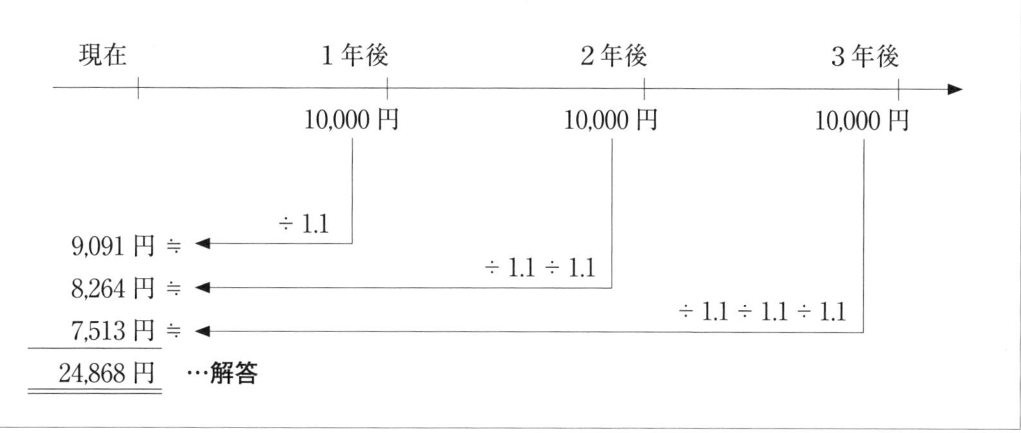

2．年金現価係数を用いる方法

割引現在価値(の総和)を求めるにあたり、ある期間にわたって一定金額を受け取り続ける場合に現価係数を累計した係数を用いることがあります。この係数を年金現価係数*01)といいます。

この係数が与えられた場合は、次の算式で割引現在価値を計算します。

*01)年金という言葉には「毎年一定額」という意味があります。

割引現在価値(の総和)の計算(年金現価係数を使用)

割引現在価値(の総和)＝

毎年受け取る予定の一定金額×年金現価係数

設例 4-4　割引現在価値の計算4

年金現価係数表を用いて1年後から3年間にわたり、毎年10,000円ずつ受け取ることができる資産の割引現在価値を求めなさい。なお、利子率は年10%である。

年＼利子率	9％	10%	11%
1年	0.9174	0.9091	0.9009
2年	1.7591	1.7355*02)	1.7125
3年	2.5313	2.4868*03)	2.4437

*24,868**04)* 円

*02)設例4-2の現価係数表、10%の1年目と2年目を合計したものです。
0.9091＋0.8264＝1.7355

*03)設例4-2の現価係数表、10%の1年目から3年目までを合計したものです。
0.9091＋0.8264＋0.7513＝2.4868

*04)10,000円×2.4868＝24,868円

※本試験で年金現価係数が与えられた場合は、必ず年金現価係数表の数値を使って計算してください。

Section 5

金銭債権の評価（貸倒引当金）

ある日突然、「取引先の○○社が倒産しました！」という知らせがあるかもしれません。このように、金銭債権は、債務者の財政状態によってはその全額が回収できるとは限りません。

このSectionでは、回収不能の事態に備えた会計処理、金銭債権の評価について学習します。

1 金銭債権の評価

金銭債権は資産ですから、期末に保有している場合はその保有する金銭債権を貸借対照表に計上しなければなりません。このとき、貸借対照表に計上する金額がいくらかを決める必要があります。金額を決めることを｢評価｣といい、金銭債権の評価は、原則的に次のように行います。

貸借対照表価額 ＝ 取得価額 － 貸倒見積高＊01)

＊01)回収不能見込額のことで、「貸倒見積高＝貸倒引当金設定額」と考えてください。

この売掛金などの金銭債権は、一般的には市場がない場合が多く、客観的な時価を測定することは困難です。そのため、原則として時価評価は行わず、取得価額で評価し、回収可能性を反映させるために、貸倒見積高にもとづいて算定された貸倒引当金を控除した金額で評価します。つまり、**取得価額から貸倒引当金を控除した金額**が回収可能価額として貸借対照表価額となります。

また、債権を債権金額より低い価額または高い価額で取得した場合で、その差額が金利の調整と認められる場合には、償却原価法にもとづいて算定された価額から貸倒見積高にもとづいて算定された貸倒引当金を控除した金額を貸借対照表価額としなければなりません。

貸借対照表価額 ＝ 償却原価＊02) **－ 貸倒見積高**

＊02)償却原価法の計算はChapter 8で詳しく説明します。

貸借対照表価額とは、貸借対照表に記載すべき金額（評価すべき資産等の場合は、その評価後の金額）をいいます。一例をあげると、次のとおりです。

資産項目	貸借対照表価額
現金預金	実際有高
金銭債権	取得原価から貸倒見積高を控除した金額
棚卸資産（商品）	取得原価から減耗損および評価損を控除した金額
有形固定資産	取得原価から減価償却累計額を控除した金額（直接法で処理した場合の有形固定資産の残高と同じ）

2 貸倒引当金の設定対象

貸倒引当金は、すべての資産に対して設定されるわけではなく、ある特定の資産に対してのみ設定されます。

(1)設定対象となるもの

営業債権…売掛金・受取手形など

営業外債権…貸付金・未収入金・営業外受取手形など

(2)設定対象とならないもの

保証金[*01)]・敷金[*01)]・手付金[*02)]・前渡金[*02)]　など

なお、未収入金は、資産の譲渡対価としての未収入金については貸倒れの設定対象となりますが、預貯金の未収利子、公社債の未収利子については貸倒れの危険性が低いため、貸倒引当金の設定対象とはなりません。

＊01）担保として提供されており、金銭回収を目的とする性質がないため、設定対象になりません。

＊02）購入対価そのものであり、設定対象になりません。

3 金銭債権の区分

金銭債権は、債務者側の財政状態によっては、必ずしもその全額を回収できるとは限りません。そこで、当該債権の債務者の財政状態に応じて、次のように金銭債権を区分します。この区分により、貸倒引当金の設定方法や設定額に違いが生じます。

財政状態	債権の区分	後T/B・B/S科目
普通（良好）	一般債権	売掛金や受取手形など、各金銭債権に含める
↕	貸倒懸念債権	
悪い	破産更生債権等	『破産更生債権等』

(1)一般債権

一般債権とは、経営状態に重大な問題が生じていない債務者に対する債権をいいます。

(2)貸倒懸念債権（かしだおれけねんさいけん）

貸倒懸念債権とは、経営破綻の状態にはいたっていないが、債務の弁済に重大な問題*01)が生じているか、または生じる可能性の高い*02)債務者に対する債権をいいます。なお、貸倒懸念債権は、特別な勘定に振り替える処理は行いませんが、不渡りになった手形だけは『不渡手形』に振り替えます。

*01) 債務の弁済がおおむね1年以上滞っている場合や、弁済期間を延長したり元金または利息の一部を免除するといった債務者に対して弁済条件を大幅に緩くしている場合などです。

*02) 業績が低迷し、過去の営業成績や経営改善計画の実現可能性を考慮しても、債務の一部を条件どおりに弁済できない可能性が高いということです。

不渡手形は基本的に貸倒懸念債権に区分されます。ただし、債務者の財政状態によっては、破産更生債権等に区分される場合もあります。問題文の指示にしたがいましょう。

(3)破産更生債権等（はさんこうせいさいけんとう）

破産更生債権等とは、経営破綻または実質的に経営破綻に陥っている債務者に対する債権をいいます。この状態になった債権は、他の債権と区別するため『破産更生債権等*03)』に振り替える処理を行います。

*03) 『破産更生債権等』は、一年基準により「流動資産」または「固定資産（投資その他の資産）」に表示されます。

次の記述がある場合は、破産更生債権等に該当します。
（取引先A社は…）

- 自己破産の申立てを行った。
- 銀行取引停止処分となった。
- 深刻な経営難に陥り、再建の見通しが立たない状況になった。
- 民事再生法の規定により再生手続の開始の申立てを行った。

設例 5-1　債権の区分と振替え

次の資料にもとづき、必要な仕訳を示しなさい。

【資　料】

期末における売掛金100,000円について調査したところ、次のことが判明した。

(1)　得意先の財務内容から、7,000円については貸倒懸念債権とした。

(2)　得意先の財務内容から、5,000円については破産更生債権等とした。

解答

(1)	(借) 仕　訳　な　し		(貸)		
(2)	(借) 破産更生債権等	5,000	(貸) 売　掛　金		5,000

4 貸倒引当金の会計処理

1．貸倒引当金の設定

金銭債権は、期末において、その回収可能性から貸倒見積高を算定し、貸倒れに備えて貸倒引当金を設定します。そのさいの会計処理方法として、**差額補充法**と**洗替法**という２つの方法があります。

(1) 差額補充法

差額補充法とは、前期に設定した貸倒引当金の期末残高が当期末設定額となるように、過不足額を貸倒引当金に調整する方法です。

当期末設定額と期末残高の関係	調整の仕方
当期末設定額　＞　期末残高	不足額を繰入れ
当期末設定額　＜　期末残高	超過額を戻入れ

(2) 洗替法（あらいがえほう）

洗替法とは、前期に設定した貸倒引当金の期末残高を一旦すべて収益として戻入れ、改めて当期末設定額に相当する額を貸倒引当金として計上する方法です。

〈繰入額と戻入額の相殺表示(洗替法)〉

貸倒引当金を洗替法によって処理した場合、貸倒引当金戻入額と貸倒引当金繰入額を相殺して、損益計算書に表示します*01)。

*01) 勘定科目としては『貸倒引当金繰入』や『貸倒引当金戻入』を使用します。

設例 5-2　　貸倒引当金の設定

次の資料にもとづき、当期末の貸倒引当金の設定に関する仕訳を①差額補充法、②洗替法により示しなさい。

【資　料】

(1)　当期末における貸倒引当金の設定額は12,000円と算定された。

(2)　決算整理前残高試算表の貸倒引当金残高は2,000円であった。

解答

①　差額補充法

(借)	貸倒引当金繰入	10,000*02)	(貸) 貸倒引当金	10,000

②　洗替法

(借)	貸倒引当金	2,000	(貸) 貸倒引当金戻入	2,000
(借)	貸倒引当金繰入	12,000	(貸) 貸倒引当金	12,000

*02) 12,000円(設定額)－2,000円(引当金残高)＝10,000円(繰入額)

2．貸倒引当金の取崩し

前期以前から保有する債権が貸し倒れた場合は、貸倒引当金を取り崩す処理を行います。なお、貸倒引当金の残高が貸し倒れた債権金額に満たない場合は、その差額を『貸倒損失』とします。なお、当期に発生した債権が貸し倒れた場合は、その全額を『貸倒損失』として処理します*03)。

*03) 貸倒引当金は期末に設定されるもので、当期中に発生した債権に対しては、まだ貸倒引当金が設定されていないからです。

設例 5-3　　貸倒引当金の取崩し

次の取引の仕訳を示しなさい。

期中において前期に発生した売掛金8,000円が貸し倒れた。なお、貸倒引当金残高は5,000円で過去の見積りは合理的である。

(借)			(貸)	
貸倒引当金	5,000		売掛金	8,000
貸倒損失	3,000*04)			

*04) 8,000円(貸倒債権)－5,000円(引当金残高)＝3,000円(貸倒損失)
まず、貸倒引当金残高5,000円を取り崩し、取り崩した5,000円を超えて貸し倒れた3,000円が貸倒損失となります。

〈総括引当法と個別引当法〉

貸倒見積高の算定には、算定単位の面から**総括引当法**と**個別引当法**という2つの方法[*05]があり、債務者の財政状態に応じて、各区分に対応する方法により行います。また、貸倒引当金の繰入れおよび取崩しは、貸倒見積高の算定単位ごとに行わなければなりません[*06]。

財政状態	債権の区分	貸倒見積高の算定単位
普通(良好)	一般債権	総括引当法
↕	貸倒懸念債権	個別引当法
悪い	破産更生債権等	

*05)個々の債権ごとに設定するか、グループ単位で設定するかということです。

*06)たとえば、破産更生債権等に該当するA社に対する債権が貸し倒れた場合は、A社に対して設定した貸倒引当金のみを取り崩すことができ、一般債権や貸倒懸念債権の貸倒引当金を取り崩すことはできません。

*07)A社、B社、C社と区分しないということです。

(1)総括引当法

総括引当法とは、一般債権について債権ごとの区分は行わず[*07]に、まとめて貸倒見積高を算定する方法です。

なお、営業債権と営業外債権とは区別して繰入れを行います。

(2)個別引当法

個別引当法とは、貸倒懸念債権と破産更生債権等について、個々の債権ごとに貸倒見積高を算定する方法です。したがって、同じ破産更生債権等に属する債権でも、A社、B社、C社と区分して算定します。

また、貸倒引当金の繰入れ及び取崩しは、引当金の対象となった債権の区分ごとに行なわなければなりません。

例 貸倒見積高の算定単位

次の資料にもとづき、貸倒引当金の取崩しに関する仕訳を示しなさい。なお、過去の見積りは合理的である。

【資　料】

(1)　期中において、前期より保有するA社振出しの約束手形20,000円が貸し倒れた。なお、当該債権は前期末において貸倒懸念債権に区分されていた。

(2)　貸倒れが生じたさいの貸倒引当金の残高は22,000円であった。このうち、3,000円は一般債権に対するもの、7,000円は破産更生債権等(B社)に対するものであり、残額が貸倒懸念債権(A社)に対するものである。

(借)			(貸)		
	貸倒引当金	*12,000* *08)		受取手形	*20,000*
	貸倒損失	*8,000* *09)			

*08) A社債権は貸倒懸念債権なので、個別引当法によります。
A社に対する貸倒引当金残高：22,000円(引当金残高)－3,000円(一般債権の引当金残高)－7,000円(B社に対する引当金残高)＝12,000円

*09) 20,000円(貸倒債権)－12,000円(引当金残高)＝8,000円
取り崩した引当金残高12,000円を超えて貸し倒れた8,000円が貸倒損失となります。

3．前期以前に貸倒れた債権の回収の処理

前期以前に貸倒れとして処理していた売掛金などの債権が回収できたときは、回収できた金額を『償却債権取立益』として損益計算書に表示します。

5 貸倒見積高の算定

▶▶簿問題集：問題8,9,10,11,12

1．貸倒見積高の算定方法

貸倒見積高の算定にあたり、金額の算定方法としては**貸倒実績率法、キャッシュ・フロー見積法、財務内容評価法**という3つの方法があります。算定にあたっては、金銭債権をその債務者の財政状態に応じて、債権の区分に対応した方法により貸倒見積高を計算します。

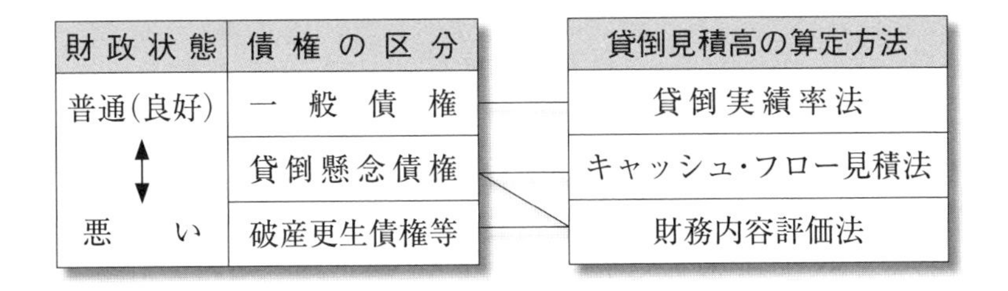

財政状態	債権の区分	貸倒見積高の算定方法
普通（良好）	一般債権	貸倒実績率法
↕	貸倒懸念債権	キャッシュ・フロー見積法
悪い	破産更生債権等	財務内容評価法

2．貸倒実績率法（一般債権）

貸倒実績率法とは、健全な債権全体または同種同類の債権ごとに「合理的な基準により算定した貸倒実績率等」を掛けることによって貸倒見積高を算定する方法です。この方法は、回収不能となる可能性の低い**一般債権に適用**されます。

貸倒実績率法

貸倒見積高 ＝ 債権金額 × 貸倒実績率＊01)

＊01）過去数年間の $\dfrac{\text{翌期における貸倒高}}{\text{期末における債権残高}}$ で計算された値の平均値等を用います。

設例 5-4 貸倒実績率法

次の貸倒引当金の設定に関する仕訳を示しなさい。

期末における一般債権の総額は300,000円、過去の実績にもとづいて算定された貸倒実績率は2.2％である（決算整理前における貸倒引当金残高は0円とする）。

（借）貸倒引当金繰入	*6,600*	（貸）貸倒引当金	*6,600*＊02)

＊02）300,000円（一般債権総額）×2.2％＝6,600円

設例 5-5　貸倒実績率の算定

次の資料にもとづき、当期(第×4期)の貸倒実績率を、各期末の一般債権残高に対する翌期における貸倒高の割合の過去３年間の単純平均により求めなさい。なお、一般債権の平均回収期間は６カ月とする。

【資　料】　　(単位：円)

	第×1期	第×2期	第×3期	第×4期
期末における一般債権残高	100,000	150,000	200,000	300,000
(前期末残高の貸倒高)	(　　0)	(　2,500)	(　3,000)	(　4,200)

解答

$$\left(\frac{2{,}500円}{100{,}000円}+\frac{3{,}000円}{150{,}000円}+\frac{4{,}200円}{200{,}000円}\right)\times 100 \div 3年 = \mathit{2.2\%}$$

３．キャッシュ・フロー見積法(貸倒懸念債権)

キャッシュ・フロー[*03]見積法とは、債権の元本および利息の予想受取額を**当初の約定利子率**[*04]で割り引いた合計金額(将来キャッシュ・フローの割引現在価値の総和)と、債権金額との差額を求めることにより、貸倒見積高を算定する方法です。この方法は、債権元本の回収および利息の受取りにかかるキャッシュ・フローを合理的に見積もることができる**貸倒懸念債権に適用**されます。

*03) 現金収入および支出のことです。

*04) 債権者と債務者の間で交わした特約により定めた利子率のことです。

キャッシュ・フロー見積法

貸倒見積高 ＝ 債権金額 － 将来キャッシュ・フローの割引現在価値の総和

将来キャッシュ・フローの割引現在価値は、当初の約定利子率で割り引いて計算します。新しい利子率で割り引かないように注意しましょう。

設例 5-6　キャッシュ・フロー見積法

次の資料にもとづき、①貸付金の将来キャッシュ・フローの割引現在価値の総和および②当期末(第×4期)における貸倒見積高を算定しなさい。なお、計算によって生じた端数は割引現在価値の算定の時点で円未満を四捨五入すること(決算整理前における貸倒引当金残高は0円とする)。

【資　料】

(1)　貸付金額は100,000円、当初の約定利子率は年4%(年1回・期末払い、返済期日第×7期末)であった。

(2)　当期末の利払い後に、債務者の申し出により約定利子率を2%に引き下げた。

(3)　将来キャッシュ・フローの見積り　　　　　　　　　　　　　(単位：円)

	第×5期末	第×6期末	第×7期末
当初契約上のキャッシュ・フロー	4,000	4,000	104,000
条件緩和後のキャッシュ・フロー	2,000	2,000	102,000

①　貸付金の将来キャッシュ・フローの割引現在価値の総和　*94,450* 円

②　当期末(第×4期)における貸倒見積高　*5,550* 円

解説

①　当初の約定利子率により、条件緩和後のキャッシュ・フローの割引現在価値を、それぞれ計算します。

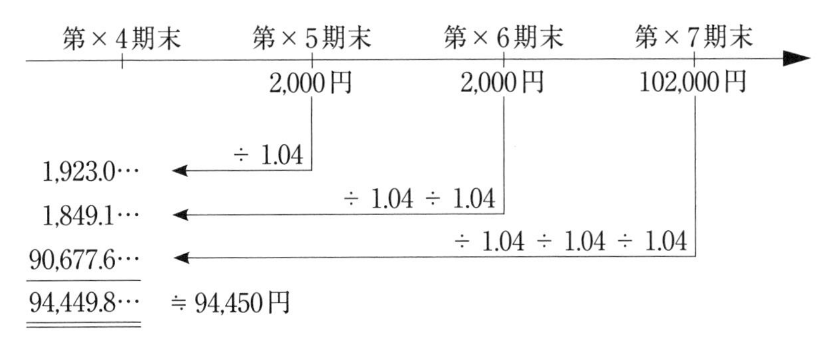

②　貸倒見積高：100,000円(債権金額) − 94,450円(割引現在価値の総和) = 5,550円

以上の計算結果から、当期末の仕訳は次のようになります。

(借) 貸倒引当金繰入	5,550	(貸) 貸倒引当金	5,550

〈参　考〉

翌期末(第×5期末)の仕訳は次のようになります。

貸倒引当金は毎期設定しなおし、戻入額は『受取利息*05)』で処理します。

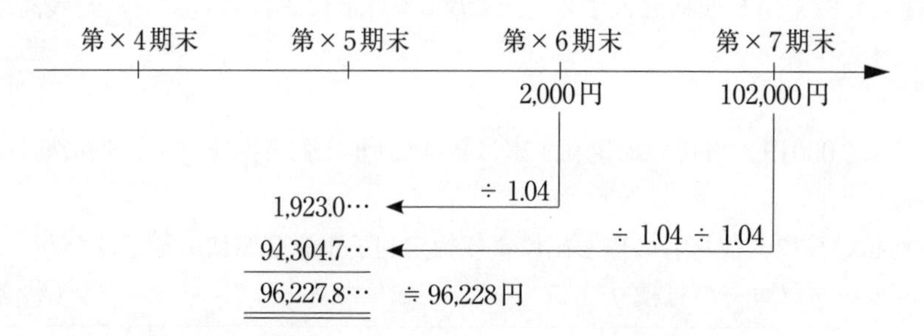

貸倒見積高：100,000円(債権金額) − 96,228円(割引現在価値の総和) = 3,772円

貸倒引当金減少高：5,550円 − 3,772円 = 1,778円

(借) 貸倒引当金	1,778	(貸) 受取利息*05)	1,778

*05)『貸倒引当金戻入』として営業外費用のマイナスまたは営業外収益で処理する場合もあります。

4. 財務内容評価法(貸倒懸念債権・破産更生債権等)

財務内容評価法とは、債権金額から担保の処分や保証による回収見込額を減額し、その残額に対して債務者の経営状態を考慮した貸倒設定率を掛けて貸倒見積高を算定する方法です。この方法は、**貸倒懸念債権および破産更生債権等に適用**されます。

財務内容評価法

貸倒見積高 ＝(債権金額 − 回収見込額) × 貸倒設定率

※破産更生債権等の場合は、貸倒設定率＝100%となるため、実質的に「貸倒見積高 ＝ 債権金額 − 回収見込額」で計算されます。

設例 5-7　財務内容評価法(貸倒懸念債権)

次の貸倒引当金の設定に関する仕訳を示しなさい。

当社は、取引先A社に対して100,000円を貸し付けているが、A社は債務の弁済に重大な問題が生じる可能性が高いと判断された。なお、A社所有の土地70,000円(時価)を当該貸付金の担保として設定しており、債権金額から担保処分見込額を控除した残額に70%を乗じた額を貸倒引当金として設定する(決算整理前における貸倒引当金残高は0円とする)。

(借) 貸倒引当金繰入	21,000	(貸) 貸倒引当金	21,000*06)

*06) (100,000円−70,000円)×0.7=21,000円
債権金額　回収見込額　貸倒設定率

設例 5-8　財務内容評価法（貸倒れ時の処理）

次の取引の仕訳を示しなさい。

翌期になり、**設例5-7**のA社の清算が開始され、貸倒れ処理を行うとともに担保(時価70,000円の土地)を回収した。なお、前期の見積りは合理的である。

(借) 土地	70,000	(貸) 貸付金	100,000
貸倒引当金	21,000		
貸倒損失	9,000*07)		

*07) 担保設定資産、貸倒引当金から優先的に計上します。貸倒損失は貸借差額で計算します。

設例 5-9　財務内容評価法（破産更生債権等）

次の貸倒引当金の設定に関する仕訳を示しなさい。

当社は、取引先A社に対して100,000円を貸し付けているが、A社は自己破産の申立てを行った。なお、A社所有の土地70,000円(時価)を当該貸付金の担保として設定しており、債権金額から担保処分見込額を控除した額を貸倒引当金として設定する(決算整理前における貸倒引当金残高は0円とする)。

(借) 破産更生債権等	100,000	(貸) 貸付金	100,000
(借) 貸倒引当金繰入	30,000	(貸) 貸倒引当金	30,000*08)

*08) 100,000円(債権金額)−70,000円(回収見込額)=30,000円

設例 5-10　財務内容評価法（担保の回収）

次の取引の仕訳を示しなさい。

翌期になり、**設例5-9**のA社の清算が開始され、貸倒れ処理を行うとともに担保(時価70,000円の土地)を回収した。

(借) 土地	70,000	(貸) 破産更生債権等	100,000
貸倒引当金	30,000		

6 貸借対照表・損益計算書における表示

▶▶財問題集：問題18,19,20,21

1．貸倒引当金の表示

貸借対照表における貸倒引当金の表示方法は、受取手形や売掛金ごとの科目別に、**貸倒引当金を間接控除表示する方式**(科目別間接控除方式)**が原則**となります。ただし、貸倒引当金を貸借対照表の区分ごと*01)に一括して控除する方法(一括間接控除方式)や、貸倒引当金を各資産から直接控除する方法(直接控除方式)も容認されています。

*01)「流動資産」と「投資その他の資産」それぞれで一括して貸倒引当金を記載します。

なお、直接控除方式による場合、貸倒引当金の金額を「貸借対照表等に関する注記」として注記*02)する必要があります。

*02)科目別または一括して貸倒引当金の金額を注記します。

貸借対照表の表示を具体的に示すと、次のとおりです。

①科目別間接控除方式(原則)

受取手形	10,000	
貸倒引当金	300	9,700
売掛金	15,000	
貸倒引当金	450	14,550

②一括間接控除方式(容認)

受取手形	10,000	
売掛金	15,000	
貸倒引当金	750	24,250

③直接控除科目別注記方式(容認)

受取手形	9,700
売掛金	14,550

<貸借対照表等に関する注記>
金銭債権から貸倒引当金がそれぞれ控除されている。
受取手形 300円　売掛金 450円

④直接控除一括注記方式(容認)

受取手形	9,700
売掛金	14,550

<貸借対照表等に関する注記>
短期金銭債権から貸倒引当金750円が控除されている。

〈注意点〉

(1)　間接控除方式において、本試験では、上記のように2列に記述するのではなく、次のように1列で記述するものが多く出題されます。

①科目別間接控除方式

受取手形	10,000
貸倒引当金	△ 300
売掛金	15,000
貸倒引当金	△ 450

②一括間接控除方式*03)

受取手形	10,000
売掛金	15,000
：	：
貸倒引当金	△ 750

*03)この場合、通常は、「流動資産」と「投資その他の資産」の最後に『貸倒引当金』が記載されます。また、1列で記述する場合、貸倒引当金の金額には「△」が付きます。

(2)　直接控除一括注記方式において、固定資産(投資その他の資産)にも貸倒引当金を設定している場合は、「長期金銭債権から貸倒引当金〇〇円が控除されている。」など、短期金銭債権に対する貸倒引当金と分けて注記します。

2．繰入額・戻入額等の表示

引当額の過不足等が生じた場合、引当過不足修正額等は、その発生する条件等にもとづいて、次のように表示場所が区分されます。

(1)　**貸倒引当金繰入の表示（貸倒損失の表示場所も同様です。）**

債権の種類	表示区分	
一般債権 貸倒懸念債権	営業債権の場合	営業費用
	営業外債権の場合	営業外費用
破産更生債権等	通常は特別損失とする指示が入る	

※引当金の過不足の原因が計上時の見積り誤りである場合には、上記とは異なり修正再表示を行うこととなります。

(2)　**償却債権取立益の表示**

表示区分
営業外収益

※引当金の過不足の原因が計上時の見積り誤りである場合には、上記とは異なり修正再表示を行うこととなります。

(3)　**貸倒引当金戻入の表示**

債権の種類	表示区分	
一般債権 貸倒懸念債権	営業債権の場合	営業費用のマイナスまたは営業外収益＊04)
	営業外債権の場合	営業外費用のマイナスまたは営業外収益＊04)
破産更生債権等	通常は特別利益とする指示が入る	

＊04)本試験では、問題文の指示に従ってください。

※引当金の過不足の原因が計上時の見積り誤りである場合には、上記とは異なり修正再表示を行うこととなります。

7 会計方針の注記

財計B ▶▶財問題集：問題22

貸倒引当金の計上基準は、会計方針として注記します。

【注記例】

＜重要な会計方針に係る事項に関する注記＞

：

5．引当金の計上基準

貸倒引当金は、売上債権、貸付金等の貸倒損失に備えるため、債権の区分に応じ、次のように設定している。

(1)一般債権は、貸倒実績率法により、過去の貸倒実績率にもとづき、期末残高の１％を計上している。

(2)貸倒懸念債権は、財務内容評価法により、保証にもとづく回収見込額を控除した残額について、個々の企業の状況に応じた金額を計上している。

(3)破産更生債権等は、財務内容評価法により、保証にもとづく回収見込額を控除した残額の全額を計上している。

このChapterでの表示と注記

貸借対照表

(資産の部)			(負債の部)	
Ⅰ 流動資産			Ⅰ 流動負債	
受取手形		×××	支払手形	×××
売掛金		×××	保証債務	×××
短期貸付金		×××	(純資産の部)	
未収入金		×××	⋮	
短期固定資産売却受取手形		×××		
短期有価証券売却受取手形		×××		
貸倒引当金	△	××		
Ⅱ 固定資産				
⋮				
3 投資その他の資産				
長期貸付金		×××		
長期未収入金		×××		
長期固定資産売却受取手形		×××		
長期有価証券売却受取手形		×××		
破産更生債権等		×××		
貸倒引当金	△	××		

損益計算書

⋮	
Ⅲ 販売費及び一般管理費	
貸倒引当金繰入額*01)	×××
貸倒損失*01)	×××
⋮	
Ⅳ 営業外収益	
償却債権取立益	×××
⋮	
Ⅴ 営業外費用	
貸倒引当金繰入額*02)	×××
貸倒損失*02)	×××
手形売却損	×××
⋮	

＊01) 営業債権にかかるもの
＊02) 営業外債権にかかるもの

【注記例】(一部)

〈貸借対照表等に関する注記〉

・受取手形の裏書譲渡高が×××千円ある。
・取締役に対する金銭債権が×××千円ある。
・関係会社に対する受取手形は×××千円、短期貸付金は×××千円である。
・関係会社に対する支払手形は×××千円である。

〈重要な会計方針に係る事項に関する注記〉

・引当金の計上基準

貸倒引当金は、売上債権、貸付金等の貸倒損失に備えるため、債権の区分に応じ、次のように設定している。

(1)一般債権は、貸倒実績率法により、過去の貸倒実績率に基づき、期末残高の1％を計上している。

(2)貸倒懸念債権は、財務内容評価法により、保証に基づく回収見込額を控除した残額について、個々の企業の状況に応じた金額を計上している。

(3)破産更生債権等は、財務内容評価法により、保証に基づく回収見込額を控除した残額の全額を計上している。

Chapter 4
棚卸資産 I

一つひとつ数を数えて在庫品が何個あるかを確認する資産を棚卸資産といい、『商品』が代表例です。その商品を取り扱う小売業者や卸売業者は様々で、営業規模により取り扱う商品の品目も量も様々です。

Chapter 4では、棚卸資産について学習します。また、商品売買の基本形態である一般商品売買の会計処理についても学習して行きます。

なお、「収益認識に関する会計基準」に関する内容については、教科書Ⅲ応用編で取り上げます。

Section 1

棚卸資産の範囲と取得原価の決定

棚卸資産は将来販売したり、使ったりすることで売上原価などの費用になるので、費用性資産といわれます。

このSectionでは、棚卸資産として扱われるものの範囲と取得原価の決定について学習します。

1 棚卸資産とは

棚卸資産とは、営業活動をとおして売上収益を上げることを目的として、短期間に費消*01)される資産をいいます。

*01)単に使ってなくなることを消費といい、使うことで価値が別の形になることを費消といいます(原材料⇒製品など)。厳密には、という話ですが…。

2 棚卸資産の範囲

棚卸資産には、次のものがあります。

棚卸資産の範囲	具体例
①通常の販売対象として保有する資産	商品、製品
②販売するために製造中の資産	半製品、仕掛品
③販売資産を生産するために必要な資産	原材料、部品、消耗工具
④販売活動や一般管理活動で消費する資産	事務用消耗品、荷造・包装用資材

＜棚卸資産の範囲＞

① 通常の販売対象として保有する資産
商品、製品

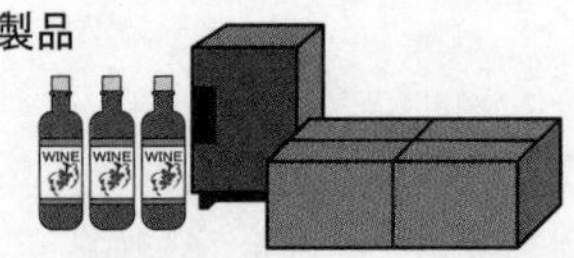

② 販売するために製造中の資産
半製品、仕掛品

③ 販売資産を生産するために必要な資産
原材料、部品、消耗工具

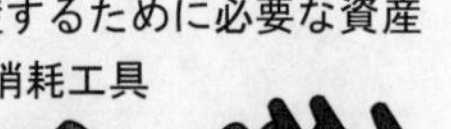

④ 販売活動や一般管理活動で消費する資産
事務用消耗品、
荷造・包装用資材

3 取得原価の決定

棚卸資産の取得原価の決定方法は、企業が棚卸資産を(1)**購入した場合**、(2)**製造した場合**により異なりますが、いずれも取得原価主義によるものです。

(1)購入した場合

取得原価 ＝ ①購入代価 ＋ ②付随費用

①購入代価

購入代価 ＝ 送状価額*01) **－ 値引き、割戻し***02)

資産を購入したさいに値引きや割戻しがある場合には、その送状価額から値引きや割戻しの金額を控除した金額を購入代価とします。

②付随費用

付随費用は、引取運賃、関税、購入事務費、保管費などがあります。

*01) 商品そのもの自体の価格です。

*02) 仕入割引は値引きや割戻しと異なり、送状価額から控除しません。その理由は、仕入割引は金利の性質を有しており、財務収益と捉えて営業外収益として取り扱うべきだからです。

<購入した場合>

取得原価＝

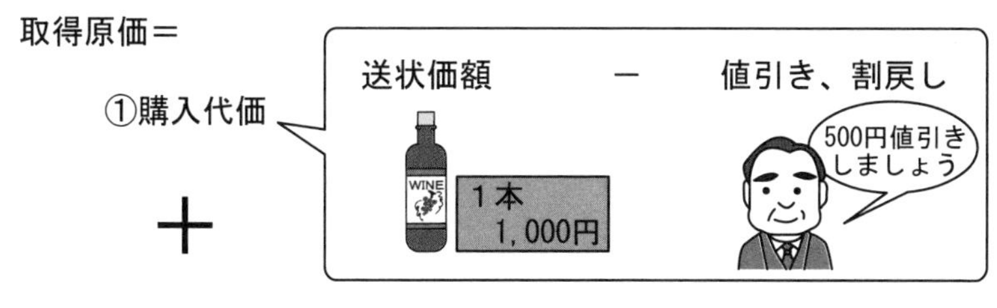

②付随費用

(2)製造した場合

取得原価 ＝ 適正な原価計算基準の手続きにより算定された正常実際製造原価

製品などの資産を企業が製造した場合には、適正な原価計算基準に従って実際製造原価を算定し、これを取得原価とします[*03]。

＊03) 材料費、労務費、経費を使って製造し、その原価を取得原価とします。

＜製造した場合＞

適正な原価計算基準の手続きにより算定された正常実際製造原価

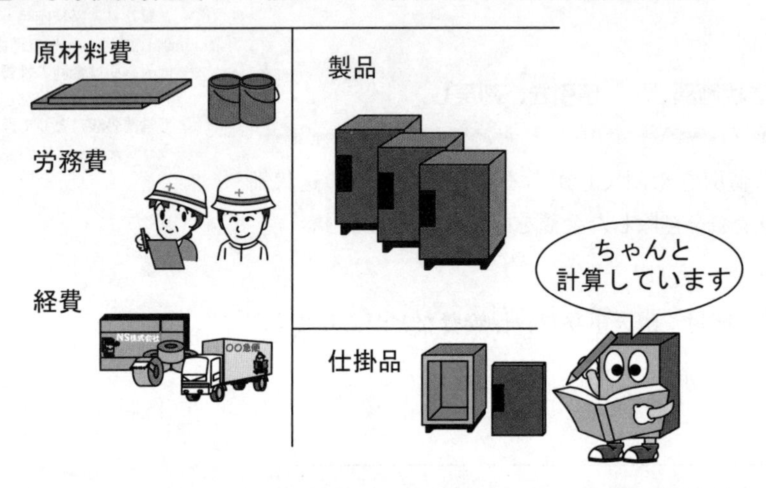

Section 2

値引き・返品などの処理

商品の仕入や売上が行われた後、値引きや割戻しが行われたり、または返品が行われる場合があります。このような場合、どのように処理すればよいのでしょうか？

このSectionでは、商品の値引きや割戻し、返品があった場合などの処理を学習します。

1 値引き・割戻し（わりもど）し・返品の会計処理

1．値引きとは

値引きとは、商品の数量や品目の不足・汚損等の理由により売上金額を下げたり(**売上値引**)、仕入金額を下げさせる(**仕入値引**)ことをいいます。

2．割戻しとは

割戻しとは、一般にリベートといわれるもので、たとえば契約にさいし、「１年間で１億円以上の取引になれば、取引額の２％を戻す」といった条件を盛り込み、それにもとづいて授受されるものです＊01)。金額が安くなる点で値引きと同じであるため、会計処理上も値引きと同様に処理します。

＊01）身近な例では、スーパーなどで「１個100円の商品を３つ買うと270円にします」といった売り方が見られます。

値引きとは

割戻しとは

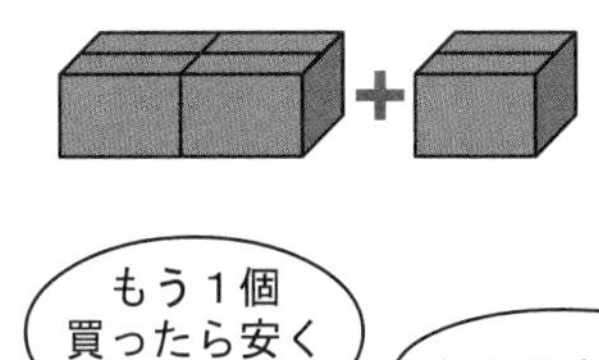

もう１個
買ったら安く
しますよ
わかりました
仕入先
割戻しは商品を
多く買うと安くなる
ような取引だね

3．返品とは

返品とは、品質不良、破損、品違い等の理由により、商品を返したり（**仕入戻し**）、返されたり（**売上戻り**）することをいいます。

商品売買取引の処理方法の中でもっとも一般的なものは「三分法*02)」ですが、値引き・割戻し・返品につき、具体的な勘定科目を用いて処理する「九分法」といわれる方法もあります。

三分法	九分法*03)*04)	
『仕　入』	『仕　入』	（商品の購入）
	『仕入値引』	（仕入の値引き）
	『仕入割戻』	（仕入の割戻し）
	『仕入戻し』	（仕入の返品）
『繰越商品』	『繰越商品』	（繰越の商品）
『売　上』	『売　上』	（商品の売上）
	『売上値引』	（売上の値引き）
	『売上割戻』	（売上の割戻し）
	『売上戻り』	（売上の返品）

仕入の返品は「戻し」、売上の返品は「戻り」となりますので注意してください。

*02）日商３級で学んだ方法です。

*03）「割引」は商品売買に関する科目ではなく、利息に類するものなので含まれません。

*04）仕入と売上がそれぞれ４つの科目に分かれるので、『繰越商品』と合わせて合計９つの科目を用いて商品売買の処理を行うことになります。また、値引きと割戻しを合わせて処理する「七分法」といわれる方法もあります。

設例 2-1　値引き・割戻し・返品の処理

次の取引の仕訳を、(1)三分法、(2)九分法で示しなさい。

① 商品10,000円を購入していたが、本日、500円の値引きを受け、代金は買掛金と相殺した。

② 当社は仕入先からの仕入額が、当初定めた金額に達したため、1,000円の割戻しを受け、代金は買掛金と相殺した。

③ 商品15,000円を得意先に販売したが、そのうち1,500円が得意先より返品された。なお、代金は売掛金と相殺した。

解答

(1)三分法

		借方科目	金額		貸方科目	金額
① 仕入値引	（借）	買掛金	500	（貸）	仕入	500
② 仕入割戻	（借）	買掛金	1,000	（貸）	仕入	1,000
③ 売上戻り	（借）	売上	1,500	（貸）	売掛金	1,500

(2)九分法

		借方科目	金額		貸方科目	金額
① 仕入値引	（借）	買掛金	500	（貸）	仕入値引	500
② 仕入割戻	（借）	買掛金	1,000	（貸）	仕入割戻	1,000
③ 売上戻り	（借）	売上戻り	1,500	（貸）	売掛金	1,500

2 割引の処理

簿A 財計A

▶▶簿問題集：問題 9,10,11
▶▶財問題集：問題 16,17

割引とは、売掛金もしくは買掛金の決済を支払期限より前の一定期間内に行うことにより、売掛金の一部を免除したり(**売上割引**)、買掛金の一部を免除されたりする(**仕入割引**)ことをいいます。

割引は、代金の早期決済にともなう財務上の損益、すなわち支払日から支払期限までの**利息である**と考え、**仕入割引は営業外収益**[*01] に計上します。

*01)仕入から控除しない点に注意しましょう。

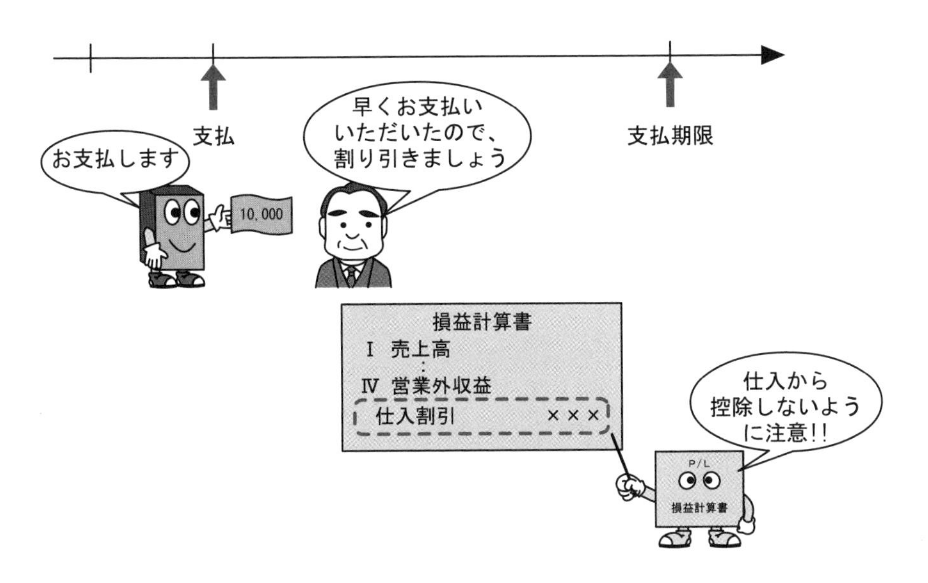

〈売上割引〉

「収益認識に関する会計基準」が適用される前は、仕入割引(営業外収益)の処理の考え方と同様に、売上割引についても営業外費用とし、売上からは控除しないという処理が行われてきました。

ただし、売上割引は「収益認識に関する会計基準」の適用により、「変動対価」として取り扱われることになりますので、上記のような処理は行わないことになりました。

なお、「変動対価」については、教科書Ⅲ応用編で取り上げます。

設例 2-2 割引の処理

次の取引の仕訳を示しなさい。
買掛金4,000円の早期決済につき100円の割引を受け、残額を現金で支払った。

解答

(借)			(貸)	
買掛金	*4,000*		現金預金	*3,900*
			仕入割引	*100*

設例 2-3　割引と売上原価・売上高

次の資料にもとづいて、(1)売上原価と(2)売上高の金額を求めなさい。

【資　料】

決算整理前残高試算表　(単位：円)

仕　　入	3,000	売　　上	5,700
売上戻り	150		

期首商品および期末商品はなかった。仕入の金額は、仕入値引100円および仕入割引210円が控除されていることが判明した。

(1)売上原価	*3,210* 円*04)	(2)売 上 高	*5,550* 円*05)

*04) 3,000円＋210円(割引)＝3,210円

*05) 5,700円－150円(戻り)＝5,550円

解説

仕入から割引が控除されている場合は加算します(割引分まで控除するのは誤りです)。また、値引き・割戻し・返品が控除されていない場合は減算します。

〈決算整理仕訳〉

(借) 仕　　入	210	(貸) 仕 入 割 引	210
(借) 売　　上	150	(貸) 売 上 戻 り	150

営業活動による費用（仕入）と財務活動による収益（仕入割引）は相殺できません。

Section 3

商品売買の処理方法

商品売買取引については、複数の会計処理方法が存在します。
このSectionでは、出題頻度のいちばん高い「三分法」を中心に学習しますが、簿記論ではそれ以外の処理方法(分記法など)が出題される場合もあります。
真実は１つ！　でも、それを表現する方法は１つではないのです。

1 三分法

三分法とは、商品売買について３つの勘定科目を用いて処理する方法をいいます。具体的には、商品の仕入時には『**仕入**』(費用の勘定)、販売時には『**売上**』(収益の勘定)、決算時には『**繰越商品**』(資産の勘定)という３つの勘定科目を用います。

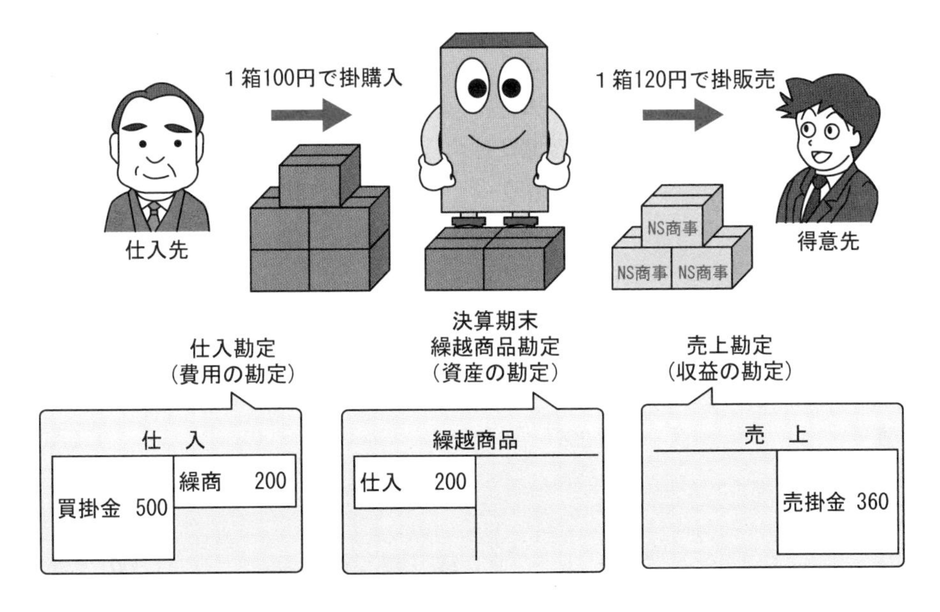

設例 3-1　三分法

次の資料にもとづいて、三分法による(1)期中取引の仕訳を行い、(2)決算整理前残高試算表(一部)を作成し、(3)決算整理仕訳を行い、(4)決算整理後残高試算表(一部)および(5)損益計算書(売上総利益まで)と貸借対照表(一部)を作成しなさい。

【資　料】

(1)期首商品：1,000円

前期末残高　(単位：円)

繰越商品	1,000	

(2)期中取引

① 商品8,400円(原価)を掛けで仕入れた。

② 商品300円(原価)を仕入先に返品した。

③ 仕入先から100円の値引きを受けた。

④ 商品7,560円(原価)を10,800円で掛けで売り上げた。

⑤ 得意先から商品(売価800円、原価560円)が返品された。

⑥ 得意先に200円の値引きを行った。

(3)期末商品：2,000円(棚卸減耗および商品評価損は生じていない)

解答

(1)期中取引の仕訳

① 仕入	(借)	仕入	*8,400*	(貸) 買掛金	*8,400*
② 仕入戻し	(借)	買掛金	*300*	(貸) 仕入	*300*
③ 仕入値引	(借)	買掛金	*100*	(貸) 仕入	*100*
④ 売上	(借)	売掛金	*10,800*	(貸) 売上	*10,800*
⑤ 売上戻り	(借)	売上	*800*	(貸) 売掛金	*800*
⑥ 売上値引	(借)	売上	*200*	(貸) 売掛金	*200*

(2)決算整理前残高試算表

決算整理前残高試算表　(単位：円)

期首商品→	繰越商品	*1,000*	売上	*9,800*	**←純売上高**
純仕入高→	仕入	*8,000*			

(3)決算整理仕訳

(借) 仕入	*1,000*	(貸) 繰越商品	*1,000*
(借) 繰越商品	*2,000*	(貸) 仕入	*2,000*

(4)決算整理後残高試算表

決算整理後残高試算表　(単位：円)

期末商品→	繰越商品	*2,000*	売上	*9,800*	**←純売上高**
売上原価→	仕入	*7,000*			

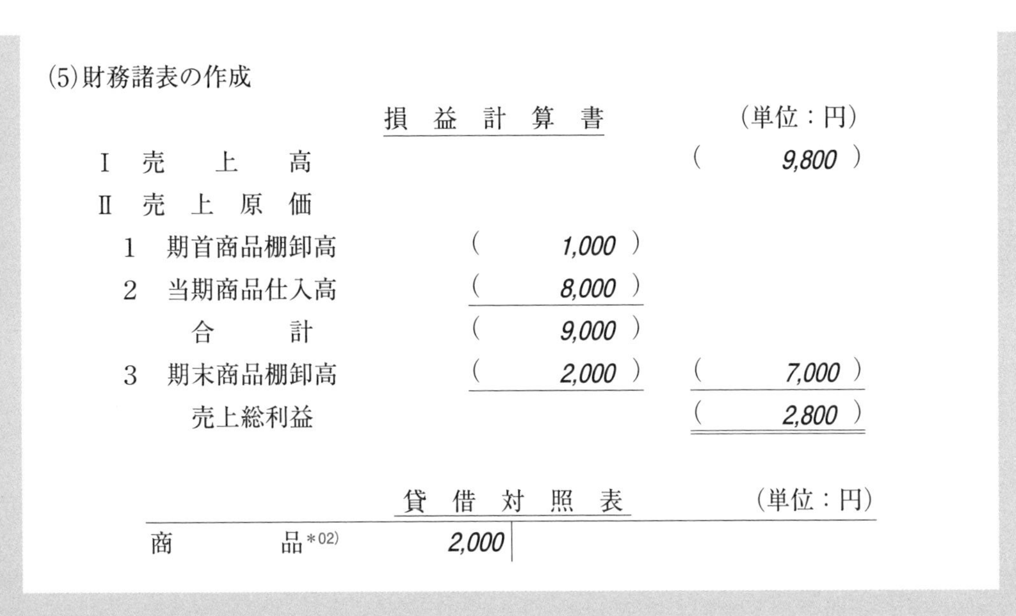

(5)財務諸表の作成

損益計算書 (単位：円)

Ⅰ 売上高			(9,800)
Ⅱ 売上原価			
1 期首商品棚卸高	(1,000)		
2 当期商品仕入高	(8,000)		
合計	(9,000)		
3 期末商品棚卸高	(2,000)		(7,000)
売上総利益			(2,800)

貸借対照表 (単位：円)

商品*02)	2,000	

*02) 貸借対照表では、『商品』という表示科目を用いて計上します。

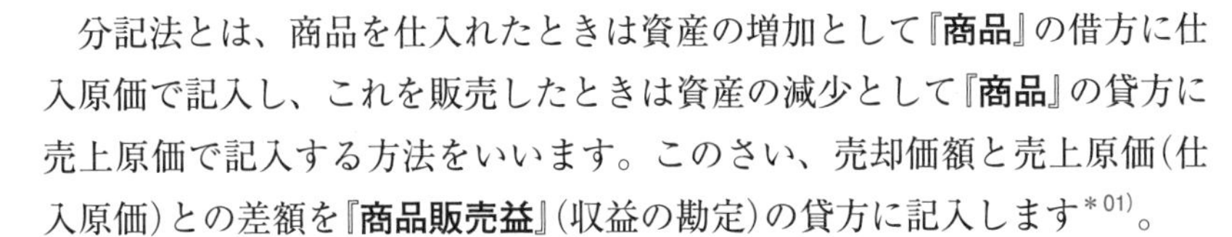

2 その他の記帳方法

▶▶簿問題集：問題12,13

1．分記法

分記法とは、商品を仕入れたときは資産の増加として『**商品**』の借方に仕入原価で記入し、これを販売したときは資産の減少として『**商品**』の貸方に売上原価で記入する方法をいいます。このさい、売却価額と売上原価(仕入原価)との差額を『**商品販売益**』(収益の勘定)の貸方に記入します*01)。

*01) 商品販売のつど利益が確認できるのが特徴ですが、販売時に売上原価がわからないと処理できないという欠点があります。この方法は、有価証券の売却処理と同じです。

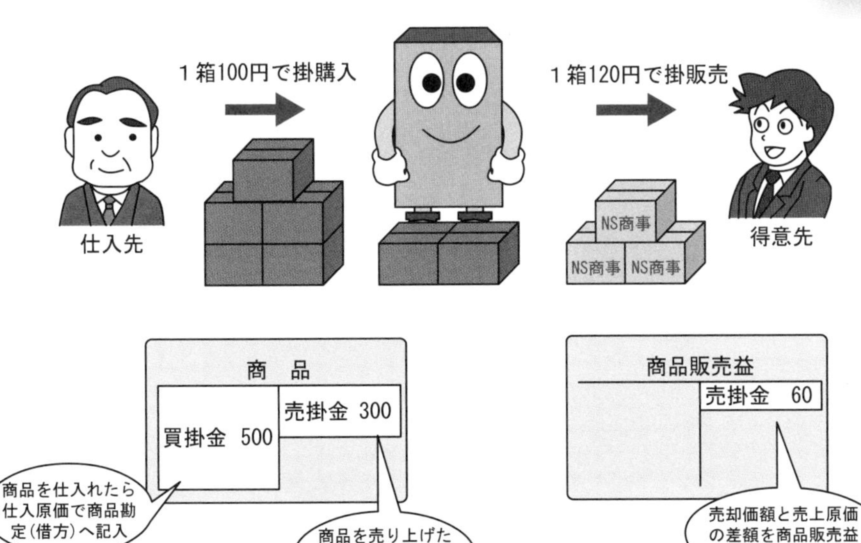

このように、商品の増減に連動して『**商品**』を増減させ、販売時に『**商品販売益**』を認識するため、**分記法では決算整理仕訳を行う必要はありません**。

商品

期首商品原価	（販売時） 売上原価
（購入時） 当期仕入原価	
	期末商品原価

商品販売益

	利益額

分記法での関係式
売上原価 ＋ 商品販売益 ＝ 売価合計（売上高）

設例3-2　分記法

次の資料にもとづいて、分記法による(1)期中取引の仕訳を行い、(2)決算整理前残高試算表（一部）を作成し、(3)決算整理仕訳を行い、(4)決算整理後残高試算表（一部）および(5)損益計算書（売上総利益まで）と貸借対照表（一部）を作成しなさい。

【資　料】

(1)期首商品：1,000円

前期末残高　（単位：円）

商品	1,000	

(2)期中取引

① 商品8,400円（原価）を掛けで仕入れた。
② 商品300円（原価）を仕入先に返品した。
③ 仕入先から100円の値引きを受けた。
④ 商品7,560円（原価）を10,800円で掛けで売り上げた。
⑤ 得意先から商品（売価800円、原価560円）が返品された。
⑥ 得意先に200円の値引きを行った。

(3)期末商品：2,000円（棚卸減耗および商品評価損は生じていない）

解答

(1)期中取引の仕訳

		借方科目	金額		貸方科目	金額
①仕入	(借)	商品	8,400	(貸)	買掛金	8,400
②仕入戻し	(借)	買掛金	300	(貸)	商品	300
③仕入値引	(借)	買掛金	100	(貸)	商品	100
④売上	(借)	売掛金	10,800	(貸)	商品	7,560
					商品販売益	3,240
⑤売上戻り[*02]	(借)	商品	560	(貸)	売掛金	800
		商品販売益	240			
⑥売上値引[*03]	(借)	商品販売益	200	(貸)	売掛金	200

(2)決算整理前残高試算表

決算整理前残高試算表 (単位：円)

期末商品→	商品	2,000	商品販売益	2,800	←売上総利益

(3)決算整理仕訳

(借) 仕訳なし (貸)

(4)決算整理後残高試算表

決算整理後残高試算表 (単位：円)

期末商品→	商品[*04]	2,000	商品販売益[*05]	2,800	←売上総利益

(5)財務諸表の作成

損益計算書 (単位：円)

Ⅰ 売上高		(9,800[*06])
Ⅱ 売上原価		
1 期首商品棚卸高	(1,000)	
2 当期商品仕入高	(8,000[*07])	
合計	(9,000)	
3 期末商品棚卸高	(2,000)	(7,000)
売上総利益		(2,800)

貸借対照表 (単位：円)

商品	2,000		

*02)売上戻りは「売上の取消し」です。

*03)売上値引は「利益の取消し」です。

*04)資産の残高として翌期に繰り越されます。

*05)収益として損益勘定に振り替えられます。

*06)10,800円(期中取引④)－800円(期中取引⑤)－200円(期中取引⑥)＝9,800円

*07)8,400円(期中取引①)－300円(期中取引②)－100円(期中取引③)＝8,000円

2．総記法[08]

総記法は、商品を仕入れたときは『商品』の借方に原価で記入し、これを販売したときは『商品』の貸方に売価で記入する方法をいいます(売っても仕入れても、商品売買に関する取引は、すべて『商品』で処理します)[09]。

そのため、前T／Bの『商品』は、借方残高にも貸方残高にもなることがあります。

*08)商品売買について1つの勘定科目(『商品』)を用いて処理する方法です。

*09)期中処理については、もっとも簡便な方法といえます。

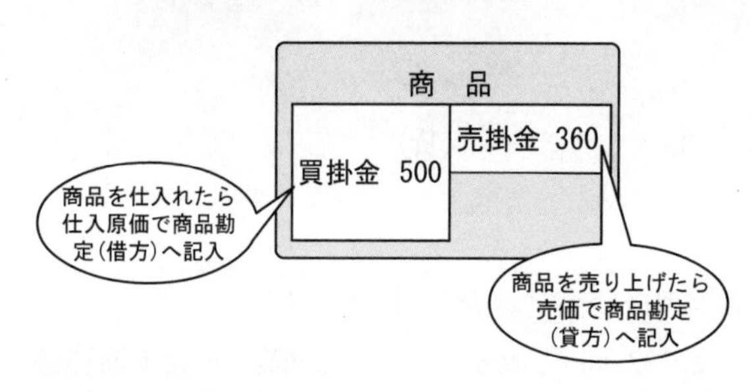

(Ⅰ)『商品』が借方残高だった場合	(Ⅱ)『商品』が貸方残高だった場合
〔前提条件〕 期首商品棚卸高：200円(原価) ①当期商品仕入高：600円(原価) ②当 期 売 上 高：500円(売価) 期末商品棚卸高：400円(原価)	〔前提条件〕 期首商品棚卸高：200円(原価) ①当期商品仕入高：600円(原価) ②当 期 売 上 高：900円(売価) 期末商品棚卸高： 80円(原価)
＜期中仕訳＞ ①仕入時 (借)商　　品 600 (貸)買 掛 金 600 ②販売時 (借)売 掛 金 500 (貸)商　　品 500	＜期中仕訳＞ ①仕入時 (借)商　　品 600 (貸)買 掛 金 600 ②販売時 (借)売 掛 金 900 (貸)商　　品 900
商品ボックス 期首 200 (原価)／当期仕入 600 (原価)｜売上高 500 (売価) 『商品』前T/B残高 300	商品ボックス 期首 200 (原価)／当期仕入 600 (原価)｜売上高 900 (売価) 『商品』前T/B残高 100
前T/B 商　　品 300 ｜	前T/B ｜ 商　　品 100

ここで、前記の『**商品**』に期末商品棚卸高(貸方)を原価で付け足したボックス図を描いてみます。すると、(Ⅰ)(Ⅱ)のいずれのケースでも、貸方が飛び出た形になります。

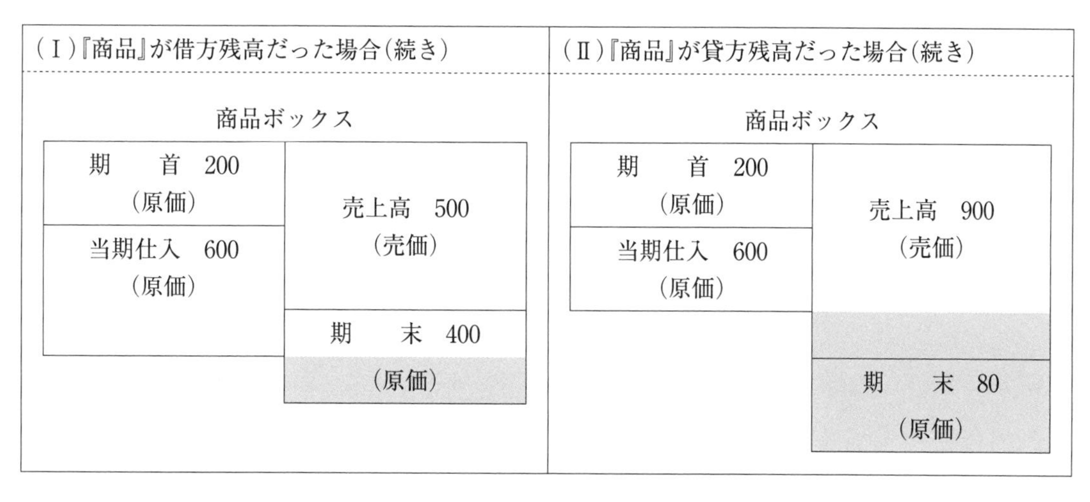

このとき、貸方の飛び出た部分が『**商品販売益**』の金額になります。

なぜなら、もし商品ボックス図の売上高が売上原価で記入されていれば、当然ボックス図の貸借は一致するはずです。つまり、「貸方が飛び出ているのは売上高と売上原価の差」となります。これはボックス図の貸方の上下を入れ替えてみると、よりわかりやすくなります。

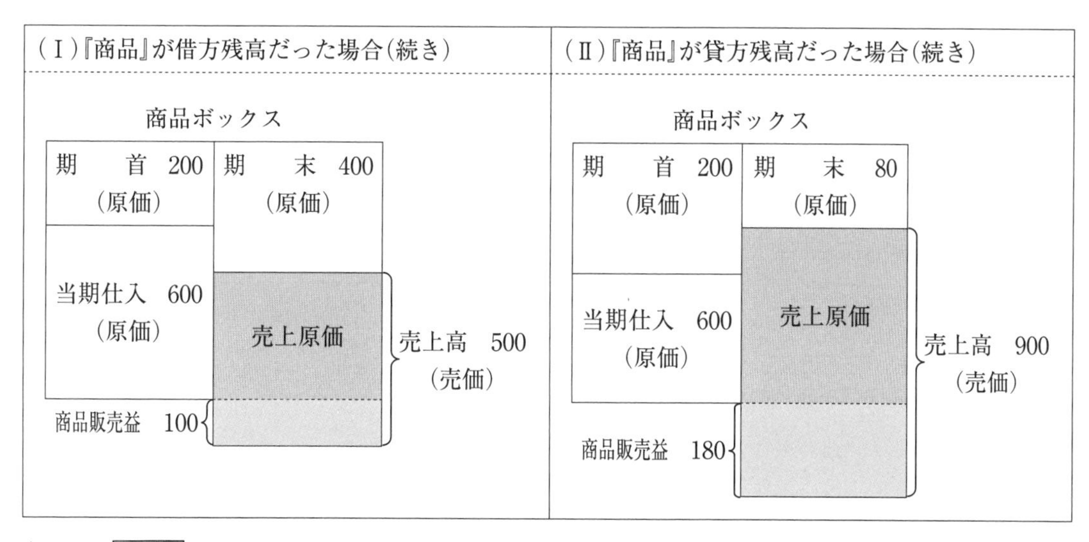

(上図の　　　の部分が売上原価となります)

以上のように考えて商品販売益を算定し、借方を『**商品**』として決算整理仕訳を行います。この結果、上記のボックス図の貸方に実際には期末商品原価が入っていないので、『**商品**』の残高が期末商品原価を表すことになります。

<table>
<tr><th>(Ⅰ)『商品』が借方残高だった場合(続き)</th><th>(Ⅱ)『商品』が貸方残高だった場合(続き)</th></tr>
<tr><td><決算整理仕訳>
(借)商　　品　100　(貸)商品販売益　100

後T/B
商　　品　400 | 商品販売益　100</td><td><決算整理仕訳>
(借)商　　品　180　(貸)商品販売益　180

後T/B
商　　品　80 | 商品販売益　180</td></tr>
</table>

総記法の商品販売益の計算

商品ボックス図の貸方に期末商品原価を入れると、貸借差額が商品販売益となり、その金額で、借方・商品、貸方・商品販売益の決算整理仕訳をします。

(Ⅰ)『**商品**』が借方残高だった場合

商品販売益 ＝ 期末商品棚卸高 － 商品（前T／B）

(Ⅱ)『**商品**』が貸方残高だった場合

商品販売益 ＝ 期末商品棚卸高 ＋ 商品（前T／B）

設例 3-3　総記法

次の資料にもとづいて、総記法による(1)期中取引の仕訳を行い、(2)決算整理前残高試算表(一部)を作成し、(3)決算整理仕訳を行い、(4)決算整理後残高試算表(一部)および(5)損益計算書(売上総利益まで)と貸借対照表(一部)を作成しなさい。

【資　料】

(1)期首商品：1,000円

前期末残高　(単位：円)

商　　品	1,000		

(2)期中取引

①商品8,400円(原価)を掛けで仕入れた。
②商品300円(原価)を仕入先に返品した。
③仕入先から100円の値引きを受けた。
④商品7,560円(原価)を10,800円で掛けで売り上げた。
⑤得意先から商品(売価800円、原価560円)が返品された。
⑥得意先に200円の値引きを行った。

(3)期末商品：2,000円(棚卸減耗および商品評価損は生じていない)

(1)期中取引の仕訳

① 仕　入	(借)	商　品	8,400	(貸)	買　掛　金	8,400
② 仕入戻し	(借)	買　掛　金	300	(貸)	商　品	300
③ 仕入値引	(借)	買　掛　金	100	(貸)	商　品	100
④ 売　上	(借)	売　掛　金	10,800	(貸)	商　品	10,800
⑤ 売上戻り	(借)	商　品	800	(貸)	売　掛　金	800
⑥ 売上値引	(借)	商　品	200	(貸)	売　掛　金	200

(2)決算整理前残高試算表

決算整理前残高試算表　(単位：円)

		商　品	800

(3)決算整理仕訳

(借)	商　品	2,800	(貸)	商品販売益	2,800*10)

(4)決算整理後残高試算表

決算整理後残高試算表　(単位：円)

期末商品→	商　品	2,000	商品販売益	2,800	←売上総利益

(5)財務諸表の作成

損益計算書　(単位：円)

Ⅰ 売上高		(9,800*11))
Ⅱ 売上原価		
1 期首商品棚卸高	(1,000)	
2 当期商品仕入高	(8,000*12))	
合計	(9,000)	
3 期末商品棚卸高	(2,000)	(7,000)
売上総利益		(2,800)

貸借対照表　(単位：円)

商　品	2,000	

*10) 2,000円(期末商品)+800円(前T/B商品)=2,800円

*11) 10,800円(期中取引④)−800円(期中取引⑤)−200円(期中取引⑥)=9,800円

*12) 8,400円(期中取引①)−300円(期中取引②)−100円(期中取引③)=8,000円

3．売上原価対立法

売上原価対立法とは、商品を仕入れたときは**『商品』**の借方に原価で記入し、これを販売したときは**『売上』**(貸方)に売価で記入するとともに、その商品の原価を**『商品』**から**『売上原価』**に振り替える方法をいいます。

なお、売上原価対立法では、販売のつど、売上原価が計算され、期末時点の**『商品』**は期末商品原価を表すため、決算整理仕訳を行う必要はありません。

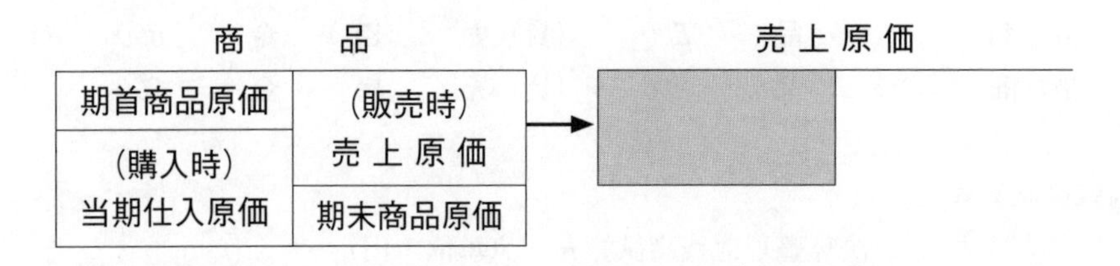

設例 3-4　　売上原価対立法

次の資料にもとづいて、売上原価対立法による(1)期中取引の仕訳を行い、(2)決算整理前残高試算表(一部)を作成し、(3)決算整理仕訳を行い、(4)決算整理後残高試算表(一部)および(5)損益計算書(売上総利益まで)と貸借対照表(一部)を作成しなさい。

【資　料】

(1)期首商品：1,000円

前期末残高　(単位：円)

商　品	1,000	

(2)期中取引

① 商品8,400円(原価)を掛けで仕入れた。

② 商品300円(原価)を仕入先に返品した。

③ 仕入先から100円の値引きを受けた。

④ 商品7,560円(原価)を10,800円で掛けで売り上げた。

⑤ 得意先から商品(売価800円、原価560円)が返品された。

⑥ 得意先に200円の値引きを行った。

(3)期末商品：2,000円(棚卸減耗および商品評価損は生じていない)

解答

(1)期中取引の仕訳

① 仕　入	(借)	商品	8,400	(貸)	買掛金	8,400
② 仕入戻し	(借)	買掛金	300	(貸)	商品	300
③ 仕入値引	(借)	買掛金	100	(貸)	商品	100
④ 売　上	(借)	売掛金	10,800	(貸)	売上	10,800
		売上原価	7,560		商品	7,560
⑤ 売上戻り	(借)	売上	800	(貸)	売掛金	800
		商品	560		売上原価	560
⑥ 売上値引	(借)	売上	200	(貸)	売掛金	200

(2)決算整理前残高試算表

決算整理前残高試算表　(単位：円)

期末商品→	商品	2,000	売上	9,800	←純売上高
売上原価→	売上原価	7,000			

(3)決算整理仕訳

(借) 仕訳なし　　(貸)

(4)決算整理後残高試算表

決算整理後残高試算表　(単位：円)

期末商品→	商品	2,000	売上	9,800	←純売上高
売上原価→	売上原価	7,000			

(5)財務諸表の作成

損益計算書　(単位：円)

Ⅰ 売上高		(9,800*13))
Ⅱ 売上原価		
1 期首商品棚卸高	(1,000)	
2 当期商品仕入高	(8,000*14))	
合計	(9,000)	
3 期末商品棚卸高	(2,000)	(7,000)
売上総利益		(2,800)

貸借対照表　(単位：円)

商品	2,000		

*13) 10,800円(期中取引④)−800円(期中取引⑤)−200円(期中取引⑥)＝9,800円

*14) 8,400円(期中取引①)−300円(期中取引②)−100円(期中取引③)＝8,000円

【まとめ】

ここまでの各設例の各時点における残高・仕訳を一覧で示します。

（簡略化のため、値引き・返品については仕入・売上に純額で示し、また前T／Bおよび後T／Bは、商品売買に関する勘定科目のみを記載しています）

	三分法	分記法	総記法	売上原価対立法
期首（前期繰越）	前期末残高 繰越商品 1,000 |	前期末残高 商品 1,000 |	前期末残高 商品 1,000 |	前期末残高 商品 1,000 |
仕入時	(借)仕　入 8,000 (貸)買掛金 8,000	(借)商　品 8,000 (貸)買掛金 8,000	(借)商　品 8,000 (貸)買掛金 8,000	(借)商　品 8,000 (貸)買掛金 8,000
売上時	(借)売掛金 9,800 (貸)売　上 9,800	(借)売掛金 9,800 (貸)商　品 7,000 商品販売益 2,800	(借)売掛金 9,800 (貸)商　品 9,800	(借)売掛金 9,800 (貸)売　上 9,800 (借)売上原価 7,000 (貸)商　品 7,000
決算整理前残高試算表	前T／B 繰越商品 1,000 | 売上 9,800 仕入 8,000 |	前T／B 商品 2,000 | 商品販売益 2,800	前T／B | 商品 800	前T／B 商品 2,000 | 売上 9,800 売上原価 7,000 |
決算整理仕訳	(借)仕　入 1,000 (貸)繰越商品 1,000 (借)繰越商品 2,000 (貸)仕　入 2,000	仕訳なし	(借)商　品 2,800 (貸)商品販売益 2,800	仕訳なし
決算整理後残高試算表	後T／B 繰越商品 2,000 | 売上 9,800 仕入 7,000 |	後T／B 商品 2,000 | 商品販売益 2,800	後T／B 商品 2,000 | 商品販売益 2,800	後T／B 商品 2,000 | 売上 9,800 売上原価 7,000 |

いずれの方法で計算しても、利益は 2,800円となります。

Section 4

棚卸資産の評価方法

同じ商品を何度も仕入れていると、市場価格の変動などにより仕入れるたびに仕入単価が異なることがあります。このような場合、商品を払い出したときにその商品がいくらで仕入れたものかわからなくなることがあります。

このSectionでは、期末商品の評価に用いる払出単価の計算方法について学習します。

1 棚卸資産の費用配分とは

棚卸資産の費用配分とは、棚卸資産原価(期首棚卸高と当期仕入高の合計額[*01])を当期の費用と次期以降の費用に配分することです。棚卸資産の場合は消費量(または販売量)を把握できるので、消費量に単価を乗じて費用配分します。

このため棚卸資産の**払出数量の計算**と**払出単価の計算**が必要になります。

*01)商品などの場合には「当期販売可能額」ともいいます。

<棚卸資産の費用配分とは>

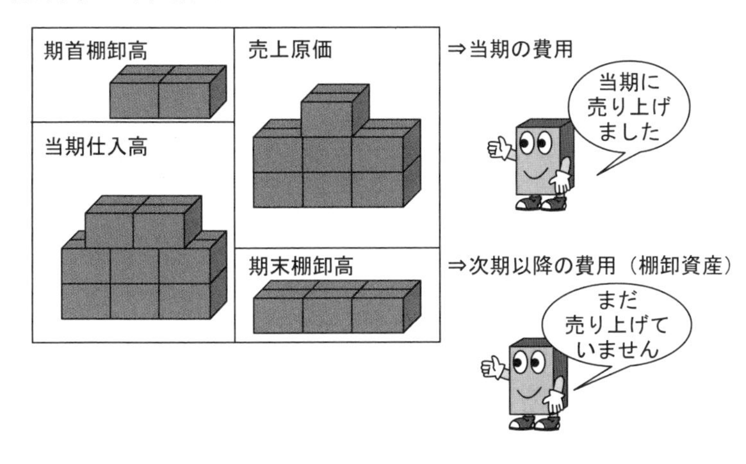

2 棚卸資産の数量計算

棚卸資産の払出数量の算定方法には、**(1) 継続記録法**と **(2) 棚卸計算法**があります。

(1) 継続記録法

内容	継続記録法とは、棚卸資産の種類ごとに受入数量と払出数量をそれぞれ継続して記録し、その帳簿記録によって払出数量を把握する方法です*01)。
長所	払出数量を正確に算定できるので、売上原価を正確に算定できます。 また、払出数量を個別に帳簿に記録するため、つねに帳簿上で払出数量と在庫数量を把握でき、管理目的の点から優れています。
短所	受入れや払出しのたびに帳簿記録を行うため、計算事務が煩雑（はんざつ）となります*02)。 また、実地棚卸を併用しない限り、減耗や盗難による数量の減少を把握できません*03)。

*01) 要するに商品有高帳をつける方法です。

*02) 事務用消耗品など重要性の乏しいものに継続記録法を用いると、費用対効果が合わない可能性があります。

*03) 商品有高帳の残高が必ずしも倉庫に残っているとは限りません。

(2) 棚卸計算法

内容	棚卸計算法とは、棚卸資産の受入れのみ帳簿記録を行い、期末に行う実地棚卸により把握した実際有高*04)を、期首数量と当期受入数量の合計*05)から控除することによって払出数量を把握する方法です。
長所	払出しごとの帳簿記録の必要がないため、計算事務が簡便となる点で優れています。
短所	減耗や盗難による数量の減少も払出数量に算入されてしまうため、減耗や盗難の事実を把握することができません。

*04) 商品なら、期末の商品実地棚卸高です。

*05) 商品なら、期首商品棚卸高＋当期商品仕入高です。

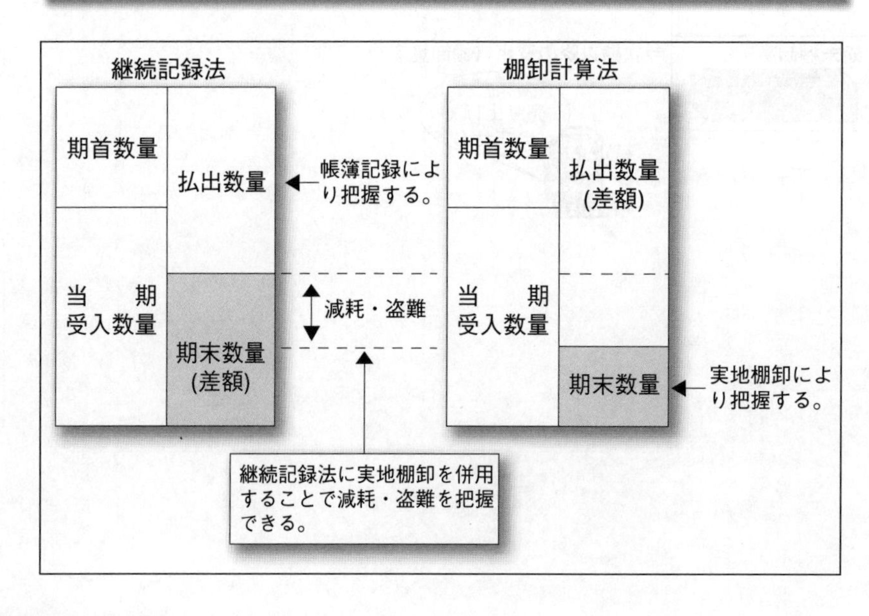

現行制度上は、売上原価を正確に算定するために、原則として継続記録法が採用されています。そして減耗や盗難を把握できない継続記録法の短所を補うために、棚卸計算法を併用します。

ただし、重要性の乏しい棚卸資産については、計算事務の簡便な棚卸計算法を採用します。

実務上、継続記録法と棚卸計算法を併用する方法が一般的です。

3 棚卸資産の単価計算

▶▶簿問題集：問題1

仕入単価の異なる同種商品を払い出した場合、その払出単価の計算方法には次のものがあります＊01)。

*01)ここでは主に計算問題で問われる方法を学習します。

先入先出法(FIFO)＊02) …もっとも古く取得されたものから順次払出しが行われるものとみなして払出単価を計算する方法

*02)First In First Out の頭文字をとっています。

平均法…平均原価を算出し、この平均原価をもとに払出単価を計算する方法

- **移動平均法**…新しく商品を取得するごとに平均原価を算出して払出単価とする方法
- **総平均法**…一定期間単位で平均原価を算出して払出単価とする方法

商品の金額は、すべて「商品の単価×期末商品の数量」で計算されます。しかし、その時々で仕入単価が異なる場合に、どの「単価」で計算すればよいのかが問題になります。

払出単価の算定には、上記のように複数の方法が認められているため、どの払出単価を使うかにより売上原価の金額が変わってきます。つまり、払出単価の決定は、裏返せば期末商品の単価の決定でもあるのです。

本試験では、期末商品の評価が問題となるため、期末商品の単価がどうなるかを考えることがポイントとなります。

設例 4-1　払出単価の計算と商品の評価

次の資料にもとづいて、①売上原価および②期末商品棚卸高を算定しなさい。

【資　料】

1日	期首商品棚卸高	2個	@100円
5日	仕　　　入	3個	@120円
10日	売　　　上	4個	
15日	仕　　　入	4個	@132円
20日	売　　　上	4個	
25日	仕　　　入	1個	@152円

(1)　先入先出法によって払出計算を行っている場合

(2)　移動平均法によって払出計算を行っている場合

(3)　総平均法によって払出計算を行っている場合

解答

	①売上原価	②期末商品棚卸高
(1) 先入先出法	*956* 円	*284* 円
(2) 移動平均法	*960* 円	*280* 円
(3) 総 平 均 法	*992* 円	*248* 円

解説

(1)　先入先出法

商　　品

借方	貸方	
期　首 @100円×2個＝200円	売上原価 10日：@100円×2個＝200円 @120円×2個＝240円 20日：@120円×1個＝120円 @132円×3個＝396円	売上原価 956円
当期仕入 5日：@120円×3個＝360円 15日：@132円×4個＝528円 25日：@152円×1個＝152円	期　末 @132円×1個＝132円 @152円×1個＝152円	期末商品棚卸高 284円

(2)　移動平均法

商　　品

借方	貸方	
期　首 @100円×2個＝200円	売上原価 10日：@112円*03)×4個＝448円 20日：@128円*04)×4個＝512円	売上原価 960円
当期仕入 5日：@120円×3個＝360円 15日：@132円×4個＝528円 25日：@152円×1個＝152円	期　末 @140円*05)×2個＝280円	期末商品棚卸高 280円

(3)　総平均法

商　　　品

期　首 @100円×２個＝200円	売上原価 @124円[*06)]×８個＝992円	売上原価 992円
当期仕入 ５日：@120円×３個＝360円 15日：@132円×４個＝528円 25日：@152円×１個＝152円	期　末 @124円×２個＝248円	期末商品棚卸高 248円

*03) $\frac{200円+360円}{2個+3個}=@112円$

*04) $\frac{@112円\times1個+528円}{1個+4個}=@128円$

*05) $\frac{@128円\times1個+152円}{1個+1個}=@140円$

*06) $\frac{200円+360円+528円+152円}{2個+3個+4個+1個}=@124円$

〈商品有高帳〉

商品有高帳とは、商品の仕入・販売のたびにその数量・単価・金額を記録し、常に商品の在庫を明らかにするための補助簿です。商品有高帳で資料を与えられたときでも、きちんと読み取れることが大切です。

商　品　有　高　帳

A　商　品　　　　　　　　　　　　　　先入先出法

×1年		摘　要	受入			払出			残高		
			数量	単価	金額	数量	単価	金額	数量	単価	金額
9	1	前月繰越	10	120	1,200				10	120	1,200
	10	仕　入	10	130	1,300				10	120	1,200
									10	130	1,300
	23	売　上				10	120	1,200			
						2	130	260	8	130	1,040
	30	棚卸減耗損				1	130	130	7	130	910
	〃	商品評価損						70	7	120	840
	〃	**次月繰越**				**7**	**120**	**840**			
			20		2,500	20		2,500			
10	1	前月繰越	7	120	840				7	120	840

4 棚卸減耗がある場合の棚卸資産の評価

▶▶財問題集：問題20

期末商品に異なる単価の商品があるときの棚卸減耗損は、払出単価の算定方法に従って計算します。

(1)先入先出法の場合

先入先出法では、先に仕入れたものから費用化するため、棚卸減耗損も先に仕入れた商品から発生したと考えて計算します。

(2)平均法の場合

平均法では、期末商品は平均単価で計算されるため、平均単価で棚卸減耗損を計算します。

設例 4-2　払出単価と棚卸減耗損

次の資料にもとづいて、(1)先入先出法、(2)総平均法を採用していた場合の棚卸減耗損を求めなさい。決算日は3月31日である。

【資　料】

当期の平均仕入単価：@310円

期末商品帳簿棚卸高の内訳

①　3月1日仕入分　単価：@300円　数量：500個

②　3月20日仕入分　単価：@350円　数量：300個

期末商品実地棚卸高　750個

解答　棚卸減耗損

(1)先入先出法	*15,000*　円
(2)総 平 均 法	*15,500*　円

解説

(1)先入先出法はさきに仕入れた@300円の商品から棚卸減耗が生じたと考えます。

棚卸減耗損：@300円×(800個－750個)＝15,000円

(2)総平均法では当期の平均仕入単価@310円を用いて棚卸減耗損を計算します。

棚卸減耗損：@310円×(800個－750個)＝15,500円

Section 5 期末商品の評価

期末になり、倉庫で商品の実地検査をしたところ、帳簿上の数よりかなり少ないことが判明しました。しかも、商品の販売価格が下がっているうえに、保管状態が悪かったため変色しているものまであります。

このSectionでは、期末商品の評価について学習します。

1 棚卸減耗損

棚卸減耗とは、帳簿棚卸数量[*01]と実地棚卸数量[*02]との差をいい、決算に際してその金額を計算し、棚卸減耗損を計上します。

棚卸減耗損 ＝ @原価[*03] ×（期末帳簿棚卸数量 － 期末実地棚卸数量）

仕入原価

商品のB/S価額	棚卸減耗損

実地棚卸数量　帳簿棚卸数量

*01) 商品有高帳により把握された帳簿上あるべき数量です。

*02) 実地棚卸により実際に数えた結果、実在する数量です。

*03) 減耗した商品1個の仕入原価。

1．会計処理方法

期末の『繰越商品』を直接減額します。

(借) 棚卸減耗損	×××	(貸) 繰越商品	×××

2．表示区分

原価性がある場合[*04]には、「**売上原価の内訳項目**」または「**販売費及び一般管理費**」として表示し、原価性がない場合は、「営業外費用」または「特別損失」として表示します。

*04) 原価性の有無とは、毎期経常的に発生するか否かで判断します。

設例 5-1　棚卸減耗費

次の資料にもとづき、棚卸減耗にかかる決算整理仕訳を示すとともに、当期の貸借対照表に計上される商品の金額を答えなさい。

【資　料】

期末において商品の実地棚卸をしたところ、商品は240個であった。なお、帳簿上の棚卸数量は250個であり、期末商品の仕入原価*05)は1個150円である。

解答

（借）棚卸減耗損　1,500*06)　（貸）繰越商品　1,500

商品（貸借対照表価額）　36,000*07)　円

*05) 取得原価ともいいます。

*06) @150円×(250個−240個)＝1,500円

*07) @150円×250個−1,500円＝36,000円 または @150円×240個＝36,000円

解説

棚卸減耗損の求め方（下書図）

次のような図をつくることによって、棚卸減耗損および商品のB／S価額を簡単に求めることができます（縦軸に単価、横軸に数量を記載します）。

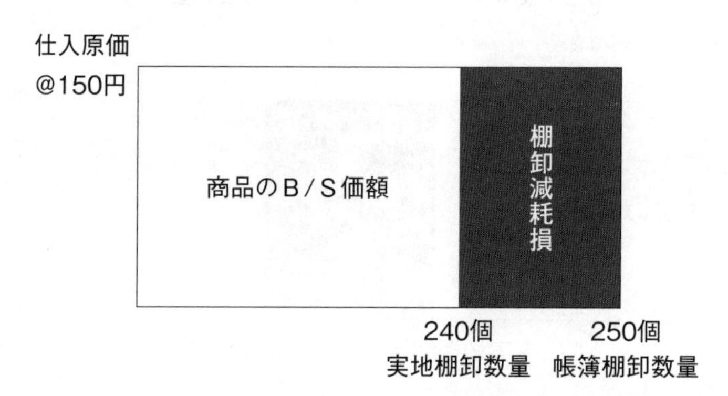

2 商品評価損

▶▶簿問題集：問題2

商品の時価(正味売却価額[*01])がその帳簿価額を下回っているときは、商品の収益性が低下しているものと考え、帳簿価額の切下げを行うとともに商品評価損を計上します。

*01)正味売却価額とは売価から見積追加製造原価や販売手数料などの見積販売直接経費を控除したものをいいます。

商品評価損 ＝(@仕入原価 － @期末時価)× 期末実地棚卸数量[*02]

*02)棚卸減耗が生じていなければ、期末帳簿棚卸数量と一致します。

なお、商品評価損の原因には、市場の動向による時価(正味売却価額)の下落のほかに、商品の品質低下や陳腐化によるものなどがありますが、いずれの原因によっても『商品評価損』で処理します。

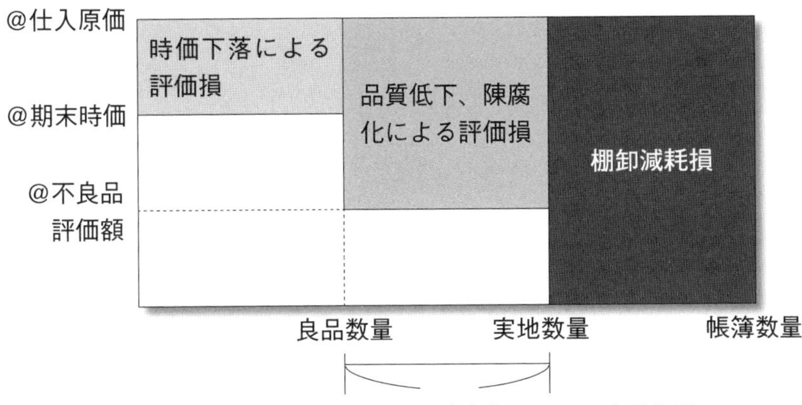

商品の時価が帳簿価額を下回っているときは、商品評価損を計上します。なお、商品の時価が帳簿価額を上回っているときでも、商品評価益を計上することはありません。

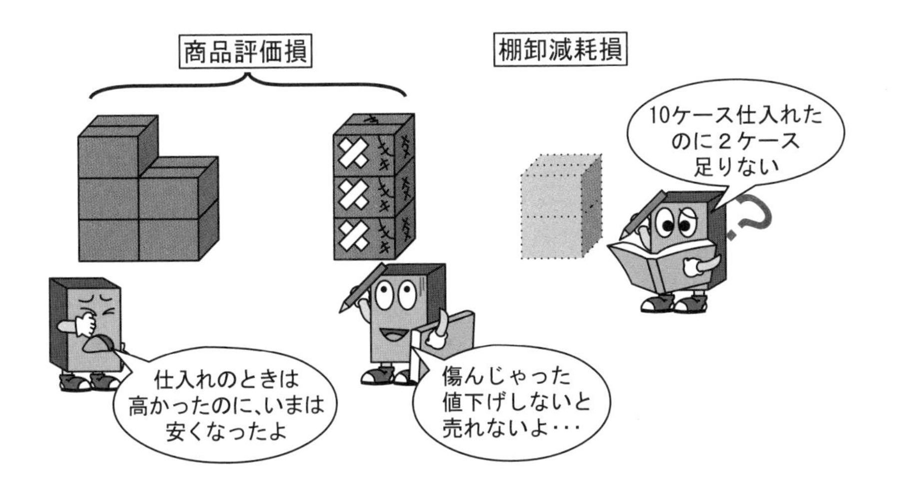

1．会計処理方法

通常、『繰越商品』を直接的に減額する(1)「切放法」が用いられますが、(2)「洗替法」も認められています。

(1) 切放法

切放法とは、たとえば商品評価損500円を計上するとともに、それと同額だけ『繰越商品』を直接的に減額する方法です*03)。

（借）商品評価損　500　（貸）繰越商品　500

*03) この方法によると、『繰越商品』は評価損切下げ後の帳簿価額が翌期に繰り越されます。

(2) 洗替法

洗替法とは、たとえば商品評価損500円を計上するとともに、それと同額だけ『商品低価切下額』*04)を用いて間接的に減額する方法です。

（借）商品評価損　500　（貸）商品低価切下額　500

*04)『繰越商品』のマイナスを表す勘定です。

なお、洗替法を用いた場合には、翌期首に前期末に行った仕訳の貸借逆仕訳を行います。

（借）商品低価切下額　500　（貸）商品評価損　500

2．表示区分

商品評価損は、**原則として売上原価の内訳項目**として表示します。ただし、臨時的かつ多額に発生した場合には、例外的に特別損失として表示します。

設例 5-2　　商品評価損

次の資料にもとづき、商品の評価にかかる決算整理仕訳を示すとともに、当期の貸借対照表に計上される商品の金額を答えなさい。

【資　料】

期末において次の事実が判明した。

1　期末商品棚卸高　240個（棚卸減耗はなかった）
2　仕入原価　1個150円
3　期末における時価（正味売却価額）　1個140円
4　期末商品のうち30個は陳腐化が認められ、評価額は1個あたり100円と見積もられた。

解答

（借）**商品評価損**　*3,600*　（貸）**繰越商品**　*3,600*
（売上原価の内訳項目）

商品（貸借対照表価額）　*32,400*　円

解説

時価下落(良品)：(@150円－@140円)×(240個－30個)＝2,100円

陳腐化(不良品)：(@150円－@100円)×30個＝1,500円

商 品 評 価 損：2,100円＋1,500円＝3,600円

商品のB／S価額：@150円×240個－3,600円＝32,400円

商品評価損の求め方(下書図)

次のような図をつくることによって、商品評価損および商品のB／S価額を簡単に求めることができます(縦軸に金額、横軸に商品の数量を記載します)。

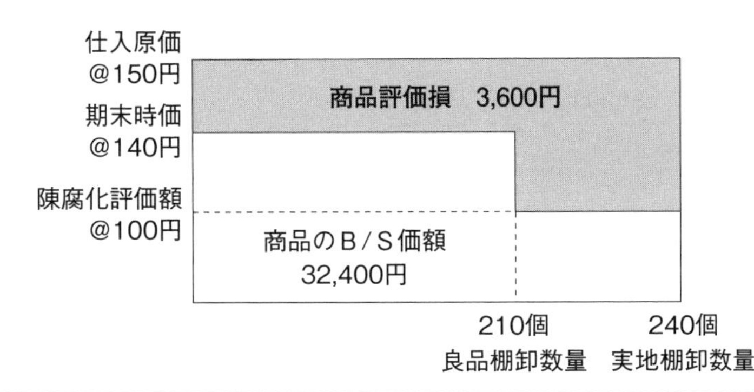

3 棚卸資産の表示

▶▶簿問題集：問題3,4,5,6
▶▶財問題集：問題15

商品の仕入・販売を行っている場合の貸借対照表および損益計算書は次のようになります。

(1)貸借対照表(流動資産)

貸 借 対 照 表　(単位：円)

資産の部		
Ⅰ 流 動 資 産		
：		
売 掛 金	50,000	
有 価 証 券	30,000	
商 品	6,000	

(2)損益計算書

損　益　計　算　書　(単位：円)

Ⅰ	売　上　高		50,000
Ⅱ	売上原価※		
1	期首商品棚卸高	8,000	
2	当期商品仕入高	38,000	
	合　計	46,000	
3	期末商品棚卸高	9,000	
	差　引	37,000	
4	棚卸減耗損	2,000	
5	商品評価損	1,000	40,000
	売上総利益		10,000

※本試験においては売上原価の各項目を示さずに、次のように一括して表示することもあります。

損　益　計　算　書　(単位：円)

Ⅰ	売　上　高	50,000
Ⅱ	売上原価	40,000
	売上総利益	10,000

4 棚卸資産に関する注記事項

棚卸資産の評価基準および評価方法については、重要な会計方針にかかる事項に関する注記事項として注記を行います。

【注記例】

＜重要な会計方針に係る事項に関する注記＞
商品は先入先出法による原価法(貸借対照表価額は収益性の低下にもとづく簿価切下げの方法により算定)により評価している。

Section 6

原価率などの算定

小売業や卸売業といった商品売買を行う企業では、商品を仕入れたら取得原価に利益を上乗せして販売します。そのさいに、原価率、利益率、利益加算率(値入率)という比率が役立ちます。

このSectionでは、原価率、利益率、利益加算率について学習します。

1 原価率と利益率

原価率とは、売価を100%とした場合の売価に対する**原価の割合**をいい、利益率とは、売価を100%とした場合の売価に対する**利益の割合***01)をいいます*02)。

*01)「○○率」という表現は○○が分子となります。

*02)原価率+利益率=100%となります。

原価率と利益率の計算

$$原価率(\%) = \frac{原価}{売価} \times 100 \qquad 利益率(\%) = \frac{利益}{売価} \times 100$$

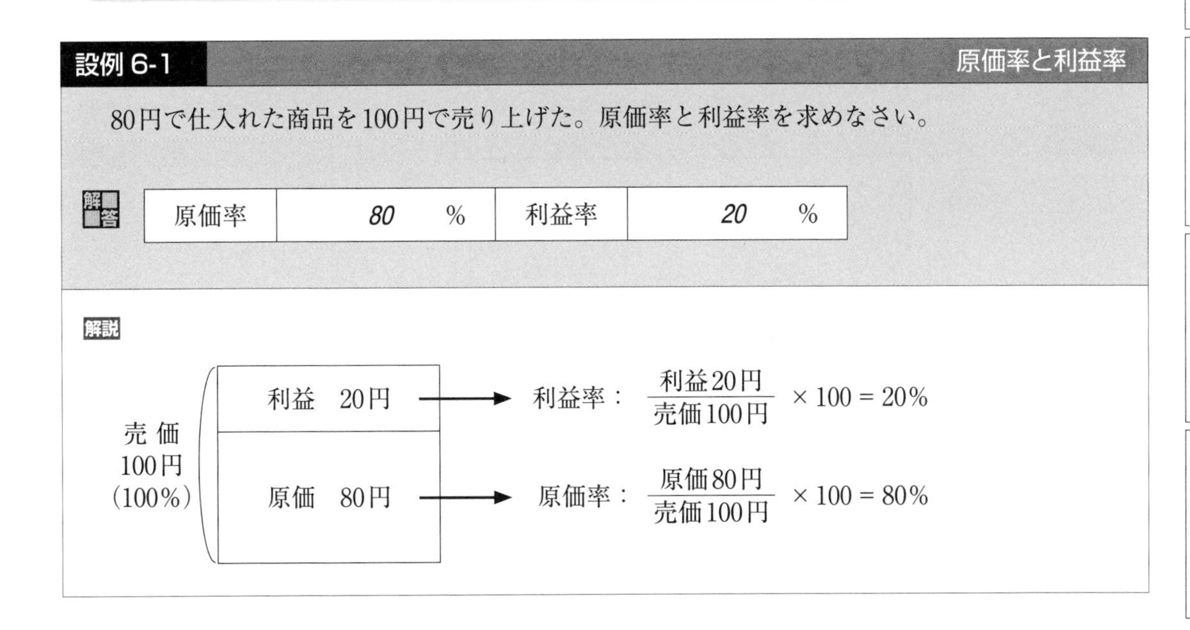

設例 6-1 原価率と利益率

80円で仕入れた商品を100円で売り上げた。原価率と利益率を求めなさい。

解答

原価率	80 %	利益率	20 %

解説

2 利益加算率（値入率（ねいれりつ））

利益加算率（値入率）とは、原価を100％とした場合の**利益の原価に対する加算割合**をいいます。問題文では、「売価は原価の××％増し」などという表現で出題されます。

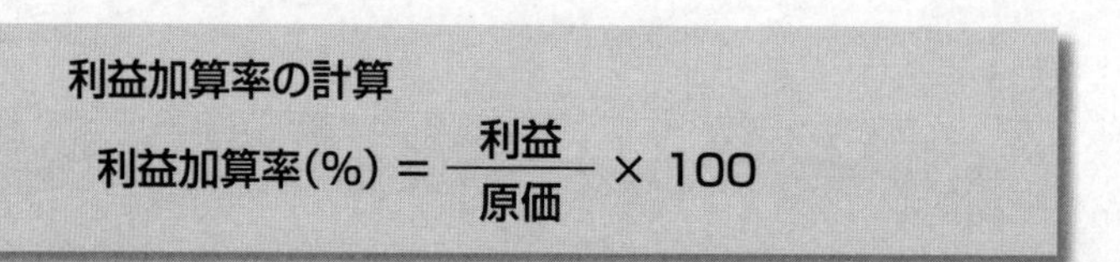

利益加算率の計算

$$利益加算率(\%) = \frac{利益}{原価} \times 100$$

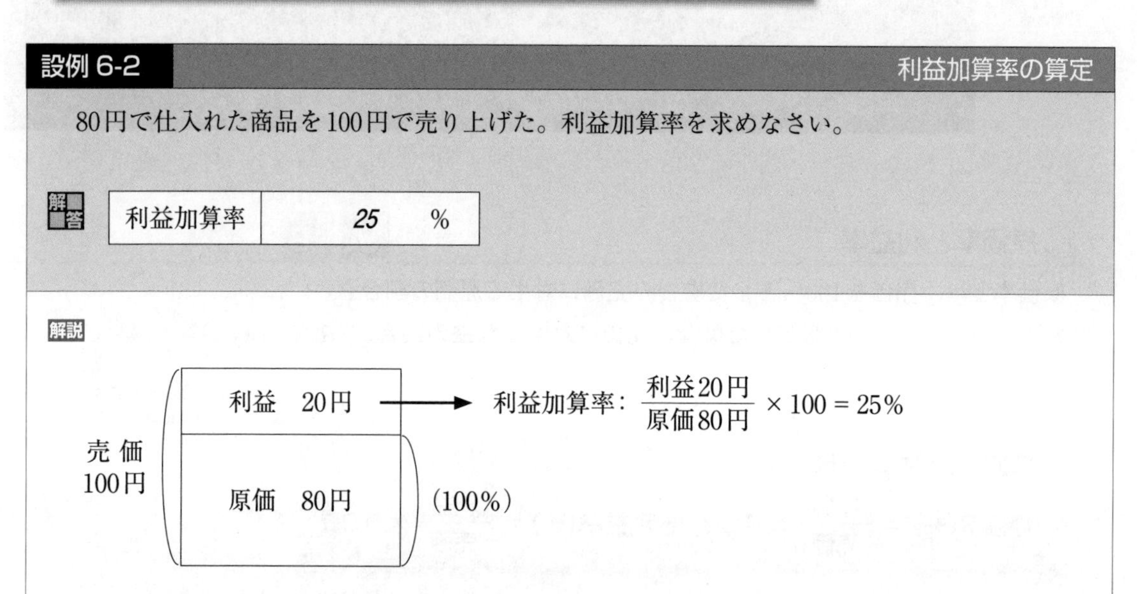

設例 6-2　利益加算率の算定

80円で仕入れた商品を100円で売り上げた。利益加算率を求めなさい。

解答

利益加算率	*25*　％

解説

$$利益加算率：\frac{利益20円}{原価80円} \times 100 = 25\%$$

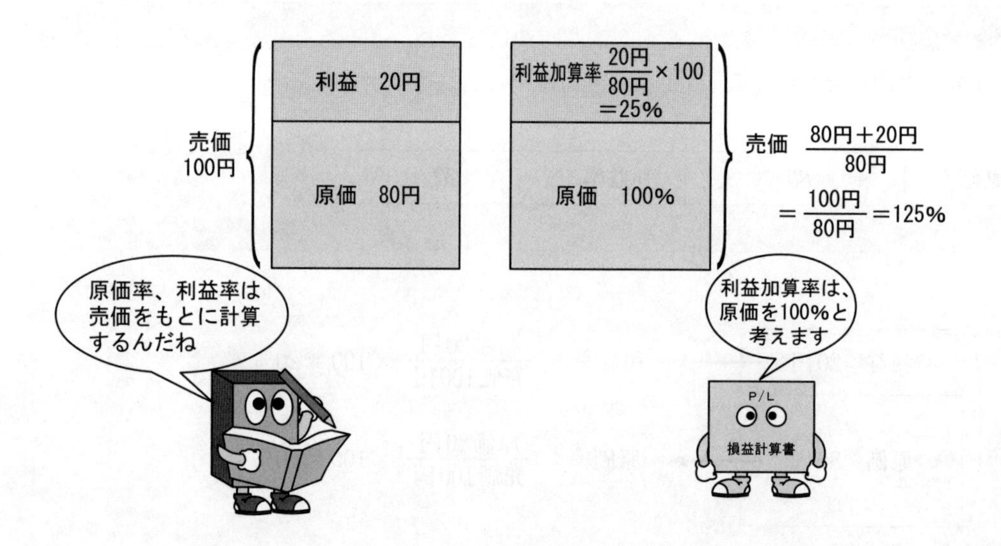

設例 6-3　利益加算率と売上原価

商品100円(売価)を売り上げた。売上原価を求めなさい。なお、売価は原価の25%増しである。

売上原価	80　円

解説

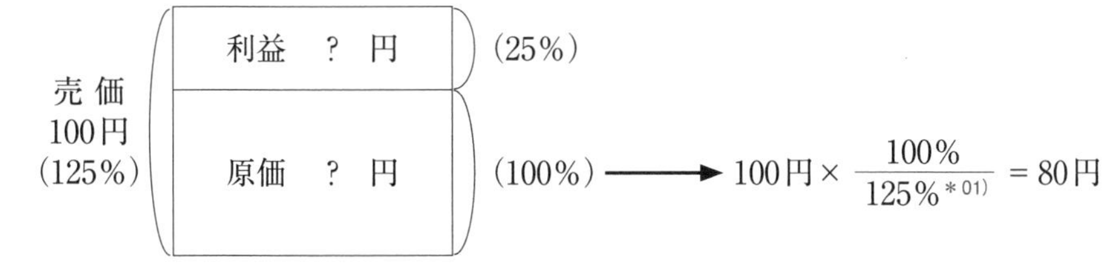

*01) 原価(100%)＋利益加算率(25%)＝売価(125%)

※本試験での出題

本試験では通常、個別の取引ごとに原価率や利益率、利益加算率を出すのではなく、1会計期間(1年間)を通した金額で出題されます。つまり、各率の計算式は以下のようになります。

本試験での原価率、利益率、利益加算率の計算

原価率＝$\frac{\text{売上原価}}{\text{総売上高}}$　利益率＝$\frac{\text{売上総利益}}{\text{総売上高}}$　利益加算率＝$\frac{\text{売上総利益}}{\text{売上原価}}$

3 値引き・割戻し・返品と原価率の算定

▶▶簿問題集：問題8

仕入や売上の値引き・割戻し・返品はすべて、損益計算書上、総仕入高や総売上高*01)から控除します。しかし原価率の算定上は、総売上高や総仕入高に対して値引き・割戻し・返品の扱いは、次のようになります。

*01) 値引き・割戻し・返品を控除する前の仕入高や売上高のことです。

	総仕入高(から)	総売上高(から)
値引・割戻	控除する	**控除しない**
返　　品	控除する	控除する

仕入値引・割戻しは仕入原価の減少であるため、原価率算定上、総仕入高から控除します。これに対して**売上値引・割戻しは利益の減少**であり、利益の減少分だけ**売価が下がりますが、原価は変わりません**。したがって**原価率の算定上、売上値引・割戻しは、総売上高から控除しません***02)。

なお、仕入戻し、売上戻りといった返品は、最初から仕入れなかった、売り上げなかったと考えるので*03)、原価率算定上、総仕入高や総売上高から控除します。

*02) 売上値引・割戻しがある場合は、原価率算定上の売上高と損益計算書の売上高の金額が異なります。

*03) 返品は取引の取消しを意味します。100円仕入れて10円返品すれば最初から90円仕入れたのと同じです。

たとえば、原価が1個80円の商品を原価率80%になるように売価を設定したとしましょう。すると、売価は100円になります。しかし、なんらかの理由で10円値引きすると、売上は90円になります。

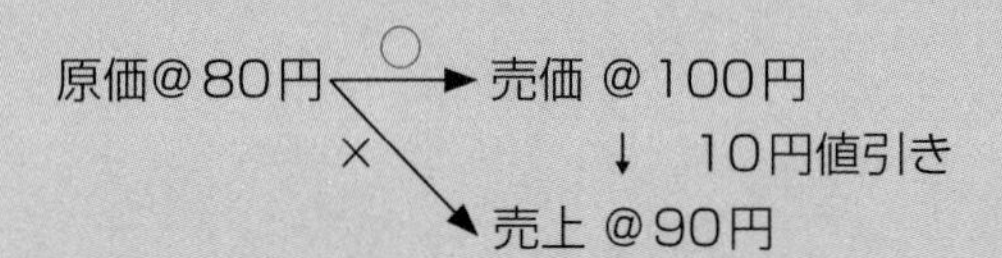

しかし、原価80円と、値引後の売価90円との関連では、原価率80%は求められません。なぜなら、ここで考えている(簿記で扱う)原価率は、販売する前に設定される原価率だからです。売上値引、売上割戻は実際に販売したあとに生じるものですが、この事前に設定される原価率は、売上値引や売上割戻が生じることを考慮していない、つまり定価で販売することを前提としています。したがって、売上値引や売上割戻を控除する前の売価100円と原価80円との関係で原価率80%を算定しなければならないのです。

これに対して、原価率を算定するうえでベースとなる仕入原価は、仕入値引、仕入割戻による仕入原価の修正を考慮して、その金額が確定します。したがって、総仕入高からの控除となります。

原価率算定時の下書は、以下のように作成します。

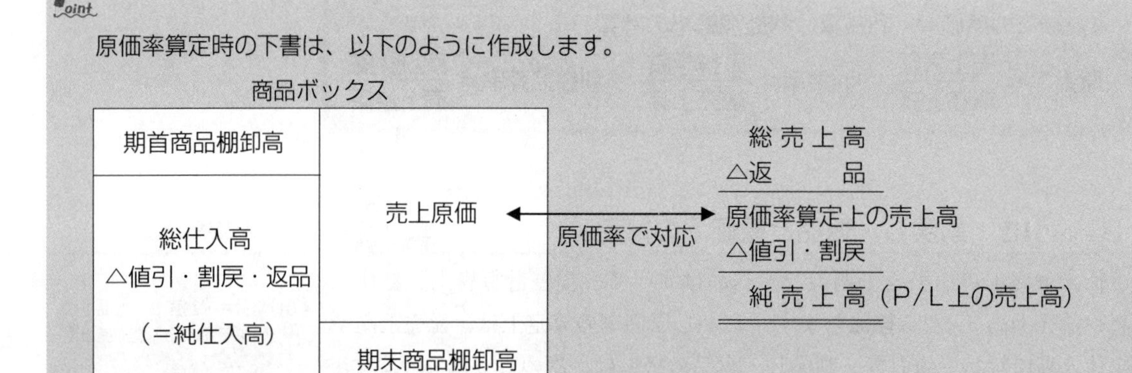

設例 6-4　原価率の算定

次の資料にもとづいて、(1)原価率を算定するとともに(2)損益計算書を完成させなさい。

【資料1】

決算整理前残高試算表　(単位：円)

借方	金額	貸方	金額
繰越商品	5,000	売上	31,000
仕入	25,000		

【資料2】

1　期末商品棚卸高は6,000円である。

2　仕入勘定から仕入戻し2,000円、仕入値引1,000円が控除されており、売上勘定から売上戻り2,000円、売上値引1,000円が控除されている。

解答

(1)　原価率：　*75*　%

(2)　損益計算書　(単位：円)

Ⅰ 売上高		(*31,000*)
Ⅱ 売上原価		
1 期首商品棚卸高	(*5,000*)	
2 当期商品仕入高	(*25,000*)	
合計	(*30,000*)	
3 期末商品棚卸高	(*6,000*)	(*24,000*)
売上総利益		(*7,000*)

解説

『仕入』と『売上』の記入を推定すると、次のようになります。

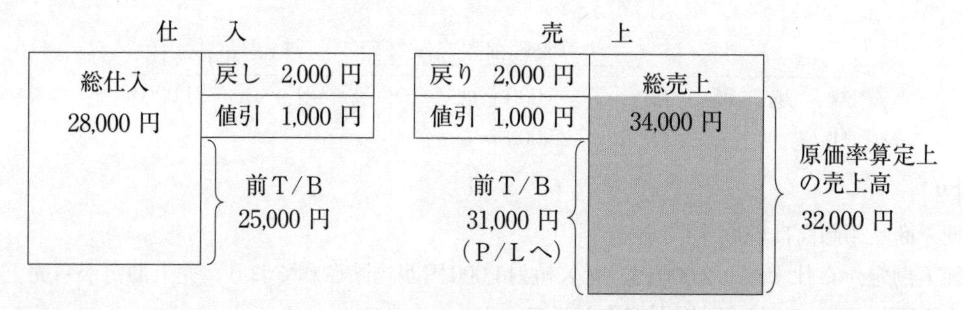

損益計算書上の数値と原価率の算定について、ボックス図で示すと次のようになります。

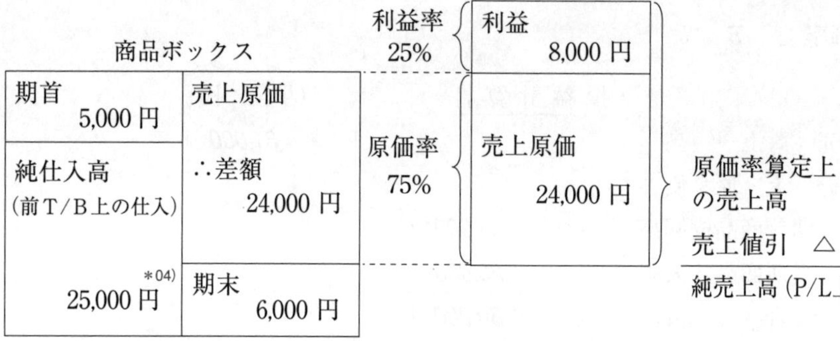

原価率：$\frac{24,000\text{円}}{32,000\text{円}} \times 100 = 75\%$

＊04)前T/Bの仕入は、すでに値引き・返品を控除した額です。

Section 7 仕入・売上の計上基準

商品を単に仕入れるといっても、仕入先に注文し、商品が届いて、届いた商品が注文どおりであるかを確認してと、いくつかのプロセスがあります。この一連のプロセスにおいて、一体どの時点で仕入を認識すればよいのでしょうか？

このSectionでは、仕入と売上の計上時点について学習します。

1 仕入の計上基準

商品を仕入れたときは『**仕入**』に記入しますが、いつの時点で商品を仕入れたと考えるか(計上基準)については様々です。この仕入の計上基準の主なものとして**(1) 入荷(到着)基準**と**(2) 検収基準**(けんしゅうきじゅん)があります。

(1)入荷基準

入荷基準とは、仕入先から商品が当社の倉庫等に納品されたときに仕入を計上する基準です。

(2)検収基準

検収基準とは、商品の入荷後、検収[*01)]が終了したときに仕入を計上する基準です。

*01)検収とは仕入れた商品の種類、数量などが注文したものと合っているか、チェックすることをいいます。

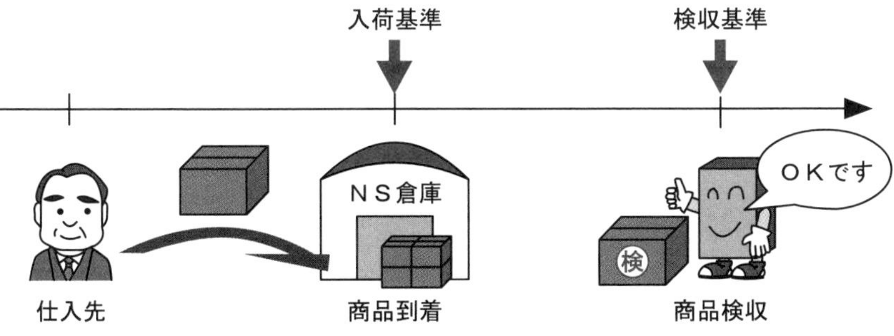

設例 7-1 仕入の計上基準

次の取引の仕訳を、仕入の計上基準として(1)入荷基準、(2)検収基準を採用していた場合のそれぞれについて示しなさい。

① 仕入先より商品10,000円を掛けで仕入れ、商品が当社の倉庫に入庫された。
② ①で仕入れた商品のうち9,500円について検収が完了した。
③ ②で検収した商品の残り500円は品違いであったため、仕入先に返品した。

解答

(1)入荷基準

① 入荷時	(借) 仕　　入	10,000	(貸) 買　掛　金	10,000
② 検収時	(借) 仕訳なし		(貸)	
③ 返品時	(借) 買　掛　金	500	(貸) 仕　　入	500

(2)検収基準

① 入荷時	(借) 仕訳なし		(貸)	
② 検収時	(借) 仕　　入	9,500	(貸) 買　掛　金	9,500
③ 返品時	(借) 仕訳なし		(貸)	

2 売上の計上基準

商品を売り上げたときは『**売上**』に記入しますが、売上取引は1つの行為で成立するわけではありません。「商品の受注」→「出荷」→「商品の引渡し」→「売渡先での商品の検収」という過程を経て売上取引は成立するのです。

どの過程で「売上」とするかにより、主なものとして**(1)出荷(発送)基準**、**(2)引渡基準**、**(3)検収基準**の3つがあります*01)。

*01) 売上の認識はあくまでも販売基準ですが、販売基準の中でいつ売上を計上するか、という話です。

(1)出荷基準*02)

出荷基準とは、商品を出荷(発送)したときを引渡しと考えて、この時点で売上を計上する基準です。

*02) 発送基準ともいいます。

(2)引渡基準*03)

引渡基準とは、商品が得意先に到着し引き渡された(納品された)ときに売上を計上する基準です。

*03) 納品基準ともいいます。

(3)検収基準

検収基準とは、得意先に納品された商品の検収が終了したときを商品の引渡しと考えて、この時点で売上を計上する基準です。

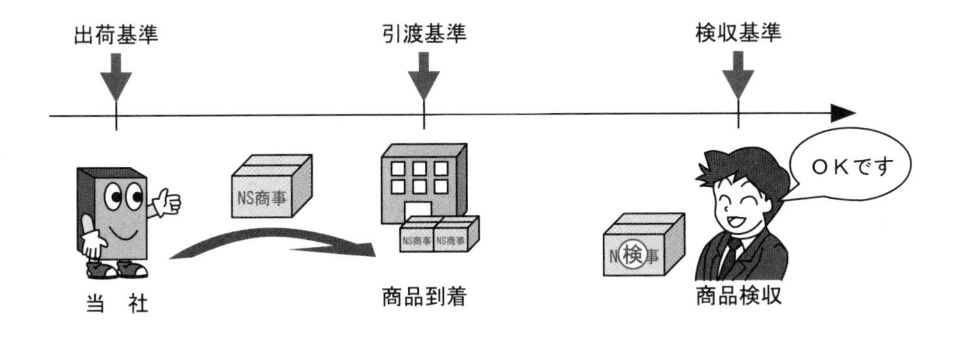

設例 7-2　　売上の計上基準

次の取引の仕訳を、売上の計上基準として(1)出荷基準、(2)引渡基準、(3)検収基準を採用していた場合のそれぞれについて示しなさい。

① 得意先に商品を10,000円で掛販売し、商品を発送した。
② 得意先より商品10,000円が到着した旨の連絡を受けた。
③ 得意先より②の商品の検収が完了した旨の連絡を受けた。ただし、そのうちの500円については品違いであったとの連絡を受け、当該商品が返品されてきた。

解答

(1)出荷基準

① 出荷時	(借) 売掛金	10,000	(貸) 売上	10,000
② 到着時	(借) 仕訳なし		(貸)	
③ 検収時	(借) 売上	500	(貸) 売掛金	500

(2)引渡基準

① 出荷時	(借) 仕訳なし		(貸)	
② 到着時	(借) 売掛金	10,000	(貸) 売上	10,000
③ 検収時	(借) 売上	500	(貸) 売掛金	500

(3)検収基準

① 出荷時	(借) 仕訳なし		(貸)	
② 到着時	(借) 仕訳なし		(貸)	
③ 検収時	(借) 売掛金	9,500	(貸) 売上	9,500

3 輸出売上の計上基準

▶▶簿問題集：問題14

商品を国外の得意先に販売(輸出売上)したときの売上の計上基準としては、一般的に**船積基準**(ふなづみきじゅん)が用いられます。

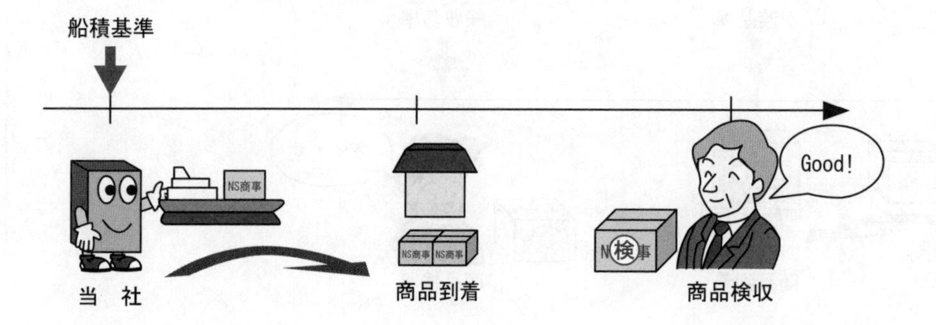

船積基準とは、販売した商品を**船に積んだときに売上を計上**する基準です。ただし、販売のつど、商品が船に積まれたことを確認して売上を計上するのは非常に手間がかかります。

そこで、期中は出荷基準で出荷のつど売上を計上しておき、期末に出荷した商品のうち船に積まれていないもの＊01)については、**売上を取り消すとともに期末商品に加えます**。

＊01) 船便で商品を国外に販売するときは、国内の税関でチェックを受けたあと、船に積まれます。ここでは、「商品が税関を通過したが、船に積まれていない状態」を指します。

設例 7-3　輸出売上の計上基準

次の資料にもとづいて、損益計算書(売上総利益まで)を作成しなさい。

【資　料】

1

決算整理前残高試算表（一部）　(単位：円)

繰越商品	2,000	売上	27,000
仕入	19,000		

2　修正事項等

(1)　輸出売上の計上基準は船積基準を採用しているが、期中は出荷基準にもとづいて処理を行い、期末に修正を行っている。

(2)　期末に当社から商品(売価3,000円、原価2,100円)を出荷したが、まだ船に積まれていない旨の連絡を受けた。

(3)　期末商品帳簿棚卸高は1,000円(実地棚卸高と一致している)である。

解答

損益計算書　(単位：円)

Ⅰ 売上高		(24,000 ＊02))
Ⅱ 売上原価		
1 期首商品棚卸高	(2,000)	
2 当期商品仕入高	(19,000)	
合計	(21,000)	
3 期末商品棚卸高	(3,100 ＊03))	(17,900)
売上総利益		(6,100)

＊02) 27,000円(前T/B)－3,000円＝24,000円

＊03) 1,000円(実地棚卸高)＋2,100円(船積前の商品原価)＝3,100円

解説

1　売上の取消し

(借) 売上	3,000	(貸) 売掛金	3,000

2　期首・期末商品の振替え

(借) 仕入	2,000	(貸) 繰越商品	2,000

(借) 繰越商品	3,100	(貸) 仕入	3,100

Section 8

仕入諸掛

商品の仕入にさいしてかかる費用は、商品代金だけではありません。注文手続にかかる費用、商品を当社に運ぶさいにかかる費用、当社に着いた商品の保管にかかる費用など、諸掛と呼ばれる様々な費用がかかります。

このSectionでは、仕入諸掛の処理について学習します。

1 仕入諸掛とは

仕入諸掛(しいれしょがかり)とは、商品の購入にかかった付随的な費用をいいます。仕入諸掛は、次のように**外部仕入諸掛**と**内部仕入諸掛**に分けられます。

	種　類	内　容	具体例
仕入諸掛	外部仕入諸掛	仕入先から商品が到着するまでにかかった費用	引取運賃、荷役費(にやくひ)、運送保険料、関税　など
	内部仕入諸掛	商品が当社に到着してから販売するまでにかかった費用	購入事務費、検収費、手入費、保管費　など

2 仕入諸掛の処理

仕入諸掛は商品を取得するために必要な費用なので、原則として**商品の仕入原価に算入**します。

仕入原価の計算
商品の仕入原価 ＝ 購入代価 ＋ 仕入諸掛(付随費用)

ただし、内部仕入諸掛は商品の仕入時には判明せず、多くは仕入後に発生します。

そのため、仕入諸掛の処理は(1)**仕入勘定に含めて処理する方法**のほかに(2)**仕入諸掛費勘定で処理する方法**があります。

(1)仕入勘定に含めて処理する方法

商品仕入時に仕入諸掛を『**仕入**』に含めて処理し、決算時に期末商品にかかる仕入諸掛を『**繰越商品**』に含めて翌期に繰り越します。

(2)仕入諸掛費勘定で処理する方法

商品仕入時に仕入諸掛を『**仕入諸掛費**』で処理し、決算時に期末商品に係る仕入諸掛を『**繰延仕入諸掛**』*01)として翌期に繰り越します。

*01)『繰延仕入諸掛』は、翌期に『仕入諸掛費』に振り替えます。

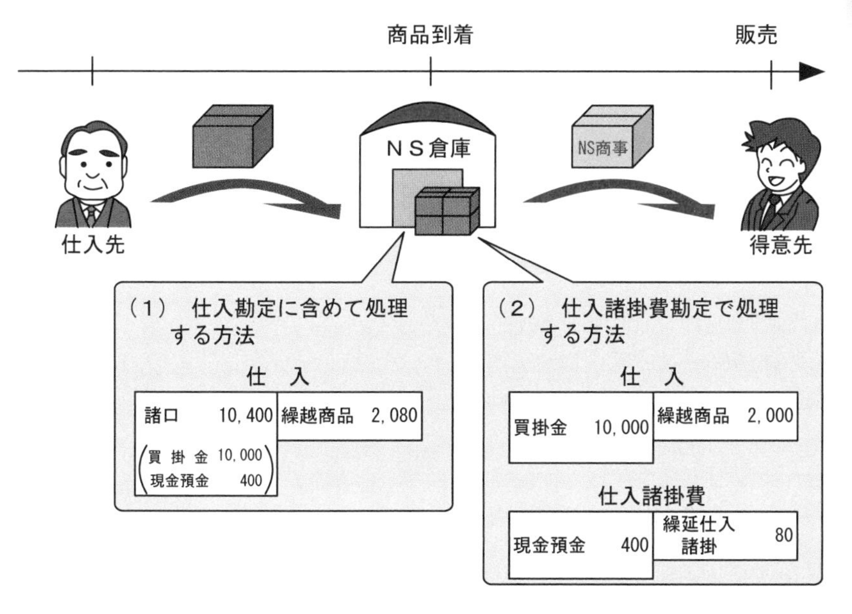

設例 8-1　仕入諸掛の処理

次の取引の仕訳を、(1)仕入諸掛を仕入勘定に含めて処理する方法と、(2)仕入諸掛を仕入諸掛費勘定で処理する方法により、それぞれ示しなさい。

① 当期に商品10,000円を掛けにより仕入れ、仕入諸掛400円を現金で支払った。

② 期末商品帳簿棚卸高は2,000円(仕入諸掛除く)であり、期末商品にかかる仕入諸掛は80円であった。なお、期首に商品の在庫はなく、棚卸減耗等は生じていない。

解答

(1)仕入諸掛を仕入勘定で処理する方法

① 仕入時	(借)	仕入	*10,400*	(貸)	買掛金	*10,000*
					現金預金	*400*
② 決算時	(借)	繰越商品	*2,080*	(貸)	仕入	*2,080*

(2)仕入諸掛を仕入諸掛費勘定で処理する方法

① 仕入時	(借)	仕入	*10,000*	(貸)	買掛金	*10,000*
	(借)	仕入諸掛費	*400*	(貸)	現金預金	*400*
② 決算時	(借)	繰越商品	*2,000*	(貸)	仕入	*2,000*
	(借)	仕入	*320*	(貸)	仕入諸掛費	*400*
		繰延仕入諸掛	*80*			

3 仕入諸掛の按分（あんぶん）

期首の商品と当期に仕入れた商品に、それぞれ仕入諸掛がある場合には、期末商品にかかる仕入諸掛をどのように計算するかが問題となります。このような場合、期末商品にかかる仕入諸掛は、商品の払出単価の計算方法＊01)に従います。

＊01) Section 4 ③で取り上げた棚卸資産の単価計算の方法です。

設例 8-2　　仕入諸掛の按分

次の資料にもとづいて、商品の払出金額の計算として(1)先入先出法、(2)平均法を採用していた場合の、それぞれの期末商品にかかる仕入諸掛の金額を求めなさい。

【資　料】

期首商品棚卸高：購入代価2,000円、仕入諸掛80円

当期商品仕入高：購入代価18,000円、仕入諸掛1,080円

期末商品棚卸高：1,000円(仕入諸掛を除く、棚卸減耗等は生じていない)

解答

(1)先入先出法	*60* 円	(2)平　均　法	*58* 円

解説

(1)先入先出法

先入先出法では、期末商品にかかる仕入諸掛は当期の仕入諸掛から発生したものと考えて計算します。

仕入諸掛	仕入（借方）	仕入（貸方）	仕入諸掛
80円	期首 2,000円	売上原価 19,000円 (貸借差額)	1,100円＊02)
1,080円	当期仕入 18,000円	期末 1,000円	60円
1,160円			1,160円

期末商品にかかる仕入諸掛：$1{,}080\text{円} \times \dfrac{1{,}000\text{円}}{18{,}000\text{円}} = 60\text{円}$

＊02) 1,160円－60円＝1,100円

(2)平均法

平均法では、期末商品にかかる仕入諸掛は、期首商品の仕入諸掛と当期の仕入諸掛の両方から平均的に発生したものと考えて計算します。

仕入諸掛	仕入（借方）	仕入（貸方）	仕入諸掛
80円	期首 2,000円	売上原価 19,000円（貸借差額）	**1,102円** *03)
1,080円	当期仕入 18,000円	期末 1,000円	**58円**
1,160円	20,000円		1,160円

期末商品にかかる仕入諸掛：$1,160円 \times \frac{1,000円}{20,000円} = 58円$

*03) 1,160円−58円＝1,102円

4 仕入諸掛の財務諸表上の表示

仕入諸掛は、帳簿上の勘定の処理方法にかかわらず、損益計算書上は売上原価の各項目に、貸借対照表上は商品に含めて表示します。

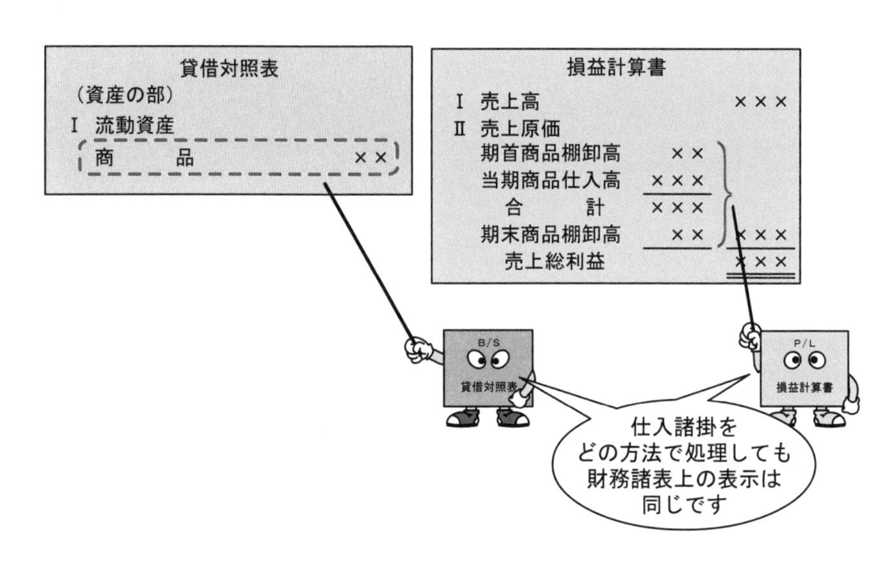

次の資料にもとづいて、商品の払出金額の計算として先入先出法を採用していた場合の損益計算書(売上総利益まで)および貸借対照表(一部)を作成しなさい。仕入諸掛は仕入諸掛費勘定で処理している。

【資　料】

決算整理前残高試算表　(単位：円)

借方科目	金額	貸方科目	金額
繰越商品	2,000	売上	27,000
繰延仕入諸掛	80		
仕入	18,000		
仕入諸掛費	1,080		

期末商品棚卸高：1,000円(仕入諸掛を除く。棚卸減耗等は生じていない)

解答

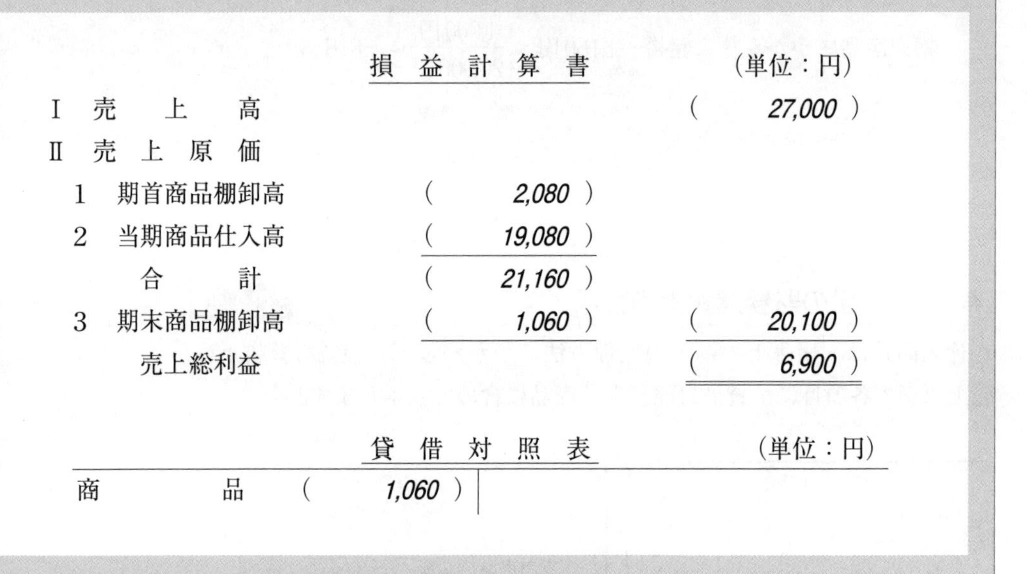

損益計算書　(単位：円)

Ⅰ 売上高		(27,000)
Ⅱ 売上原価		
1 期首商品棚卸高	(2,080)	
2 当期商品仕入高	(19,080)	
合計	(21,160)	
3 期末商品棚卸高	(1,060)	(20,100)
売上総利益		(6,900)

貸借対照表　(単位：円)

商品	(1,060)	

解説

1　期首・期末商品の振替え

借方	金額	貸方	金額
(借) 仕入	2,000	(貸) 繰越商品	2,000
(借) 繰越商品	1,000	(貸) 仕入	1,000

2　仕入諸掛費の整理

①期首繰延仕入諸掛の振替え

借方	金額	貸方	金額
(借) 仕入諸掛費	80	(貸) 繰延仕入諸掛	80

②仕入諸掛費の振替え

（借）仕　　　　入	1,100	（貸）仕入諸掛費	1,160 *04)
（借）繰延仕入諸掛	60 *05)		

*04) 80円＋1,080円＝1,160円

*05) 1,080円×$\frac{1,000円}{18,000円}$＝60円

先入先出法では、期末商品にかかる仕入諸掛は当期の仕入諸掛から発生したものと考えて計算します。

仕入諸掛	仕　入		仕入諸掛
80円	期首 2,000円	売上原価 19,000円（貸借差額）	1,100円
1,080円	当期仕入 18,000円		
		期末 1,000円	60円
1,160円			1,160円

期末商品にかかる仕入諸掛：1,080円×$\frac{1,000円}{18,000円}$＝60円

仕入諸掛は、売上原価の各項目またはB／S商品に含めて表示します。

期首商品棚卸高：2,000円＋80円＝2,080円

当期商品仕入高：18,000円＋1,080円＝19,080円

期末商品棚卸高：1,000円＋60円＝1,060円

設例 8-4　仕入諸掛の財務諸表の表示2

次の資料にもとづいて、商品の払出金額の計算として先入先出法を採用していた場合の損益計算書(売上総利益まで)および貸借対照表(一部)を作成しなさい。仕入諸掛は仕入勘定で処理している。

【資　料】

決算整理前残高試算表　(単位：円)

借方科目	金額	貸方科目	金額
繰越商品	2,080	売上	27,000
仕入	19,080		

期首商品棚卸高：購入代価2,000円、仕入諸掛80円

当期商品仕入高：購入代価18,000円、仕入諸掛1,080円

期末商品棚卸高：1,000円(仕入諸掛を除く。棚卸減耗等は生じていない)

解答

損益計算書　(単位：円)

Ⅰ 売上高		(27,000)
Ⅱ 売上原価		
1 期首商品棚卸高	(2,080)	
2 当期商品仕入高	(19,080)	
合計	(21,160)	
3 期末商品棚卸高	(1,060)	(20,100)
売上総利益		(6,900)

貸借対照表　(単位：円)

商品	(1,060)	

解説

期首・期末商品の振替え

(借)	仕入	2,080	(貸) 繰越商品	2,080
(借)	繰越商品	1,060 *06)	(貸) 仕入	1,060

仕入諸掛を「仕入勘定に含めて処理する方法」によっても「仕入諸掛費勘定で処理する方法」によっても、財務諸表上の表示計上金額は変わりません。

*06) $1{,}000円+1{,}080円\times\frac{1{,}000円}{18{,}000円}=1{,}060円$

Section 9

他勘定振替高

商品は販売するために仕入れますが、販売以外に広告宣伝や会社の備品として使う場合があります。また、商品は災害や盗難でなくなってしまうこともあります。販売とは関係のない商品の減少でも、売上原価になるのでしょうか？

このSectionでは、他勘定振替高について学習します。

1 他勘定への振替え

販売目的で仕入れた商品であっても、見本品として得意先に引き渡したり、災害や盗難に遭うことによって、減少することがあります。このように、販売以外の原因によって商品が減少*01)した場合は、売上高に対応する原価(売上原価)とはなりません。このため、売上原価に計上しないよう*02)、ほかの勘定に振り替える必要があります。

帳簿上、『**仕入**』*03)を減少させるとともに、ほかの適当な費用の勘定に振り替えます*04)。

*01) 棚卸減耗は除きます。

*02) 売上原価は「期首商品棚卸高＋当期商品仕入高－期末商品棚卸高」で計算されるので、何も処理しなければ見本品として引き渡したものも売上原価に含まれてしまいます。

*03) 期首商品を見本品等に供した場合は、(期首)繰越商品を減少させます。

*04) 仕入原価で振り替えます。売価でない点に注意！

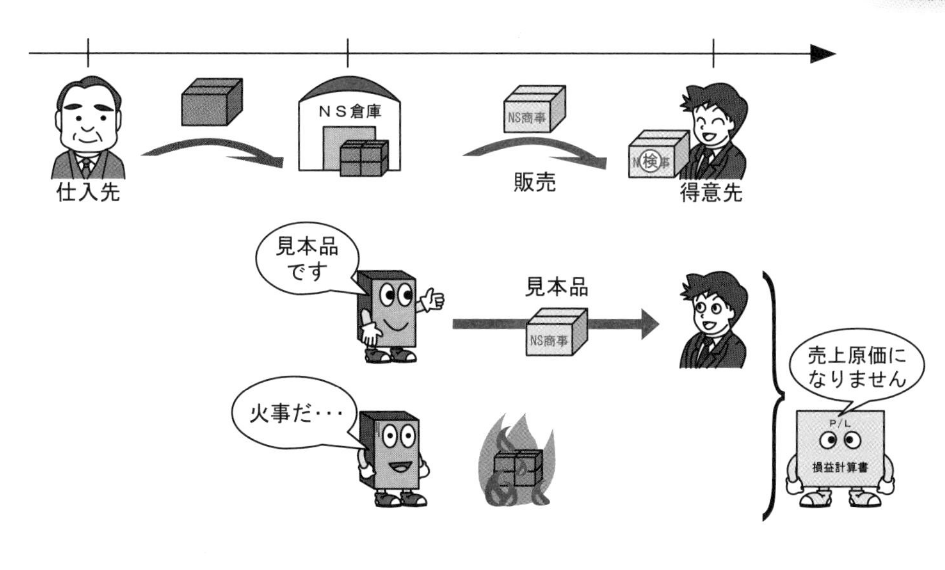

設例 9-1 見本品費の処理

次の取引の仕訳を示しなさい。

期中に仕入れた商品10,000円のうち、500円分を見本品として得意先に引き渡した。

解答

(借) 見本品費	*500*	(貸) 仕入	*500*

設例 9-2 備品への振替え

次の取引の仕訳を示しなさい。

期中に仕入れた商品のうち、売価1,200円(仕入原価800円)の商品を備品として使用することとした。

解答

(借) 備品	*800*	(貸) 仕入	*800*

2 他勘定振替高(たかんじょうふりかえだか)と損益計算書の表示

簿C 財計B ▶▶簿問題集：問題18

財務諸表(損益計算書)上は、当期商品仕入高から他勘定に振り替えた金額を直接に控除してしまうと、当期に外部から購入した商品の金額(総仕入額)を適切に示さなくなってしまいます。

そこで、損益計算書上、**『他勘定振替高』**として期首商品と当期仕入の合計から差し引くとともに、適切な費用の科目で表示します。

なお、他勘定振替高は、具体的に次のような科目で損益計算書に表示します。

商品を見本品として使用した場合 ──▶ **『見本品費振替高』**
商品が災害により滅失した場合 ──▶ **『商品災害損失振替高』**
商品が盗難にあった場合 ──▶ **『商品盗難損失振替高』**
商品を備品に振り替えた場合 ──▶ **『備品振替高』**

＜損益計算書の表示例＞

期首商品：1,500円　当期商品仕入高：10,000円　期末商品：1,200円

期中仕入商品を他勘定に振り替えた金額：2,300円

（内訳：見本品500円、災害損失700円、盗難損失300円、備品振替800円）

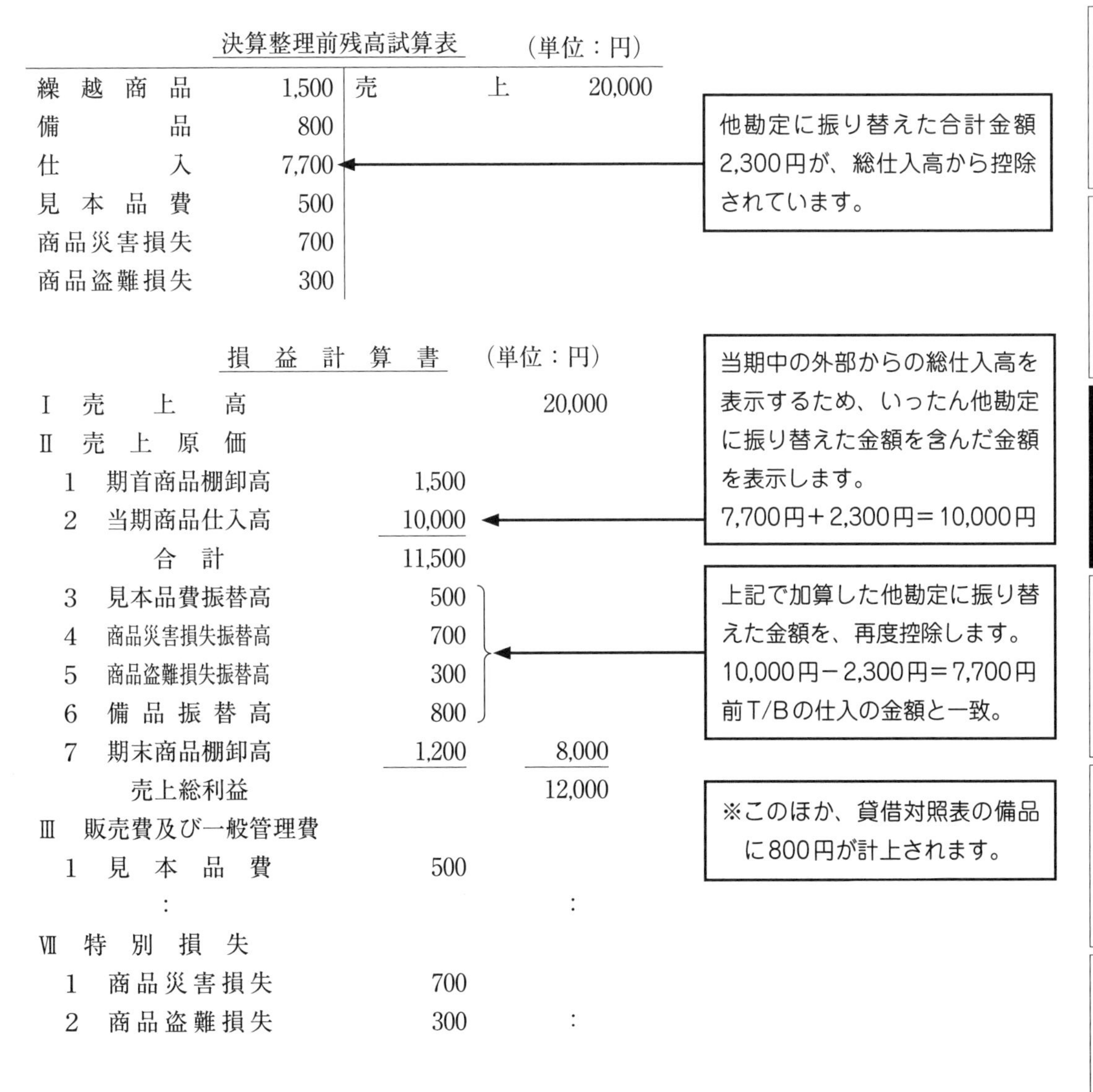

決算整理前残高試算表　（単位：円）

借方科目	金額	貸方科目	金額
繰越商品	1,500	売上	20,000
備品	800		
仕入	7,700		
見本品費	500		
商品災害損失	700		
商品盗難損失	300		

他勘定に振り替えた合計金額2,300円が、総仕入高から控除されています。

損益計算書　（単位：円）

Ⅰ 売上高		20,000
Ⅱ 売上原価		
1 期首商品棚卸高	1,500	
2 当期商品仕入高	10,000	
合計	11,500	
3 見本品費振替高	500	
4 商品災害損失振替高	700	
5 商品盗難損失振替高	300	
6 備品振替高	800	
7 期末商品棚卸高	1,200	8,000
売上総利益		12,000
Ⅲ 販売費及び一般管理費		
1 見本品費	500	
：		：
Ⅶ 特別損失		
1 商品災害損失	700	
2 商品盗難損失	300	：

当期中の外部からの総仕入高を表示するため、いったん他勘定に振り替えた金額を含んだ金額を表示します。
7,700円＋2,300円＝10,000円

上記で加算した他勘定に振り替えた金額を、再度控除します。
10,000円－2,300円＝7,700円
前T/Bの仕入の金額と一致。

※このほか、貸借対照表の備品に800円が計上されます。

設例 9-3　他勘定振替高

次の資料にもとづいて、決算整理後残高試算表と損益計算書を作成しなさい。

【資　料】

決算整理前残高試算表　(単位：円)

借方科目	金額	貸方科目	金額
繰越商品	2,000	売上	27,000
仕入	18,000		

期末商品棚卸高：1,000円(棚卸減耗等は生じていない)

なお、期中に商品500円(原価)を見本品として使用したが、未処理である。

決算整理後残高試算表　(単位：円)

借方科目	金額	貸方科目	金額
繰越商品	*1,000*	売上	*27,000*
仕入	*18,500*		
見本品費	*500*		

損益計算書　(単位：円)

Ⅰ 売上高		(*27,000*)
Ⅱ 売上原価		
1 期首商品棚卸高	(*2,000*)	
2 当期商品仕入高	(*18,000* *01))	
合計	(*20,000*)	
3 見本品費振替高	(*500*)	
4 期末商品棚卸高	(*1,000*)	(*18,500* *02))
売上総利益		(*8,500*)
Ⅲ 販売費及び一般管理費		
1 見本品費	(*500*)	

＊01)見本品費(他勘定振替高)を考慮する前の金額を記載します。

＊02)決算整理後T/Bの金額と一致します。

解説

1　見本品の処理

(借) 見本品費	500	(貸) 仕入	500

2　期首・期末商品の振替え

(借) 仕入	2,000	(貸) 繰越商品	2,000
(借) 繰越商品	1,000	(貸) 仕入	1,000

3 合併や営業譲受による商品の増加の表示方法

▶▶財問題集：問題19

合併や営業譲受により商品を取得した場合には、損益計算書上、通常の仕入活動によって取得した商品である当期商品仕入高の下に『**商品合併継承高**』『**商品営業譲受高**』等の科目で表示します。

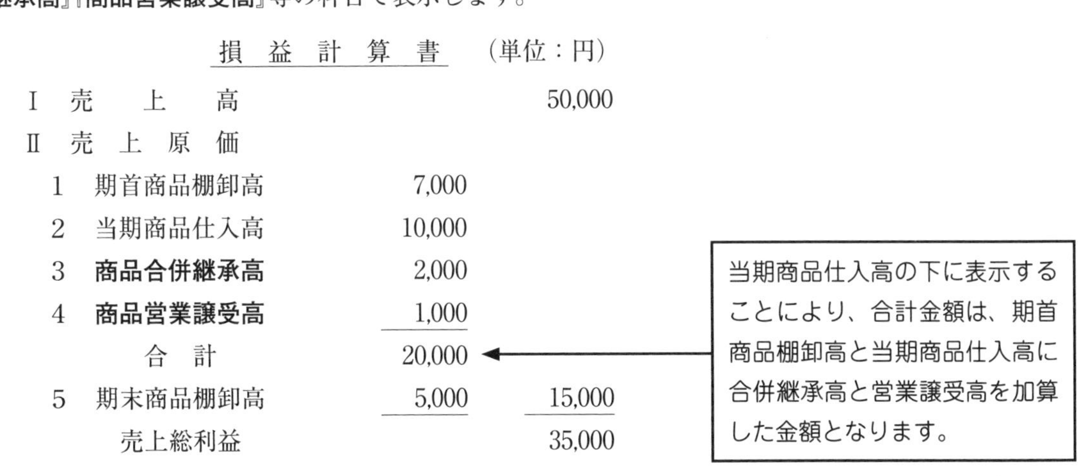

損益計算書　(単位：円)

Ⅰ 売上高		50,000
Ⅱ 売上原価		
1 期首商品棚卸高	7,000	
2 当期商品仕入高	10,000	
3 **商品合併継承高**	2,000	
4 **商品営業譲受高**	1,000	
合計	20,000	
5 期末商品棚卸高	5,000	15,000
売上総利益		35,000

設例 9-4　合併等による商品の増加

次の資料にもとづいて、当期の損益計算書および貸借対照表を作成しなさい。

【資　料】

決算整理前残高試算表　(単位：円)

繰越商品	3,000	売上	60,000
仕入	47,000		

残高試算表における仕入の中には当期に合併により引き継いだ商品1,000円と営業譲受により引き継いだ商品5,000円が含まれている。

期末商品帳簿棚卸高は4,000円であった。棚卸減耗等は生じていない。

解答

損益計算書　(単位：円)

Ⅰ 売上高		*60,000*
Ⅱ 売上原価		
1 期首商品棚卸高	*3,000*	
2 当期商品仕入高	*41,000* *01)	
3 商品合併継承高	*1,000*	
4 商品営業譲受高	*5,000*	
合計	*50,000*	
5 期末商品棚卸高	*4,000*	*46,000*
売上総利益		*14,000*

貸借対照表　(単位：円)

Ⅰ 流動資産		
商品	*4,000*	

*01) 47,000円－1,000円－5,000円＝41,000円

このChapterでの表示と注記

貸借対照表			
（資産の部）		（負債の部）	
Ⅰ　流動資産		⋮	
商品	×××	（純資産の部）	
		⋮	

【注記例】（一部）
〈重要な会計方針に係る事項に関する注記〉
・商品は先入先出法による原価法（貸借対照表価額は収益性の低下に基づく簿価切下げの方法により算定）により評価している。

損益計算書		
Ⅰ　売上高		×××
Ⅱ　売上原価		
1　期首商品棚卸高	×××	
2　当期商品仕入高	×××	
合計	×××	
3　期末商品棚卸高	×××	
差引	×××	
4　商品評価損	×××	×××
売上総利益		×××
Ⅲ　販売費及び一般管理費		
棚卸減耗損	×××	
⋮		
Ⅳ　営業外収益		
仕入割引	×××	

Chapter 5

有形固定資産

皆さんは資産といったとき、どんなものをイメージしますか？　車、机、椅子、パソコン、マイホーム…。これらはいずれも姿・形のある資産なので、有形固定資産と呼ばれます。

Chapter 5では、これらの有形固定資産の取得時・売却時などの会計処理を学習します。ボリュームがありますが、日商３～２級の内容＋アルファですから、自信を持って学習してください。

Section 1

有形固定資産の基礎知識

「有形固定資産」とは、土地や建物、備品といった一般的なイメージどおりのものです。企業活動においてはビルや営業用自動車、机、パソコンなど、様々な有形固定資産が使われているものです。それらはいつ、どのような会計処理が必要となるのでしょう。

このSectionでは、有形固定資産の概要について学習します。

1 有形固定資産とは

有形固定資産とは、企業が長期にわたり使用する目的で保有する資産のうち、具体的な形をもつ資産をいいます。

有形固定資産は減価償却をするか否かにより、償却性資産(減価償却をする資産)と非償却性資産(減価償却をしない資産)とに分けられます。

有形固定資産
- 償却性資産 …建物、構築物、機械、車両、備品など
- 非償却性資産 …土地＊01)、建設仮勘定＊02)

＊01) 土地は、利用しても価値が下がらないので減価償却を行いません。

＊02) まだ未完成の状態で経営活動に使用されていないため、減価償却は行いません。

2 有形固定資産の範囲

有形固定資産は、その分類により、貸借対照表の表示科目が異なります。

表示科目	留　意　点
建　　　物	営業用に使用している建物のほか ①付属設備(冷暖房、照明など) ②経営付属建物(社宅、社員寮、保養所など) も含みます。
構　築　物	鉄塔、舗装道路、塀などの土木設備や工作物が該当します*01)
機械装置	『機械』と表示する場合もあります。
車両運搬具	『車両』と表示する場合もあります。
工具器具備品	『器具備品』『備品』と表示する場合もあります。
減耗性資産	山林や鉱山など、採取することで減耗する天然資源が該当します*02)。
土　　　地	経営付属用の土地(社宅敷地、運動場、保養所敷地など)も含みます。
建設仮勘定	固定資産の建設のために支出した前渡金などが該当します*03)。

*01)土地に定着していて、建物以外の有形固定資産です。

*02)採れば採るほど減少し、採取したそのものが製品となるという特徴があります。

*03)つくりかけの建物のイメージです。

3 有形固定資産取引の全体像

有形固定資産については、取得、買換え、決算、売却、除却という5つの会計取引の処理が基本となります。それぞれの会計処理のポイントをあげると次のとおりです。

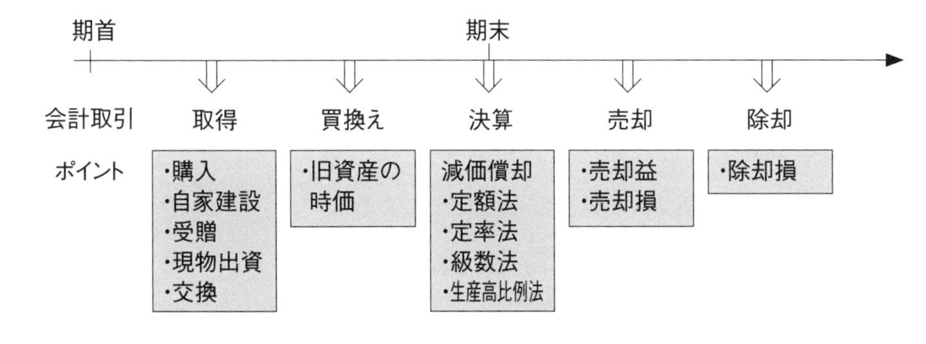

Section 2

取得原価の決定

家を買うには、広告などに提示されている金額より多くかかるのが一般的です。住宅ローンを組めば、家の金額より利息分だけ多く払います。地鎮祭などの儀式のほか、取得税などの税金も支払わなければなりません。どこまで、「家」の取得原価に含めればよいのでしょうか。

このSectionでは、有形固定資産の取得原価について学習します。

1 購入による取得の場合

▶▶財問題集：問題6,7

固定資産を購入により取得した場合には、購入代価から値引・割戻額を控除した支払代金に、登記料や試運転費など、その**固定資産を使いはじめるまでに必要な付随費用**を加えた金額が取得原価となります。

取得原価 ＝（購入代価 － 値引・割戻額）＋ 付随費用

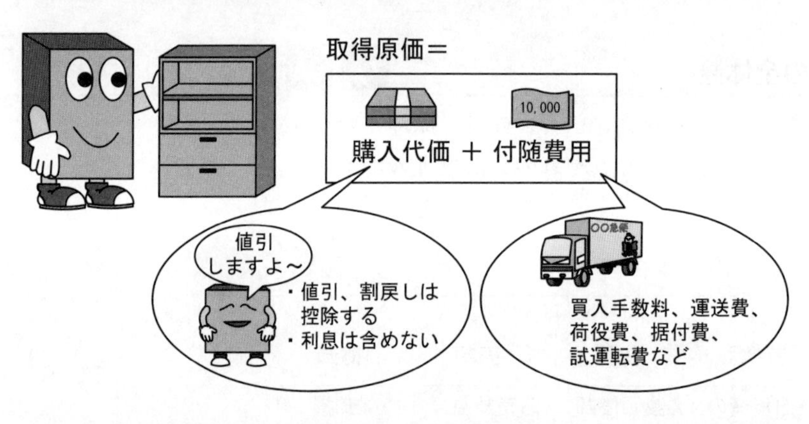

なお、付随費用に含まれるもの、含まれないものの例として次のものがあげられます*01)。

*01) 付随費用に含まれるものでも重要性が乏しい場合は取得原価に含めないことができます。

付随費用に含まれるもの	付随費用に含まれないもの
・土地や建物の取得時に支払った仲介手数料	・保有に関する税金（固定資産税・自動車税） →販売費及び一般管理費に租税公課として表示
・土地や建物の取得時に前使用者に支払った立退料	
・取得した建物の取得時の改造費	
・取得した土地の上にあった建物や構築物の取壊し費用	
・取得した土地の整地費用	
・取得した機械装置などの据付費	
・取得した機械装置などの試運転費	
・取得時に支払った税金（環境性能割・不動産取得税）・登録料	

設例 2-1　　購入時の処理

次の取引の仕訳を示しなさい。

売価100,000円の自動車を1,000円の値引きを受けて購入し、代金は自動車登録料3,000円とともに現金で支払った。

解答

（借）車　　両	*102,000**02)	（貸）現 金 預 金	*102,000*

*02)取得原価＝(100,000円－1,000円)＋3,000円＝102,000円

2 一括購入による取得の場合

簿B 財計C　▶▶財問題集：問題 8

土地付き建物のように２種類以上の固定資産を一括して購入した場合には、**時価等を基準として支出額を按分**し、取得原価を決定します。

取得原価 ＝ 時価等を基準とした支出額の按分額

設例 2-2　　一括購入時の処理

次の取引の仕訳を示しなさい。

土地付き建物を購入し、代金126,000円を現金で支払った。取得した資産の時価は土地が90,000円、建物が60,000円であった。

解答

（借）土　　地	*75,600**01)	（貸）現 金 預 金	*126,000*
建　　物	*50,400**01)		

*01)土地と建物の取得原価は次のとおりです。

$$126{,}000円 \times \begin{cases} \dfrac{90{,}000円}{90{,}000円(土地の時価)+60{,}000円(建物の時価)} = 75{,}600円(土地の取得原価) \\ \dfrac{60{,}000円}{90{,}000円(土地の時価)+60{,}000円(建物の時価)} = 50{,}400円(建物の取得原価) \end{cases}$$

3 割賦購入による取得の場合

簿C 　▶▶財問題集：問題 9

1．購入時

現金で購入する場合の価格を取得原価とし、その価格と割賦購入による価格との**差額は一種の利息**と考え、いったん『**前払利息**』(または『**利息未決算**』)で処理しておきます。

取得原価 ＝ 現金購入した場合の価格
※割賦購入価格 － 現金購入価格 ＝ 利息

設例 2-3　割賦購入時の処理

次の取引の仕訳を示しなさい。

営業用トラックを100,000円で購入し、代金は2カ月ごと4回の割賦払い(1回分26,500円)とした。

解答

(借)	車　　両	100,000	(貸) 未　払　金	106,000
	前払利息	6,000 *01)		

*01) 26,500円×4回−100,000円=6,000円

2．代金支払時

代金を支払うさいに利息に相当する額を『前払利息』から『支払利息』へ振り替えます。利息の計算には定額法、級数法、利息法*02)などの方法があります。

*02) 利息法(利廻法ともいいます)は、元本に一定の割合の利率を掛けて利息を算定する方法です。

設例 2-4　割賦購入代金の支払時の処理

次の取引の仕訳を示しなさい。

設例2-3において、第1回目の代金26,500円を現金で支払った。なお、利息の計算は定額法による。

解答

(借) 未　払　金	26,500	(貸) 現金預金	26,500
(借) 支払利息	1,500 *03)	(貸) 前払利息	1,500

*03) 支払利息：6,000円÷4回=1,500円

4 自家建設による取得の場合　簿C 財計C

1．自家建設の取得原価

自家建設とは、業務活動に使用する建物や機械装置などを自社で製造することをいいます。自家建設により固定資産を取得した場合には、**適正な原価計算基準に従って計算された製造原価***01)を取得原価とします。

*01) 製造原価には、建設に要した材料・賃金・その他諸経費といった支出額が含まれます。

取得原価 = 適正な原価計算基準に従って計算された製造原価

設例 2-5　自家建設による取得時の処理

次の取引の仕訳を示しなさい。

事務所を自家建設した。この建設に関して発生した費用は、材料費80,000円、労務費90,000円、経費30,000円である。

解答

(借)	建物	200,000*02)	(貸)	材料	80,000
				労務費	90,000
				経費	30,000

*02) 80,000円＋90,000円＋30,000円＝200,000円

2．借入資本の利子

自家建設に必要な資金を金融機関などから借り入れる場合があります。この借入資金に生じる支払利息を「借入資本の利子*03)」といい、この利子については、次のように処理します。

*03) ここでの資本とは、資金という意味です。

(1) 原則処理

取得原価に算入しない。

(2) 容認処理

有形固定資産を自家建設した場合の取得原価の計算にあたって、建設に要する借入資本(借入金)の利子(支払利息)で稼働前の期間*04)に属するものは取得原価に算入することが容認されていますが、そこには以下のような議論があります。

*04) 営業に用いる前。固定資産が完成していてもまだ営業に用いていなければ該当します。

	借入資本利子の取扱い	採用される理由
(1)原則処理	取得原価に算入しない。	原則処理を採用する、つまり容認処理を採用しない理由は次のとおりです。 (i) 借入資本利子は財務活動により発生するものなので、財務費用として計上すべきである*05)。また、利息は時の経過にともない発生するものであるが、原価算入してしまうと、時の経過とは無関係に減価償却により費用配分されてしまう。 (ii) 資産は将来の経済的便益を表す価額で評価されなければならない*06)。 (iii) 資産の取得原価が、借入資金か、自己資金かといった資金の出所の違いで異なるため。 (iv) 借入資本と自家建設資産の対応が不明確な場合*07)には、利子を加算すべき資産とその金額を特定できない。

*05) 支払利息はあくまでも財務費用であって取得原価ではありません。

*06) 100万円の資産には100万円分の便益(使用価値)があります。決して、利息を含めた分の便益があるわけではありません。

*07) 自家建設のため、営業資金が不足し、それを借り入れた場合です。

(2) 容認処理	次の3つの要件を満たした場合は、借入資本の利子を取得原価に算入することができる。 ①資産の取得が自家建設である。 ②当該建設に要する借入資本の利子である。 ③稼働前の期間に属するものである。	容認処理の採用が認められる理由は次のとおりです。 (i)稼働前の資産はいまだ事業に用いられておらず、収益獲得に貢献していない。そのため、費用収益対応の見地*08)により借入資本の利子は取得原価に含め減価償却手続を踏まえて期間配分するのが妥当である。 (ii)稼働前の期間に借入資本の利子を費用化することにより、会社の経営成績を悪化させるおそれなどがあるため、政策的な理由により取得原価に算入する*09)。

*08)「収益獲得に貢献したものが費用になる」という見地です。

*09)先に費用(支払利息)にする→利益が減る→赤字になる→銀行借入れができなくなる→会社がピンチ！ とならないようにという政策的な理由です。

上記のように、利子を有形固定資産の取得原価に算入する方法には問題がありますが、**(i)収益と費用の対応**および**(ii)政策的な理由**から、①～③の要件をみたせば借入資本利子の原価算入処理が容認されます。

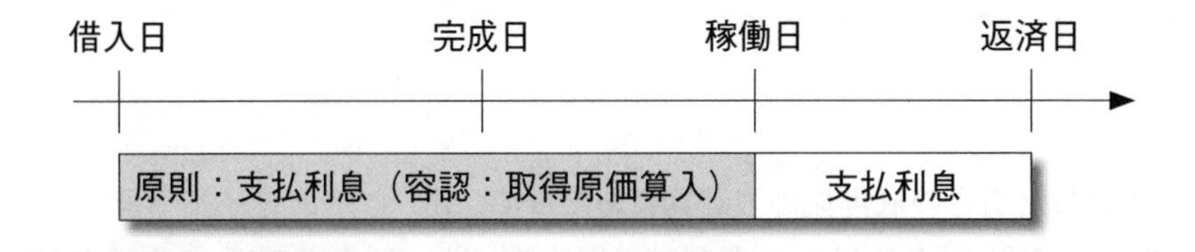

設例 2-6　自家建設・借入資本の利子の処理

次の取引の仕訳を示しなさい。

事務所を自家建設した。この建設に関して発生した費用は、材料費80,000円、労務費90,000円、経費30,000円である。

なお、建設資金のうち100,000円は年利5％で銀行から借り入れたもので、借入れにかかる利子を借入時に全額支払利息として計上している。当該借入利子は、固定資産の取得原価に含める方法で処理すること。

また、借入日から返済日までの期間は1年、借入日から稼働日までの期間は半年であった。

解答

(借)		(貸)	
建物	202,500	材料	80,000
		労務費	90,000
		経費	30,000
		支払利息	2,500*10)

*10)支払利息の取得原価算入額：100,000円×5％×$\frac{6カ月}{12カ月}$＝2,500円

5 建設仮勘定

簿A 財計A ▶▶財問題集：問題10

自家建設を行っていて、建設物が期末時点で未完成の場合、製造原価を『**建設仮勘定**』[*01)]に振り替えます。

また、建物を建設するさいに、外部建設業者に手付金を支払うことがあります。この場合、支払った手付金は、『**建設仮勘定**』として処理します。

この『建設仮勘定』は、建設物が完成した時点で、『建設仮勘定』から『建物』や『構築物』などに振り替えます。

*01)『建設仮勘定』がフルネームです。勘定記入の時は、末尾の『勘定』までしっかりと書いてくださいね。

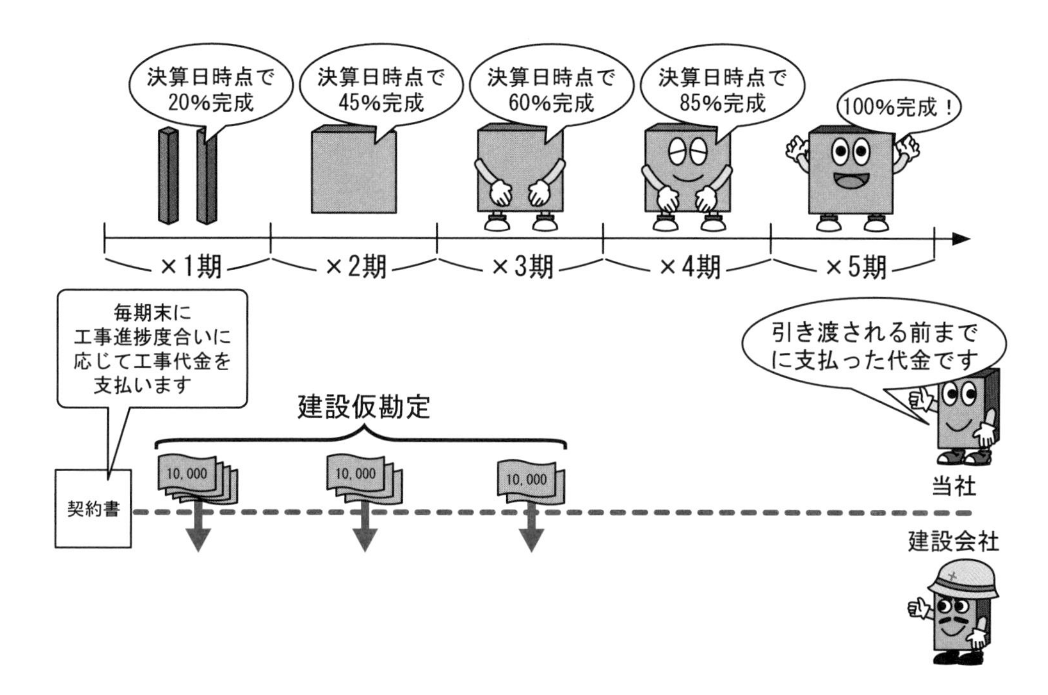

設例 2-7 自家建設・建設仮勘定の処理

次の取引の仕訳を示しなさい。

(1) 事務所を自家建設しているが、期末現在未完成である。この建設に関して発生した当期の費用は、材料費60,000円、労務費50,000円、経費20,000円である。

(2) 翌期になり(1)の事務所が完成した。この建設に関して発生した当期の費用は、材料費20,000円、労務費40,000円、経費10,000円である。

解答

(1)	(借)	建設仮勘定	*130,000*	(貸)	材料	*60,000*
					労務費	*50,000*
					経費	*20,000*
(2)	(借)	建物	*200,000*	(貸)	建設仮勘定	*130,000*
					材料	*20,000*
					労務費	*40,000*
					経費	*10,000*

設例 2-8　建設仮勘定の表示①

次の取引にもとづき、当期(×1年4月1日～×2年3月31日)の貸借対照表(一部)の表示を示しなさい。

×1年6月6日に、建設業者に新社屋の建設を委託し、建設代金70,200円の一部として、30,000円を小切手で前渡しした。本日決算日であるが、新社屋は未完成である。

貸借対照表　(単位：円)

(省　略)		
Ⅱ 固定資産		
1 有形固定資産		
建設仮勘定	*30,000*	

設例 2-9　建設仮勘定の表示②

次の取引にもとづき、当期(×2年4月1日～×3年3月31日)の貸借対照表(一部)の表示を示しなさい。

×3年3月28日に、前期に建設委託した新社屋(建設代金70,200円)が完成し、引渡しを受けた。前期に30,000円を前渡しし、建設仮勘定として処理したが、残金については未払いである。

解答

貸借対照表　(単位：円)

(省　略)		Ⅰ 流動負債	
Ⅱ 固定資産		**未払金**	*40,200*
1 有形固定資産			
建物	*70,200*		

解説

①前期・前渡時の処理

(借)	建設仮勘定	30,000	(貸) 現金預金	30,000

②当期・新社屋の完成、引渡し時

(借)	建物	70,200	(貸) 建設仮勘定	30,000
			未払金	40,200

以上の一連の処理より、解答のB／Sを作成します。

6 現物出資による取得の場合

有形固定資産の現物出資[*01]を受けた場合、原則として、給付された日の有形固定資産の時価をもって取得原価とします[*02]。

> **取得原価 ＝ 原則として、給付された日の有形固定資産の時価**

＊01) 現物出資とは、金銭以外による出資をいいます。出資は原則として金銭によりますが、土地、建物といった現物による出資も認められています。

＊02) 交付された株式の発行価額の総額が現物出資された資産の適正な時価と等しいことが前提です。

設例 2-10 現物出資による取得時の処理

次の取引の仕訳を示しなさい。

建物(時価100,000円)の現物出資を受け、株式10株を交付した。払込資本の全額を資本金とすること。

(借)	建　物	100,000	(貸)	資　本　金	100,000

7 交換による取得の場合

1．同種資産との交換

自己所有の固定資産と引き換えに同種の固定資産を受け入れ、同様の用途で使用し続ける場合には、提供する自己資産の適正な簿価をもって取得原価とします。

この場合には、提供する有形固定資産への**投資の継続性**が認められ、実質的には交換取引が行われていないものと考えられます。よって、当該交換によっては**損益は認識せず**、取得原価は提供する自己資産の**適正な簿価**とします。

> **取得原価 ＝ 交換により提供した自己資産の適正な簿価**

設例 2-11 同種資産との交換による取得時の処理

次の取引の仕訳を示しなさい。

当社所有の建物(簿価100,000円、時価120,000円)と甲社所有の建物(簿価80,000円、時価120,000円)を交換した。

(借)	建　物[*01]	100,000	(貸)	建　物[*02]	100,000

＊01) 受入資産　＊02) 引渡資産

2．異種資産との交換

異種資産との交換の場合とは、(1)有価証券以外の資産との交換または(2)有価証券との交換により固定資産を取得する場合があげられます。

この場合には同種資産との交換の場合と異なり、提供する資産への**投資の継続性が断たれた**と考えられます。すなわち、この場合の交換を、自己所有の株式や社債等の売却取引と有形固定資産の購入取引をあわせた取引だと考えます。よって、受入資産の取得原価は**交換に供された資産の時価または適正な簿価**とし、提供する資産の**簿価と時価の差額は損益**として認識します。

取得原価 ＝ 交換により提供した資産の時価または適正な簿価＊03)

＊03)時価が不明の場合には、「適正な簿価」を使いますが、それ以外の場合には「時価」を使います。

(1)有価証券以外の資産との交換

自己所有の資産との交換で異種資産を取得した場合、交換により**引き渡した資産の時価**を取得原価とします。これは、一度、**引き渡した資産を時価で処分し、その代金で受入資産を取得したと考える**からです。

設例 2-12　有価証券以外の資産との交換による取得時の処理

次の取引の仕訳を示しなさい。

当社所有の建物(簿価100,000円、時価120,000円)と甲社所有の土地(簿価80,000円、時価120,000円)を交換した。

解答

(借)			(貸)		
	土地	120,000		建物	100,000
				固定資産売却益	20,000

解説

建物と土地の交換(異種資産との交換)の場合には、次のように建物をいったん時価で売却し、その売却代金で改めて土地を購入したと考えます。

(借)			(貸)		
	現金預金	120,000＊04)		建物	100,000
				固定資産売却益	20,000

＋

(借)			(貸)		
	土地	120,000		現金預金	120,000＊04)

＊04)実際の取引では、現金預金に変動は起こりません。

(2) **有価証券との交換**

自己所有の有価証券との交換で固定資産を取得した場合は、**有価証券の時価**を取得原価とします。

すなわち、仮に有価証券を売却していれば得られたはずの売却代金(＝時価)を支出額と考えます。

設例 2-13　有価証券との交換による取得時の処理

次の取引の仕訳を示しなさい。

当社所有の売買目的有価証券(簿価100,000円、時価120,000円)と甲社所有の建物(簿価80,000円、時価120,000円)を交換した。

解答

(借)	建　物	120,000	(貸)	有価証券	100,000
				有価証券売却益	20,000

解説

基本的な仕訳の考え方は**設例2-12**と同じです。売却益が『有価証券売却益』か『固定資産売却益』かの違いです。

8 贈与による取得の場合

▶▶簿問題集：問題1

贈与を受けたこと(受贈)により固定資産を取得した場合、支出額はゼロですが、**時価等を基準とした公正な評価額**を取得原価とします[*01]。

*01) 支出額がゼロだからといって、取得原価をゼロとすることはありません。これは取得原価主義の例外です。

取得原価 ＝ 時価等を基準とした公正な評価額

設例 2-14　贈与による取得時の処理

次の取引の仕訳を示しなさい。

土地の贈与を受けた。当該土地の時価は100,000円である。

解答

(借)	土　地	100,000	(貸)	土地受贈益[*02]	100,000

*02) P/L・特別利益に表示します。

支払対価はゼロ(無償取得)であっても将来の収益力要因を有する限り資産計上するべきと考えられるため、公正に評価された金額を取得原価としています。

なお、贈与により固定資産を取得した場合の取得原価については2つの見解があります。

(1)「時価等を基準とした公正な評価額」を取得原価とする見解	(2)取得原価を「ゼロ」にする見解
取得原価をその資産の収益力要因としたとき、贈与によって取得した資産についてもその資産に認められた価値、すなわち時価等を基準として「公正に評価された金額」をもって取得原価とする見解。 〈問題点〉 無償取得による一種の未実現利益が計上される。	取得原価をその資産の取得に要した支出額としたとき、取得のための対価が存在しない以上、取得原価は「ゼロ」とする見解 〈問題点〉 ①取得原価を「ゼロ」としてしまうと、簿外資産になってしまい利害関係者の判断を誤らせるおそれがある。 ②簿外資産となった固定資産について減価償却を行い費用化できないため、当該固定資産からの収益に対して対応する費用が計上されず、適正な期間損益計算を行うことができない。 ③減価償却ができないことから、取替資金の蓄積ができず、企業の財務的安全性に問題がある。

現在の会計制度では、(1)の時価等を基準とした公正な評価額を取得原価とする処理方法が認められています。

Section 3

減価償却の手続き

建物と機械は、同じように価値が減っていくものでしょうか。鉄筋コンクリートの建物は、30 年は使えそうです。一方、毎日クルクル回り続けているベルトコンベアーはとても 30 年も、もちそうにありません。このように、固定資産の価値の減り方は様々です。そこで、会計処理も様々な方法が用意されています。

この Section では、有形固定資産の減価償却について学習します。

1 減価償却の記帳方法

減価償却の記帳方法、つまり仕訳の方法には、(1)**直接法**と(2)**間接法**の２つの方法があります。

(1)直接法

直接法とは、借方に『減価償却費』を計上し、貸方には『建物』や『車両運搬具』といった**固定資産の勘定を直接減額するという方法**です。

この方法によると、固定資産勘定の残高は帳簿価額が示され、帳簿を見ただけでは、取得原価がわからないという欠点があります。

(借) 減価償却費	×××	(貸) 建　　物	×××

(2)間接法

間接法とは、借方に『減価償却費』を計上し、貸方には『**減価償却累計額**』という**固定資産の勘定に対する評価勘定を計上するという方法**です。

この方法によると、固定資産勘定の残高はつねに取得原価を示し、『減価償却累計額』の残高は、取得時から当期末までに計上した減価償却費の合計額を示します。したがってこの２つの勘定をあわせて見ることにより、固定資産の取得原価、減価償却費の合計額、その時点での帳簿価額がわかります。

(借) 減価償却費	×××	(貸) 建物減価償却累計額	×××

2 減価償却費の計算方法

薄A 財計A

▶▶簿問題集：問題2,3
▶▶財問題集：問題11,12

減価償却費の計算方法には、**定額法、定率法、級数法、生産高比例法**の4つがあります。

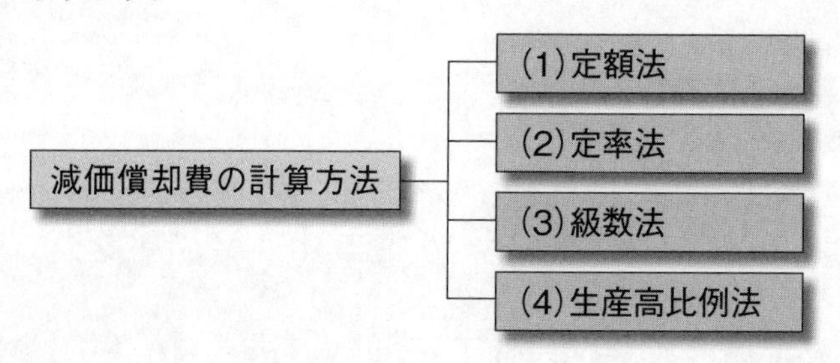

(1)定額法

定額法とは、有形固定資産の耐用期間中、**毎期均等額**の減価償却費を計上する方法です。

定　義	要償却額を耐用年数で割ることによって、毎期均等額を減価償却費として計算する方法。
特　徴	①計算が簡便。 ②毎期同額の減価償却費を計上するため、**期間利益に与える影響が均等。**
計算式	**減価償却費**[*01] ＝ **(取得原価－残存価額)**[*02] ／ **耐用年数**[*03]

＊01)期中に取得した場合などは月割計算をします。

＊02)「取得原価－残存価額」を要償却額という場合もあります。

＊03)定額法であっても、税法に合わせて、問題文に償却率が与えられることがあります。その場合は、与えられている償却率を使って計算しましょう。

設例 3-1　減価償却費の計算・定額法

次の減価償却に関する決算整理仕訳を示しなさい。

前期の期首に備品(取得原価100,000円、耐用年数5年、残存価額は取得原価の10%)を取得した。償却方法は定額法、記帳方法は間接法によること。

解答

(借) 減価償却費	*18,000*[*04]	(貸) 備品減価償却累計額	*18,000*

＊04)減価償却費：$\frac{(100{,}000円－100{,}000円×0.1)}{5年}$＝18,000円

→残存価額が10%のため、(100,000円×0.9)÷5年でも計算することができます。

(2)定率法

定率法とは、有形固定資産の耐用期間中、毎期、期首の未償却残高(**期首簿価**＝取得原価－期首減価償却累計額)**に一定の償却率**[*05]**を掛けて**減価償却費を計上する方法です。

*05)償却率は通常、問題文に与えられています。

*06)耐用期間最終年の減価償却費のみ、端数処理が必要なため、次の計算式で求めます。
減価償却費＝取得原価－期首減価償却累計額－残存価額

定　義	毎期期首未償却残高に一定率を掛けた金額を減価償却費として計算する方法。
特　徴	①減価償却額が年数の経過とともに減少していく**逓減法**の一種。 ②早期に多額の減価償却費を計上しておくことができるため、**保守主義の観点から優れている**。 ③早期に多額の資金を回収できる(自己金融効果による)ので、**財務的効果の点で優れている**。
問題点	減価償却開始当初において、減価償却費が急激に逓減してしまう。
計算式[*06]	**減価償却費＝(取得原価－期首減価償却累計額)×償却率**

設例 3-2　減価償却費の計算・定率法

次の減価償却に関する決算整理仕訳を示しなさい。

前期の期首に備品(取得原価100,000円、耐用年数５年、残存価額は取得原価の10％)を取得した。償却方法は定率法(償却率：0.369)、記帳方法は間接法によること。また、端数が生じる場合は円未満を四捨五入すること。

(借) 減 価 償 却 費　*23,284*[*07]　(貸) 備品減価償却累計額　*23,284*

*07)前期の減価償却費：100,000円×0.369＝36,900円
当期の減価償却費：(100,000円－36,900円)×0.369＝23,283.9→23,284円

(3)級数法

級数法とは、有形固定資産の耐用期間中、**毎期一定の額を算術級数的に逓減**した減価償却費を計上する方法です。

定　義	毎期一定の額を算術級数的に逓減した金額を減価償却費として計算する方法。
特　徴	定率法の問題点である**急激な逓減を緩和**できる。
計算式	**減価償却費＝(取得原価－残存価額)×$\frac{当期の項数}{総項数^{※}}$** **※総項数＝$\frac{耐用年数×(耐用年数＋1)}{2}$**

設例 3-3　　減価償却費の計算・級数法

次の減価償却に関する決算整理仕訳を示しなさい。

前期の期首に備品(取得原価100,000円、耐用年数5年、残存価額は取得原価の10%)を取得した。償却方法は級数法、記帳方法は間接法によること。

解答

(借)		(貸)	
減価償却費	24,000*08)	備品減価償却累計額	24,000

解説

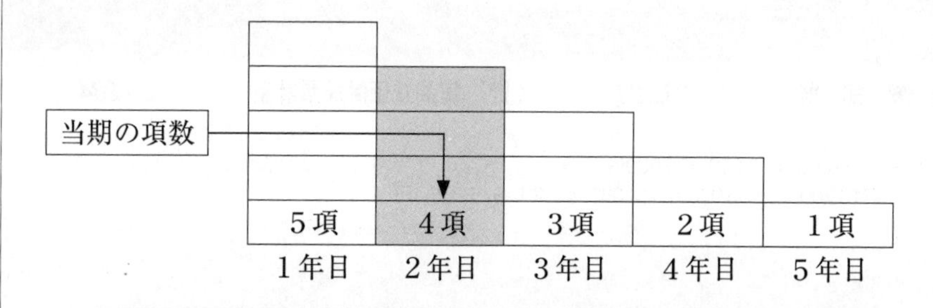

*08) 総項数：$\frac{5年×(5年＋1)}{2}$＝15項

当期の減価償却費：100,000円×0.9×$\frac{4項}{15項}$＝24,000円

(4)生産高比例法

生産高比例法とは、有形固定資産の耐用期間中、毎期の資産の**利用高に比例**した減価償却費を計上する方法です。

定　義	有形固定資産による生産または用役の提供の度合いに比例した減価償却費を計上する方法。
特　徴	①利用度を償却基準とする方法であるので、**費用収益対応の観点から優れている**。 ②固定資産の総利用可能量が物理的に確定でき、かつ減価が主として固定資産の利用に比例して発生する資産についてのみ適用することが認められる。これには、航空機、船舶、自動車などが該当する。
計算式	**減価償却費＝(取得原価－残存価額)×$\frac{\text{当期利用高}}{\text{総利用可能高}}$**

設例 3-4　減価償却費の計算・生産高比例法

次の減価償却に関する決算整理仕訳を示しなさい。

前期の期首に自動車(取得原価100,000円、耐用年数５年、走行可能距離100,000km、残存価額は取得原価の10%)を取得した。償却方法は生産高比例法、記帳方法は間接法によること。なお、走行距離は前期が5,000km、当期が10,000kmであった。

(借) 減価償却費	9,000*09)	(貸) 車両減価償却累計額	9,000

*09) 当期の減価償却費：100,000円×0.9×$\frac{10{,}000\text{km}}{100{,}000\text{km}}$=9,000円

3 法人税法改正による有形固定資産の減価償却における残存価額について　簿A　財計A

▶▶簿問題集：問題 4,5
▶▶財問題集：問題 13

有形固定資産の減価償却費算定に用いる残存価額は、取得原価の10%として計算する方法が一般的でしたが、平成19年度の法人税法改正により、平成19年(2007年)４月１日以降に取得する有形固定資産については、**残存価額をゼロ**として計算する方法に改正されました。税法上は、残存価額をゼロとする方法が**定額法・定率法**と呼ばれ、従来の(残存価額を取得原価の10%とする)旧定額法・旧定率法と分けられます*01)。

なお、平成23年度の法人税法の改正により、平成24年(2012年)４月１日以降に取得した有形固定資産の定率法の償却率に変更が生じました。

ただし、計算方法は変更ありません。

改正法人税法での減価償却費の計算方法は次のようになります。

(1)定額法

残存価額を０円*02)として計算します。

*01) これはあくまで税法上の話であり、会計上は従来どおり、残存価額を取得原価の10%として計算することができます。試験では、問題文の指示に従って計算してください。

*02) ただし税法上は、最終年度に簿価が１円となるように調整を行います。これについても、問題文の指示があればそれに従ってください。

設例 3-5　平成19年4月1日以降取得（定額法）

次の当期の減価償却に関する決算整理仕訳を示しなさい。

期首に備品(取得原価1,000,000円、耐用年数10年、残存価額なし)を取得した。償却方法は定額法(償却率0.100 *03))、記帳方法は間接法によること。

解答

（借）**減価償却費** *100,000* *04)　（貸）**備品減価償却累計額** *100,000*

*03) 法人税法上は、減価償却費の計算において耐用年数で割るのではなく、償却率を掛けて算定します。本問は償却率に端数が生じていないため、1,000,000円÷10年＝100,000円　と計算しても同じ結果となりますが、定額法償却率が問題で与えられている場合には、それを用いて計算してください。

*04) 1～9年目までの減価償却費：1,000,000円×0.100＝100,000円
10年目の減価償却費(備忘価額1円を残す場合)：100,000円－1円＝99,999円

(2)定率法(平成19年4月1日以降取得)

定率法の場合、**償却率は定額法の償却率の2.5倍**に設定された償却率を用いて計算します(これを「**250%償却法**」ともいいます)。ただし、期首の帳簿価額に償却率を掛けた金額が、取得原価に保証率を掛けた金額を下回る場合には、通常の償却率ではなく、はじめて下回った期の期首帳簿価額に改定償却率を掛けて減価償却費を計算します。

設例 3-6　平成19年4月1日以降取得（定率法）

次の減価償却に関する(1) 1年目および(2) 2年目の減価償却費の金額を計算しなさい。なお、当社は取得原価1,000,000円、耐用年数10年、償却率0.25、改定償却率0.334、保証率0.04448

定率法により償却を行っている。ただし、円未満の端数は切り捨てること。

解答

(1)　1年目：*250,000*円
(2)　2年目：*187,500*円

解説

＜各年度の減価償却費の計算＞

年数	1	2	3	4	5	6	7	8	9	10
①期首帳簿価額	1,000,000	750,000	562,500	421,875	316,407	237,306	177,980	133,485	88,902	44,319
①×償却率	250,000	187,500	140,625	105,468	79,101	59,326	44,495	33,371	－	－
取得原価×保証率	44,480	44,480	44,480	44,480	44,480	44,480	44,480	44,480	－	－
改定償却率による減価償却額								44,583	44,583	44,318
期末帳簿価額	750,000	562,500	421,875	316,407	237,306	177,980	133,485	88,902	44,319	1

▢の部分の金額が、毎期の減価償却費となります。

1年目～7年目については、期首帳簿価額に償却率(0.25)を掛けて計算します。

8年目では、期首帳簿価額×償却率の金額(33,371円)が取得原価×保証率の金額(44,480円)を下回っているため(▢の部分)、それ以降は8年目期首の帳簿価額に改定償却率を掛けた金額(133,485円×0.334≒44,583円)を毎期の償却額とします。

(3)定率法(平成24年4月1日以降取得)

償却率は定額法の償却率の2倍(「200%償却法」)に設定された率となります。償却率、保証率は変わりますが、計算方法は平成19年4月1日以降に取得したものと同様です。

設例 3-7 平成24年4月1日以降取得(定率法)

以下の備品について、1年目、4年目、6年目(備忘価額1円を残す)の減価償却費の仕訳を示しなさい。4年目の備品の期首における帳簿価額は29,675円である。円未満の端数が生じた場合には、切り捨てる。

当社は当期首に備品(取得原価100,000円)を取得した。

期末において、定率法により減価償却を行う。

耐用年数6年　償却率：0.333　改定償却率：0.334　保証率：0.09911

解答

1年目

(借) **減価償却費** *33,300* (貸) **備品減価償却累計額** *33,300*

4年目

(借) **減価償却費** *9,911* (貸) **備品減価償却累計額** *9,911*

6年目

(借) **減価償却費** *9,852* (貸) **備品減価償却累計額** *9,852*

解説

1年目

①通常の償却率で計算した場合：100,000円×0.333＝33,300円

②償却保証額：100,000円×0.09911＝9,911円

①>②　減価償却費：33,300円

4年目

①通常の償却率で計算した場合：29,675円×0.333＝9,881.775→9,881円

②償却保証額：100,000円×0.09911＝9,911円

①<②　改定償却率による減価償却費

29,675円×0.334＝9,911.45→9,911円

6年目

期首帳簿価額：29,675円－(9,911円＋9,911円)＝9,853円

(4年目の減価償却費　5年目の減価償却費)

減価償却費：9,853円－1円＝9,852円

	1年目	2年目	3年目	4年目	5年目	6年目
期首簿価	100,000円	66,700円	44,489円	29,675円	19,764円	9,853円
減価償却費	33,300円	22,211円	14,814円	9,911円	9,911円	9,852円
期末簿価	66,700円	44,489円	29,675円	19,764円	9,853円	1円

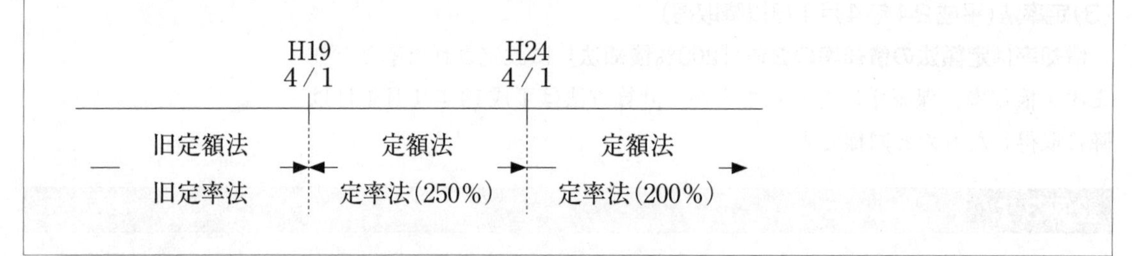

4 減価償却費および減価償却累計額の表示

簿B 財計A

▶▶財問題集：問題14

1. 減価償却費の表示

有形固定資産の当期の減価償却費は、損益計算書の**販売費及び一般管理費**に**『減価償却費』**として表示します。つまり、建物減価償却費、機械装置減価償却費など資産ごとに区別して表示はせずに、合計金額で**表示**します。

損 益 計 算 書

(単位：円)

(省 略)	
Ⅲ 販売費及び一般管理費	
減 価 償 却 費	×××

2. 減価償却累計額の表示

貸借対照表における減価償却累計額の表示方法は、建物や備品ごとの科目別に、減価償却累計額を間接控除する方式が原則となります。

また、容認処理として有形固定資産の減価償却累計額を一括して控除する方法(一括控除方式)や減価償却累計額を各資産から直接控除する方法(直接控除方式)も認められています。

なお、直接控除方式による場合、減価償却累計額を「貸借対照表等に関する注記」として注記[*01]する必要があります。

貸借対照表の表示を具体的に示すと次のとおりです。

*01) 科目別または一括して減価償却累計額の金額を注記します。

①科目別間接控除方式（原則）

建　　　物	10,000	
減価償却累計額	5,500	4,500
備　　　品	1,000	
減価償却累計額	600	400

②一括間接控除方式（容認）

建　　　物	10,000	
備　　　品	1,000	
減価償却累計額	6,100	4,900

③直接控除科目別注記方式（容認）

建　　　物（注）　4,500
備　　　品（注）　400

〈貸借対照表等に関する注記〉
有形固定資産から減価償却累計額がそれぞれ控除されている。
建　物　5,500円
備　品　600円

④直接控除一括注記方式（容認）

建　　　物（注）　4,500
備　　　品（注）　400

〈貸借対照表等に関する注記〉
有形固定資産から減価償却累計額6,100円が控除されている。

<注意点>

(1)　間接控除方式において、本試験では、２列に記述するのではなく、次のように１列で記述するものも出題されます。

①科目別間接控除方式

建　　　物	10,000
減価償却累計額	△ 5,500 *02)
備　　　品	1,000
減価償却累計額	△　600

②一括間接控除方式 *03)

建　　　物	10,000
備　　　品	1,000
:	:
減価償却累計額	△ 6,100

*02) 減価償却累計額には控除を意味する「△」を付す場合があります。「△」を付すかどうかは、問題文や答案用紙から判断します。

*03) この場合、通常は、償却性資産の最後（土地の前）に『減価償却累計額』が記載されます。

(2)　直接控除一括注記方式において、固定資産（投資その他の資産）にも減価償却累計額を表示している場合は、「投資その他の資産から減価償却累計額○○円が控除されている。」など、有形固定資産に対する減価償却累計額と分けて注記します。

設例 3-8　減価償却費と減価償却累計額の表示①

次の資料にもとづき、当期の貸借対照表と損益計算書を示しなさい。

【資　料】

当社が保有する備品(取得原価100,000円、耐用年数５年、残存価額は取得原価の10%)は、前期の期首に取得したものである。償却方法は定額法による。なお、減価償却累計額は科目別間接控除方式によること。

解答

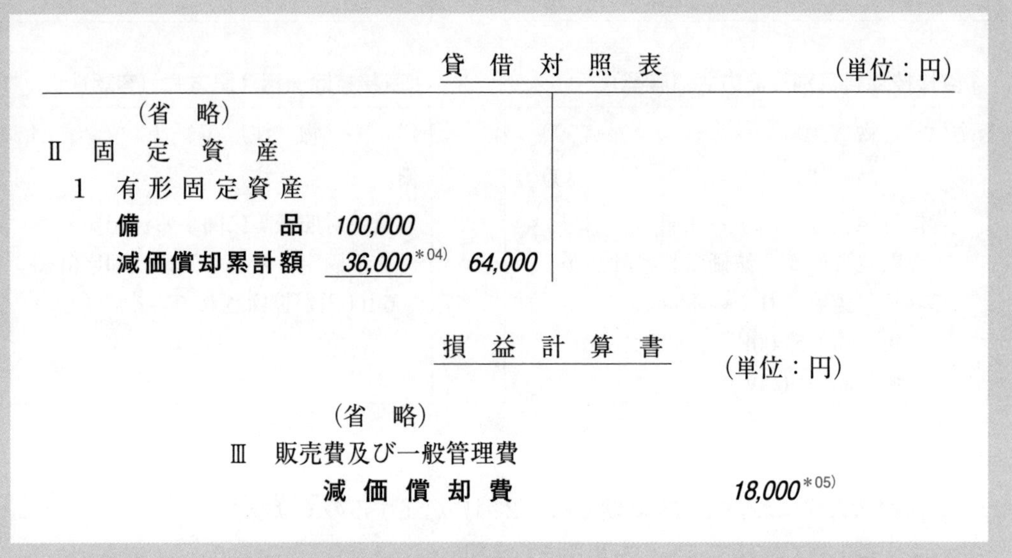

貸借対照表　(単位：円)

(省　略)

Ⅱ　固　定　資　産

　1　有形固定資産

備　　品	*100,000*		
減価償却累計額	*36,000* *04)	*64,000*	

損益計算書　(単位：円)

(省　略)

Ⅲ　販売費及び一般管理費

減 価 償 却 費	*18,000* *05)

*04) 減価償却累計額：18,000円×２年＝36,000円

*05) 減価償却費：$\frac{100,000円 \times 0.9}{5年}$＝18,000円

設例 3-9　減価償却費と減価償却累計額の表示②

次の資料にもとづき、当期の貸借対照表と損益計算書を示しなさい。

【資　料】

当社が保有する備品(取得原価100,000円、耐用年数5年、残存価額は取得原価の10%)は、前期の期首に取得したものである。償却方法は定額法による。なお、減価償却累計額は直接控除科目別注記方式によること。

貸　借　対　照　表　(単位：円)

(省　略)		
Ⅱ　固　定　資　産		
1　有形固定資産		
備　　品	*64,000*[*06)]	

(注) **備品から減価償却累計額が36,000円控除されている。**

損　益　計　算　書　(単位：円)

(省　略)	
Ⅲ　販売費及び一般管理費	
減　価　償　却　費	*18,000*[*07)]

*06) 備品：100,000円－(18,000円×２年)＝64,000円

*07) 減価償却費：$\frac{100,000円 \times 0.9}{5年}$＝18,000円

5 注記事項

有形固定資産の減価償却方法は、**重要な会計方針**として**注記**する必要があります。

【注記例】

＜重要な会計方針にかかる事項に関する注記＞

(省略)

3．固定資産の減価償却方法

建物・備品･･･定額法、機械装置･･･定率法

Section 4

会計上の見積りの変更、会計方針の変更

昨今のIT関連の進歩は、凄まじいものがあり、半年経てば時代遅れともいわれています。このような固定資産は、購入した当初の見込みどおりに使えるとは限りません。

また、今年度から会計方針である減価償却費の計算を定額法から定率法へ変更しました。これらに関する会計処理はどのように行うのでしょうか。

1 会計上の見積りの変更（耐用年数の短縮など）

▶▶簿問題集：問題22
▶▶財問題集：問題15

会計上の見積りとは、資産や費用等の額に不確実性がある場合において、財務諸表作成時に入手可能な情報にもとづいて、その合理的な金額を算出することをいいます*01)。

有形固定資産を使用していくにあたり、減価償却計画の設定時において予見することのできなかった新技術等の外的事情等により固定資産が機能的に著しく減価*02)することがあります。

このような状況で、有形固定資産の耐用年数の変更(会計上の見積りの変更*03))を行う場合はその変更期間に会計処理を行い、その変更が将来の期間にも影響する場合には将来にわたって会計処理をします。

減価償却費＝
（変更年度の期首簿価 － 残存価額）÷ 変更後の残存耐用年数
要償却額

*01) 有形固定資産を購入したときに、その耐用年数を見積もって減価償却費の計算を行います。

*02) たとえば、1日10個製造できる機械を所有していたが、新技術の発明により同じ商品が1日100個製造できる機械が開発された場合が該当します。この「機能」は「能率」と読み替えることができます。

*03) 当初から予見できていたにもかかわらず、それを採用しなかった場合は「誤謬」に該当し、異なる処理を行います。

設例 4-1　　耐用年数の変更

次の減価償却に関する決算整理仕訳を示しなさい。

備品(取得原価100,000円、耐用年数6年、残存価額は取得原価の10%)について、定額法により3年間償却したが、新技術の発明により機能的価値が著しく減少したため、当期首より残存耐用年数を3年から2年に変更する。この耐用年数の変更は、設定時の耐用年数が合理的な見積りにもとづくものであり、変更後も合理的な見積りにもとづいている。なお、記帳方法は間接法によること。

解答	(借) 減価償却費	22,500	(貸) 備品減価償却累計額	22,500

解説

前期末減価償却累計額：$100,000円 \times 0.9 \times \frac{3年}{6年} = 45,000円$

残存価額：$100,000円 \times 10\% = 10,000円$

当期の減価償却費：$(100,000円 - 45,000円 - 10,000円) \div 2年 = 22,500円$

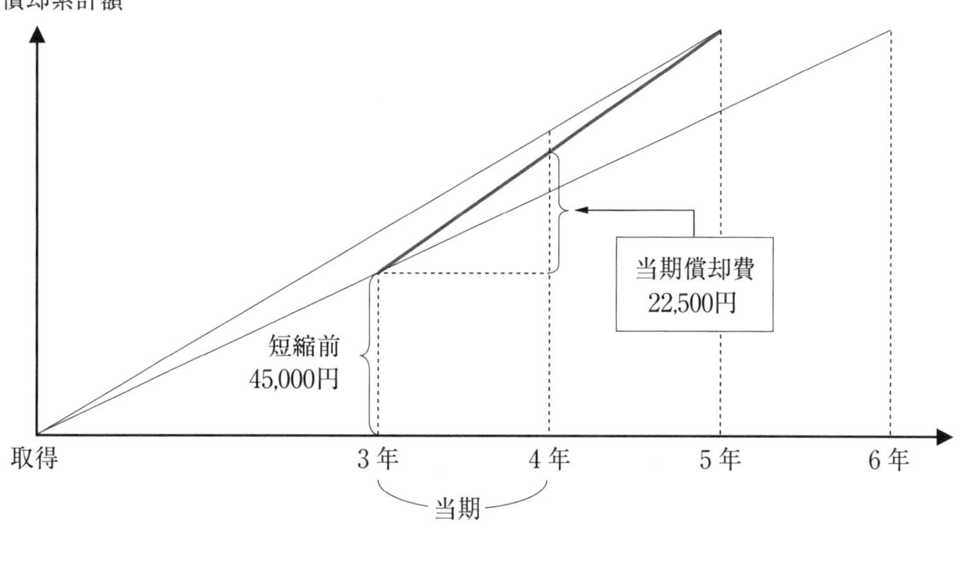

2 会計方針の変更（減価償却方法の変更）

▶▶簿問題集：問題 23,24
▶▶財問題集：問題 16

いったん採用した減価償却の方法は、継続性の原則の要請内容から、みだりに変更することはできません。しかし、正当な理由がある場合には、その処理の方法を変更することがあります。

なお、減価償却方法の変更は会計方針の変更に該当するため、本来ならば新たな会計方針を遡及適用しなければならないのですが、減価償却方法の変更は会計方針の変更と会計上の見積りの変更を区分することが困難な場合に該当するため*01)、会計上の見積りの変更と同様に取扱います。

*01) 減価償却方法の変更の場面において、固定資産に関する経済的便益の消費パターンに関する見積りの変更をともなうと考えられるためです。

(1)定額法から定率法への変更

定額法から定率法へ変更した場合、減価償却費は、**変更年度の期首時点での簿価に、残存耐用年数に対応する定率法償却率を掛けて**算定します。

> **減価償却費 ＝**
> **変更年度の期首簿価 × 残存耐用年数に対応する定率法償却率**

設例 4-2　　減価償却・定額法から定率法への変更

次の減価償却に関する決算整理仕訳を示しなさい。

前々期の期首に備品（取得原価120,000円、耐用年数８年、残存価額は取得原価の10％）を取得し、定額法により償却を行っていたが、当期首において、新たに情報が入手できたことから、当期より定率法（６年の償却率0.319）に変更することにした。なお、記帳方法は間接法によること。

（借）**減価償却費**	*29,667*	（貸）**備品減価償却累計額**	*29,667*

解説

変更年度の期首簿価（定額法）：120,000円 − 120,000円 × 0.9 × $\frac{2年}{8年}$ = 93,000円

当期の減価償却費：93,000円 × 0.319 = 29,667円

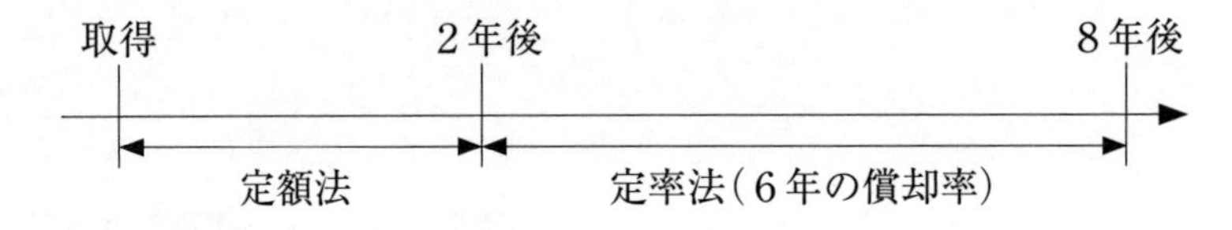

(2)定率法から定額法への変更

定率法から定額法へ変更した場合、減価償却費は、**変更年度の期首時点での要償却額を、残存耐用年数で割る**ことで算定します。

減価償却費 ＝
（変更年度の期首簿価 － 当初の残存価額）÷ 残存耐用年数
要償却額

設例 4-3 減価償却・定率法から定額法への変更

次の減価償却に関する決算整理仕訳を示しなさい。

前々期の期首に備品(取得原価120,000円、耐用年数８年、残存価額は取得原価の10%)を取得し、定率法(償却率0.250)により償却を行っていたが、当期首において、新たに情報が入手できたことから、当期より定額法に変更することにした。なお、記帳方法は間接法によること。

(借)	減価償却費	9,250	(貸)	備品減価償却累計額	9,250

解説

変更年度の期首簿価(定率法)：120,000円×(１－0.250)^2 = 67,500円

当期の減価償却費：(67,500円－120,000円×0.1)÷(８年－２年) = 9,250円
（要償却額）（残存耐用年数）

取得　２年後　８年後
定率法　定額法(６年で償却)

Section 5

売却・買換え・除却・滅失

これまでは、有形固定資産の出合いからお付き合いまで見てきました。出合いがあれば別れもあります。ここでは、有形固定資産とのお別れの場面を見ていきます。資金を得るために売却するときもあるし、お役御免になり除却されることもあります。このように、別れ方にはさまざまな状況があり、その時々で会計処理も変わってくるのです。

このSectionでは、売却・買換え・除却・滅失について学習します。

1 有形固定資産の売却

▶▶財問題集：問題17

有形固定資産を売却した場合、売却価額と売却時の帳簿価額とに差額が生じることがあります。この差額を『**固定資産売却益(または固定資産売却損)**』として処理します。

売却価額 − 売却時の帳簿価額 ┬→ **(＋)固定資産売却益**＊01)
└→ **(－)固定資産売却損**＊01)

なお、売却時の帳簿価額は次のように求めます。
売却時の帳簿価額 ＝
取得原価 －（期首減価償却累計額 ＋ 減価償却費＊02)**）**

＊01)具体的に、『建物売却益』、『土地売却損』などを用いることもあります。

＊02)期中に売却した場合、期首から売却時までの減価償却費(月割計算)を計上します。

設例 5-1 有形固定資産の売却時の処理

次の備品売却時の仕訳を示しなさい。

備品(取得原価1,000,000円、残存価額は取得原価の10%、耐用年数6年、減価償却累計額450,000円)を当期(3月末決算)の8月31日に500,000円で売却し、代金は現金で受け取った。償却方法は定額法、記帳方法は間接法によっている。

解答

(借)	備品減価償却累計額	450,000	(貸)	備　　品	1,000,000
	減価償却費	62,500＊03)		固定資産売却益	12,500＊04)
	現金預金	500,000			

＊03)減価償却費：$\frac{1{,}000{,}000円 \times 0.9}{6年} \times \frac{5カ月}{12カ月} = 62{,}500円$

＊04)売却損益：500,000円－{1,000,000円－(450,000円＋62,500円)}＝12,500円　または貸借差額(売却益)

2 有形固定資産の買換え

簿A 財計A
▶▶簿問題集：問題25
▶▶財問題集：問題18

買換えとは、所有している資産を下取りに出し、新たに同種の資産を購入することをいいます。これは、**売却取引と購入取引を同時に行ったもの**と考えます。

なお、下取りに出した有形固定資産について**(1)時価が明らかな場合**と、**(2)時価が不明な場合**があり、それぞれ売却損益の計算が異なります。

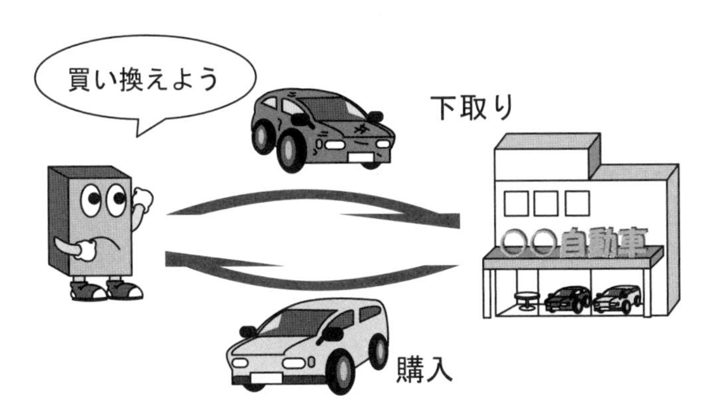

(1)時価が明らかな場合

下取りに出した固定資産の時価が明らかな場合は、**下取価格と時価との差額**は、新たに取得した固定資産に対する**値引き**として捉え、**新資産の取得原価から控除**します。

そして、下取りに出した固定資産の**時価と帳簿価額との差額**を『**固定資産売却益(または固定資産売却損)**』として処理します。

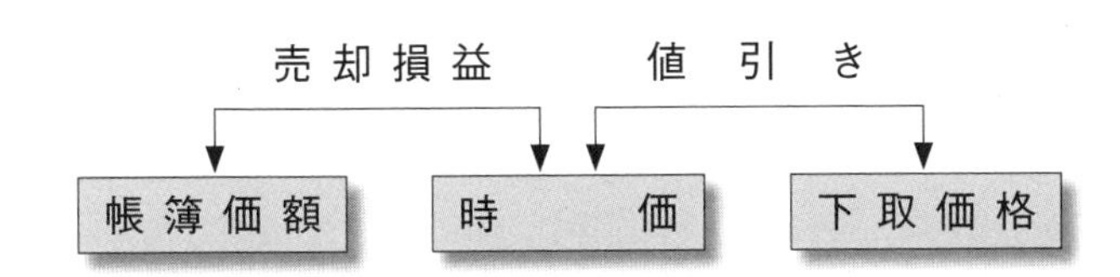

設例5-2　有形固定資産の買換え時の処理（時価が明らかな場合）

次の自動車買換え時の仕訳を示しなさい。

期首に自動車(取得原価800,000円、減価償却累計額550,000円、時価200,000円)を下取りに出し、新車1,000,000円を購入した。下取価格は350,000円であり、下取価格と新車代金の差額を現金で支払った。なお、下取価格と時価との差額は値引きと考え、取得原価から控除する。記帳方法は間接法によっている。

解答

(借)		(貸)	
車両減価償却累計額	550,000	車両	800,000
固定資産売却損	50,000 *01)	現金預金	650,000
車両	850,000 *02)		

*01)売却損益：200,000円－(800,000円－550,000円)＝△50,000円(売却損)

*02)新車両取得原価：1,000,000円－150,000円＝850,000円

値引額：350,000円－200,000円＝150,000円

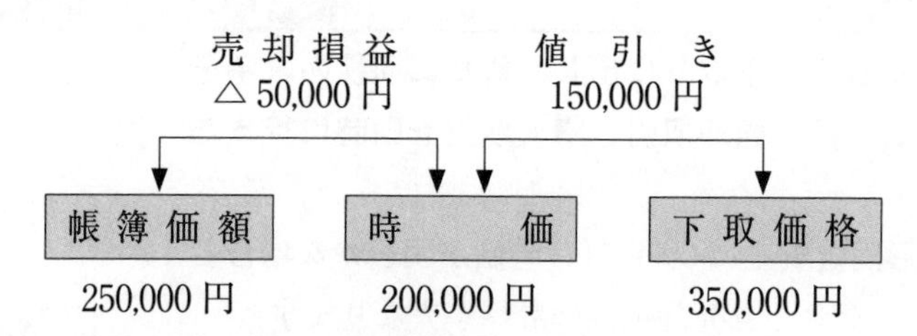

時価が明らかな場合の買換えの場合には、次のように旧車両をいったん時価で売却し、その売却代金で改めて新車両を購入したと考えます。

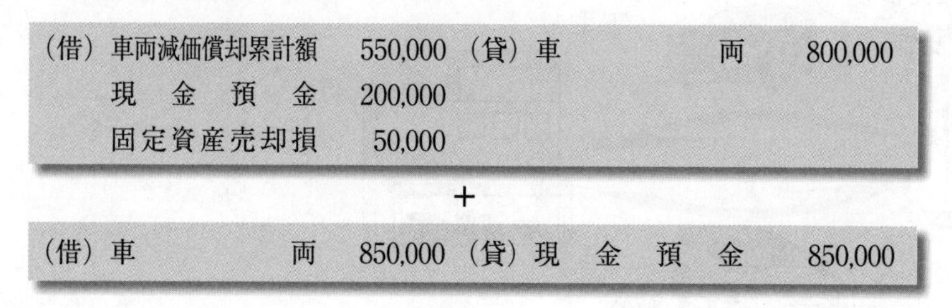

(借)	車両減価償却累計額	550,000	(貸) 車両	800,000
	現金預金	200,000		
	固定資産売却損	50,000		

＋

(借)	車両	850,000	(貸) 現金預金	850,000

(2)時価が不明な場合

下取りに出した固定資産の時価が不明な場合は、**下取価格と帳簿価額との差額**を『**固定資産売却益(または固定資産売却損)**』として処理します。

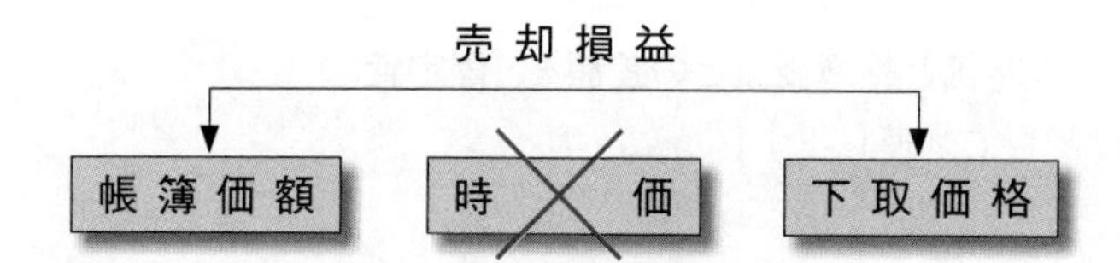

設例 5-3　有形固定資産の買換え時の処理（時価が不明な場合）

次の自動車買換え時の仕訳を示しなさい。

期首に自動車(取得原価800,000円、減価償却累計額550,000円)を下取りに出し、新車1,000,000円を購入した。下取価格は350,000円であり、下取価格と新車代金の差額を現金で支払った。記帳方法は間接法によっている。

(借)	**車両減価償却累計額**	*550,000*	(貸) **車両**	*800,000*
	車両	*1,000,000*	**現金預金**	*650,000*
			固定資産売却益	*100,000* *03)

＊03)売却損益：350,000円－(800,000円－550,000円)＝100,000円(売却益)

解説

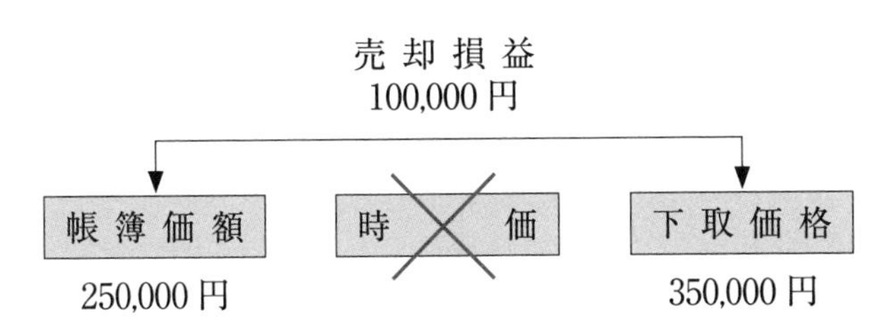

時価が不明な場合、次のように旧車両をいったん下取価格で売却し、その売却代金で改めて新車両を購入したと考えます。

(借)	車両減価償却累計額	550,000	(貸)	車　　両	800,000
	現　金　預　金	350,000		固定資産売却益	100,000

＋

(借)	車　　両	1,000,000	(貸)	現　金　預　金	1,000,000

3 有形固定資産の除却

簿A 財計A

▶▶簿問題集：問題26
▶▶財問題集：問題19

1．除却とは

除却とは、有形固定資産が事業から取り除かれることです。除却後は他の用途への転用や、スクラップとしての売却が考えられます。

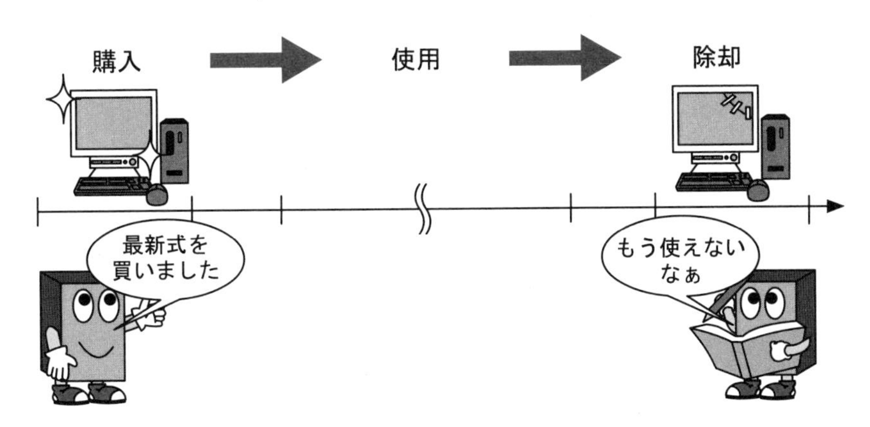

2．会計処理

(1) 除却時

有形固定資産を除却した時は、有形固定資産の見積売却価額を**『貯蔵品』**に振り替えるとともに、見積売却価額と帳簿価額[*01]との差額を**『固定資産除却益(または固定資産除却損)』**[*02]として処理します。

＊01）期中に除却した場合、期首から除却時までの減価償却費(月割計算)を計上します。

＊02）通常、除却にさいして利益が計上されることはありません。

見積売却価額 → 『貯蔵品』

見積売却価額 － 除却時の帳簿価額
- **→ (＋)『固定資産除却益』**
- **→ (－)『固定資産除却損』**

なお、除却時の帳簿価額は次のように求めます。

除却時の帳簿価額 ＝

取得原価 － (期首減価償却累計額 ＋ 減価償却費[*01])

設例 5-4　有形固定資産の除却時の処理

次の備品除却時の仕訳を示しなさい。

期首に備品(取得原価100,000円、減価償却累計額50,000円)を除却した。この備品の見積売却額は40,000円である。なお、記帳方法は間接法によっている。

解答

	借方科目	金額		貸方科目	金額
(借)	備品減価償却累計額	50,000	(貸)	備　　品	100,000
	貯　蔵　品	40,000			
	固定資産除却損	10,000[*03]			

＊03）除却損益：40,000円－(100,000円－50,000円)＝△10,000円(除却損)
（40,000円：見積売却価額、(100,000円－50,000円)：備品簿価）

(2) 除却資産の売却時

除却資産を売却した時は、売却価額と見積売却価額との差額を**『貯蔵品売却益(または貯蔵品売却損)』**として処理します。

売却価額 － 見積売却価額
- **→ (＋)『貯蔵品売却益』**
- **→ (－)『貯蔵品売却損』**

設例 5-5　除却資産の売却時の処理

次の除却資産を売却した時の仕訳を示しなさい。

除却資産(見積売却価額40,000円)を35,000円で売却し、代金は現金で受取った。

	借方科目	金額		貸方科目	金額
(借)	現　金　預　金	35,000	(貸)	貯　蔵　品	40,000
	貯蔵品売却損	5,000[*04]			

＊04）売却損益：35,000円－40,000円＝△5,000円(売却損)
（35,000円：売却価額、40,000円：見積売却価額）

4 臨時損失とは

簿B 財計B

▶▶簿問題集：問題 27,28
▶▶財問題集：問題 20

臨時損失とは、**災害・事故等の偶発的事情により、固定資産の物的な実体が減失した場合、その減失部分の金額だけ当該資産の簿価を切り下げること**をいいます。臨時損失は、物的な減失部分についての**評価損**であり、**減価償却とは異なります**ので、**臨時損益項目**として損益計算書の**特別損失**に表示します。

たとえば、火災、地震などの災害により、有形固定資産が減失した場合、減失した有形固定資産の帳簿価額を『**災害損失**[*01)]』として処理します。

なお、減失した有形固定資産に保険契約を結んでいるか、いないかで処理方法が異なります。

*01)火災時には『火災損失』、盗難時には『盗難損失』など具体的な科目名で特別損失に表示します。

1. 保険契約を結んでいるときの会計処理

災害により減失した有形固定資産に対して保険契約が結ばれていれば、保険金を受け取ることができます。

(1) 災害発生時

減失した有形固定資産の帳簿価額を貸方に記入して減少させ、借方は『**災害未決算**[*02)]』で処理します。なお、**減失した有形固定資産の帳簿価額が保険契約金額よりも高い場合**は、その差額を『**災害損失**[*03)]』として計上します。

*02)具体的な災害を示して『火災未決算』というように用います。なお、決算においても保険金が確定しなかった場合、災害未決算はB/S流動資産に表示します。

*03)具体的な科目として『火災損失』などを用います。

設例 5-6 　災害発生時の処理（保険契約を結んでいる場合）

次の災害発生時の仕訳を示しなさい。

当期首に火災により、機械（取得原価100,000円、減価償却累計額60,000円、間接法により記帳）が全焼した。なお、この機械には火災保険50,000円がかけられていたので、保険会社へ保険金の支払いを請求した。

解答

（借）	機械減価償却累計額	*60,000*	（貸）	機　　　　械	*100,000*
	火　災　未　決　算	*40,000*[*04)]			

*04)火災未決算：100,000円（取得原価）－60,000円（減価償却累計額）＝40,000円

なお、火災保険契約額が30,000円の場合は、次の仕訳になります。

（借）	機械減価償却累計額	*60,000*	（貸）	機　　　　械	*100,000*
	火　災　未　決　算	*30,000*			
	火　災　損　失	*10,000*			

(2) 保険金確定時

保険金が確定したとき、保険金確定額と災害未決算の額を比較し、次のように処理します。

a. 保険金確定額 ＞ 災害未決算
⇒ 差額を『保険差益』(特別利益)として処理
b. 保険金確定額 ＜ 災害未決算
⇒ 差額を『災害損失』(特別損失)として処理

設例 5-7　　保険金確定時の処理（保険契約を結んでいる場合）

次の保険金確定時の仕訳を示しなさい。

保険会社から保険金50,000円を支払う旨の通知を受けた。なお、災害発生時に火災未決算40,000円を計上している。

解答

(借)			(貸)		
	未収入金 *05)	50,000		火災未決算	40,000
				保険差益	10,000 *06)

*05) 営業取引ではないので売掛金にはなりません。

*06) 保険差益：50,000円（保険金確定額）－40,000円（火災未決算）＝10,000円

なお、火災保険金確定額が30,000円の場合は、以下の仕訳になります。

(借)			(貸)		
	未収入金	30,000		火災未決算	40,000
	火災損失	10,000			

2. 保険契約を結んでいないときの会計処理

火災・地震などの災害により、有形固定資産が滅失した場合、滅失した有形固定資産の帳簿価額を『**災害損失**』として処理します。

設例 5-8　　保険契約を結んでいない場合の処理

次の災害発生時の仕訳を示しなさい。

当期首に火災により、機械(取得原価100,000円、減価償却累計額60,000円、間接法により記帳)が全焼した。

解答

(借)			(貸)		
	機械減価償却累計額	60,000		機械	100,000
	火災損失	40,000			

5 固定資産売却損益、除却損益等の表示 財計B

固定資産の売却、除却、滅失にともない生じる損益等は、財務諸表上、次のように表示します。

取引	勘定科目	表示区分
売　却	固定資産売却益	P／L　特別利益
	固定資産売却損	P／L　特別損失
除　却	固定資産除却益	P／L　特別利益
	固定資産除却損	P／L　特別損失
	貯　蔵　品	B／S　流動資産
	貯蔵品売却益	P／L　特別利益
	貯蔵品売却損	P／L　特別損失
滅　失	災害損失	P／L　特別損失
	保険差益	P／L　特別利益
	災害未決算	B／S　流動資産

設例 5-9 売却にともなう損益等の表示

次の資料にもとづき、当期の損益計算書を示しなさい。

【資　料】

決算整理前残高試算表　(単位：円)

機　械	1,000,000	減価償却累計額	450,000

機械(取得原価1,000,000円、残存価額は取得原価の10%、耐用年数6年、期首減価償却累計額450,000円)を当期(3月決算)の8月31日に500,000円で売却し、代金は現金で受け取ったが未処理であった。償却方法は定額法によっている。

解答

損　益　計　算　書　(単位：円)

(省　略)

Ⅲ　販売費及び一般管理費

減価償却費　*62,500*[*01)]

⋮

Ⅵ　特　別　利　益

固定資産売却益　*12,500*[*02)]

解説

機械の売却に関する仕訳は次のとおりです。これをもとにP／Lを作成します。

(借)		(貸)	
減価償却累計額	450,000	機　械	1,000,000
減価償却費	62,500[*01)]	固定資産売却益	12,500[*02)]
現金預金	500,000		

＊01)減価償却費：$\frac{1,000,000円 \times 0.9}{6年} \times \frac{5カ月}{12カ月}$ ＝62,500円

＊02)固定資産売却益：500,000円－{1,000,000円－(450,000円＋62,500円)}＝12,500円　または貸借差額

Section 6

圧縮記帳

国や地方公共団体は、経済の活性化を図る目的で企業に「補助金」を支給することがあります。この「補助金」で企業は設備を購入するわけです。

ところがこの「補助金」は、利益として扱われるため、「税金」がかかります。せっかくもらった「補助金」に「税金」がかかるなんて意味がないように聞こえる話ですが、「圧縮記帳」をすることによって税金の支払いを先送りできるという効果があるんです。これはどういうことなのでしょう？

このSectionでは、圧縮記帳について学習します。

1 圧縮記帳とは

圧縮記帳とは、特定の有形固定資産について、その取得原価を一定額だけ減額(圧縮)し、**減額後の価額を貸借対照表価額とする処理方法**です。

圧縮記帳の対象となるのは、次の①から③の場合で、いずれも受け入れた金額を上限として取得原価を圧縮することができます。

① 国庫補助金*01)により有形固定資産を取得した場合
② 工事負担金*02)により有形固定資産を取得した場合
③ 保険金により有形固定資産を取得した場合

*01) 国庫補助金とは、国または地方公共団体が企業に交付する補助金です。

*02) 工事負担金とは、利用者が工事費の一部を負担するときに、企業に提供する金銭のことです。

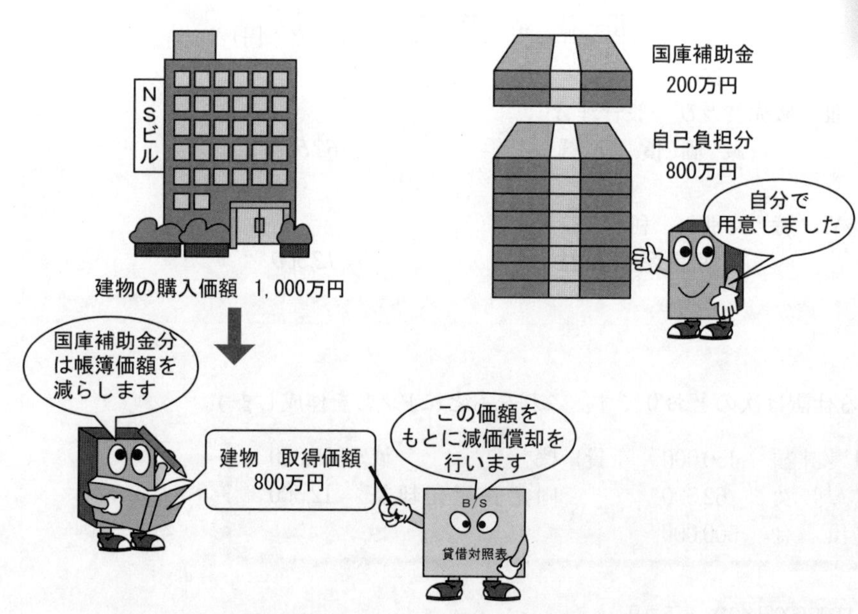

2 圧縮記帳の処理方法（直接減額方式）

簿B 財計C ▶▶簿問題集：問題29,30

圧縮記帳の処理方法には、**直接減額方式**と**積立金方式**[*01]の２つの方法があります。

直接減額方式では、圧縮相当額について『**固定資産圧縮損**[*02]』(**特別損失**)を計上するとともに、同額を固定資産から減額します。この特別損失の計上によって国庫補助金受贈益などの利益が打ち消されるので、一時的に法人税等の課税を逃れることができます[*03]。

*01) 教科書Ⅱ基礎完成編の税効果会計で学習します。

*02) 表示科目としては、『備品圧縮損』など、固定資産の名称を用いた『○○圧縮損』を用います。

*03) せっかく国から補助金をもらったのに、その補助金に対して税金が課せられたら企業の活動を支援する目的を果たせません。

(1) 国庫補助金受入時

受け入れた国庫補助金の額を『**国庫補助金受贈益**[*04]』(**特別利益**)として処理します。

*04)『受入国庫補助金』や『国庫補助金収入』を用いることもあります。

設例 6-1 国庫補助金受入時の処理

次の取引の仕訳を示しなさい。

期首に国庫補助金100,000円を現金で受け入れた。

(借)	現金預金	100,000	(貸)	国庫補助金受贈益	100,000

(2) 有形固定資産取得時

支出額を取得原価とします。通常の有形固定資産の取得と同じです。

設例 6-2 有形固定資産取得時の処理

設例6-1を前提として、次の取引の仕訳を示しなさい。

受け入れた国庫補助金(100,000円)に、自己資金400,000円を加えて備品500,000円を購入し、代金は現金で支払った。この備品は期首より営業用として使用している。

(借)	備品	500,000	(貸)	現金預金	500,000

(3) 圧縮記帳時

国庫補助金相当額の固定資産を減少させます。なお、固定資産を減少させる方法には、①**直接控除法**と②**間接控除法**の２つの方法があります。

①直接控除法

直接控除法は、借方に『固定資産圧縮損』を計上し、貸方は同額だけ**固定資産勘定の金額を直接減額**する方法です。

(借) 固定資産圧縮損	×××	(貸) 備　　　品	×××

②間接控除法

間接控除法は、借方に『固定資産圧縮損』を計上し、貸方は同額だけ『**固定資産圧縮額**』[*05]を計上する方法です。

(借) 固定資産圧縮損	×××	(貸) 固定資産圧縮額	×××

*05)有形固定資産の評価勘定です。B/S上、減価償却累計額と同様に有形固定資産の金額から控除します。勘定科目としては、『備品圧縮額』など固定資産の名称を用いた『○○圧縮額』を用います。

設例 6-3 圧縮記帳時の処理

設例6-2を前提として、次の取引の仕訳を、(1)直接控除法、(2)間接控除法のそれぞれの場合について示しなさい。

期首に取得した備品につき、国庫補助金相当額100,000円の圧縮記帳(直接減額方式)を行った。

解答

(1)	(借) **固定資産圧縮損**	*100,000*	(貸) **備　　　品**	*100,000*
(2)	(借) **固定資産圧縮損**	*100,000*	(貸) **備品圧縮額**	*100,000*

(4)決算時

原始取得原価から国庫補助金相当額を控除した金額(**圧縮後取得原価**)をもとに、減価償却を行います。

設例 6-4 決算時の処理

設例6-3を前提として、次の減価償却に関する決算整理仕訳を示しなさい。

決算につき、定額法(残存価額は圧縮後の取得原価の10%、耐用年数8年)により、当期首に取得した備品につき、減価償却を行う。なお、当社は1年決算であり、記帳方法は間接法による。

(借) **減価償却費**	*45,000*[*06]	(貸) **備品減価償却累計額**	*45,000*

解説

圧縮記帳をしなかった場合の減価償却費は56,250円[*07]になります。圧縮した場合、11,250円[*08]だけ減価償却費が少なくなっており、その分、利益が増えて課税されます。このようにして、国庫補助金に対する課税を固定資産の耐用年数に分散します。したがって、圧縮記帳は「課税を繰り延べる方法」といわれます。

*06)圧縮後取得原価：500,000円−100,000円＝400,000円

減価償却費：$\frac{400,000円 \times 0.9}{8年}$ ＝45,000円

*07) $\frac{500,000円 \times 0.9}{8年}$ ＝56,250円

*08) 56,250円−45,000円＝11,250円

3 圧縮記帳を行った場合の貸借対照表の表示 財計C

圧縮記帳を行った場合の(1)**直接控除法**と(2)**間接控除法**の貸借対照表における表示は、次のようになります。

(1)直接控除法

直接控除法を採用した場合には、圧縮額を注記により開示します。

備　　　品	400,000	
減価償却累計額	45,000	355,000

（注）備品から備品圧縮額100,000円が控除されている。

(2)間接控除法

備　　　品	500,000	
備 品 圧 縮 額	100,000	
減価償却累計額	45,000	355,000

設例 6-5　圧縮記帳の表示

次の資料にもとづき、当期の貸借対照表と損益計算書を示しなさい。

【資　料】

決算整理前残高試算表　(単位：円)

備　　　品	500,000	国庫補助金受贈益	100,000
固定資産圧縮損	100,000	備 品 圧 縮 額	100,000

決算につき、定額法(残存価額は圧縮後の取得原価の10%、耐用年数８年)により、当期首に取得した備品につき、減価償却を行う。この備品は、国庫補助金100,000円に、自己資金400,000円を加えて購入したもので、国庫補助金相当額100,000円の圧縮記帳(直接減額方式)を行っている。当社は１年決算であり、記帳方法は間接法による。また、圧縮記帳にかかる貸借対照表への表示は間接控除法によること。

解答

貸借対照表 (単位：円)

(省　略)			
Ⅱ 固定資産			
1 有形固定資産			
備品	*500,000*		
備品圧縮額	*100,000*		
減価償却累計額	*45,000* *01)	*355,000*	

損益計算書 (単位：円)

(省　略)	
Ⅲ 販売費及び一般管理費	
減価償却費	*45,000* *01)
Ⅵ 特別利益	
国庫補助金受贈益	*100,000*
Ⅶ 特別損失	
備品圧縮損	*100,000*

解説

減価償却は、圧縮後取得原価400,000円をもとに行う点に注意します。

(借) 減価償却費	45,000	(貸) 備品減価償却累計額	45,000

*01) $\frac{400,000円 \times 0.9}{8年} = 45,000円$

Section 7

資本的支出と収益的支出、修繕引当金

頑丈な建物も、長い間雨や風にさらされていると修理しなければならないところが出てきます。たとえば、屋根の雨漏りがあります。雨漏りの修理のついでに、一緒にやると「お得」と言われ、屋根にソーラーパネルもつけることにしました。

このSectionでは、資本的支出と収益的支出を中心に学習します。

1 資本的支出と収益的支出の処理

簿A 財計B

▶▶簿問題集：問題31
▶▶財問題集：問題21

1．資本的支出と収益的支出

有形固定資産の取得後に金銭を支出した場合、その支出が有形固定資産にもたらす効果により、これを(1)**資本的支出**と(2)**収益的支出**とに分けます。

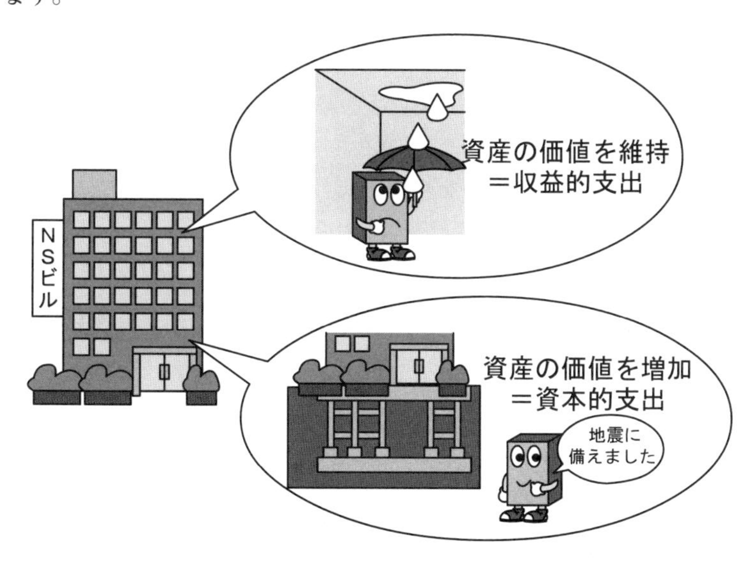

(1) 資本的支出

建物の増築や改築などのように、その支出により**資産の価値の増加または耐用年数の延長**をもたらす場合、その価値の増加部分または耐用年数の延長部分を資本的支出[*01]とし、**取得原価に算入**します。

(2) 収益的支出

機械の修理・補修などのように、その支出により**資産の現状維持または回復**をもたらす場合、これを収益的支出[*01]とし、当期の『**修繕費**』(販売費及び一般管理費)として処理します。

*01) 家の雨漏りを修理したら、その支出は修繕費。増築したらその支出は取得原価。こんなイメージです。

2．資本的支出と収益的支出の区別

資本的支出と収益的支出の区別が問題となるのは、事業に使用している資産に修繕・改良を行った場合です。この有形固定資産にかかる支出が、**資産価値を増加**させるものであれば資本的支出とし、**資産の価値を維持**させるものであれば収益的支出とし、区別します。

資本的支出は、償却性資産の簿価に組み入れ、当該資産の残存耐用年数にわたり、減価償却などによって費用化していきます。

また、収益的支出は支出年度の費用として即時に費用化されます。このように、どちらに区分するかにより、費用となる年度が異なります。

このため、両者の区分は、費用収益の対応により、適正な期間損益計算を行ううえで重要な意味があります。

	資本的支出	収益的支出
性　　質	資産の価値を増加 （例：機能アップ・耐用年数の延長＊02)）	資産の価値を維持 （例:機能維持のための修繕）
費用化のタイミング	将来にわたり費用化 （減価償却費などにより）	支出時に費用化

＊02)耐用年数の延長も機能のアップと同様に捉えます。

設例 7-1　資本的支出と収益的支出

次の取引の仕訳を示しなさい。

建物（取得原価100,000円）について定期修繕と改装を行い、代金50,000円を現金で支払った。なお、このうち30,000円については改良のための支出とみなされた。

解答

（借）	建　　物	30,000	（貸）現 金 預 金	50,000
	修　繕　費	20,000		

3．資本的支出と収益的支出の按分

修繕を行い耐用年数が延長した場合には、支出額のうち、**延長後の残存耐用年数に占める延長年数に対応する部分を資本的支出**とします。

$$資本的支出 = 支出額 \times \frac{延長年数}{延長後残存耐用年数}$$

4．資本的支出があった場合の減価償却

資本的支出があった場合、有形固定資産を既存分と資本的支出分に分けて減価償却費を計算します。

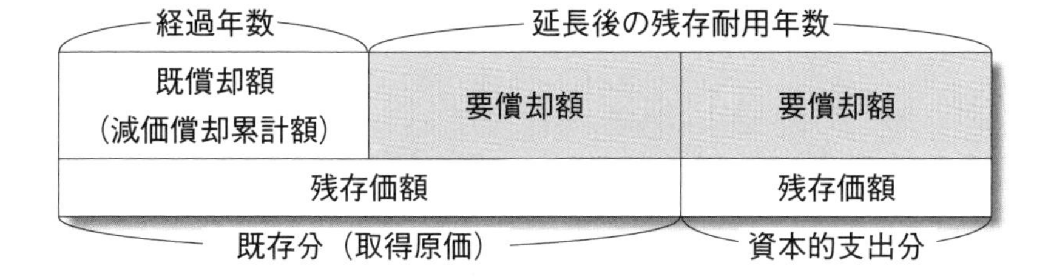

(1) 既存分

取得原価から残存価額と既償却額(減価償却累計額)を控除した残額(要償却額)を延長後の残存耐用年数で割って計算します。

(2) 資本的支出分

残存価額を控除した残額(要償却額)を延長後の残存耐用年数で割って計算します。

2 修繕引当金

修繕引当金とは、建物等の有形固定資産に修繕が必要となる事実が当期に発生したにもかかわらず、資金不足等の理由によって当期に修繕を行わなかった場合に、その**修繕費用の見積額に対し設定される引当金**です。

修繕引当金は、翌期以降に修繕が終了したときに全額取り崩します。引当差額は、引当不足の場合は『**修繕費**』、引当過多の場合は『**修繕引当金戻入**』として処理します。

設例 7-2 修繕引当金

次の一連の取引の仕訳を示しなさい。

(1) 決算にあたり、翌期に行われる機械の修繕に備えて、100,000円の修繕引当金を計上する。

(2) ① 翌期に機械の修繕が行われ、修繕費用120,000円を現金で支払った。

② 翌期に機械の修繕が行われ、修繕費用80,000円を現金で支払った。

解答

(1)		(借)	修繕引当金繰入	100,000	(貸)	修繕引当金	100,000
(2)	①	(借)	修繕引当金	100,000	(貸)	現金預金	120,000
			修繕費	20,000＊01)			
	②	(借)	修繕引当金	100,000	(貸)	現金預金	80,000
						修繕引当金戻入	20,000＊01)

＊01）貸借差額

Section 8

賃貸等不動産

使っていない土地を駐車場にしたり、賃貸アパートを建てたりしてひと儲け。こんな話を耳にしたことはありませんか？

企業も使っていない土地や建物の有効活用の一方法として、賃貸を行うことがあります。

このSectionでは、企業が固定資産を本来の営業活動以外の目的で使用する場合の扱いについて学習します。

1 賃貸等不動産に関する表示

投資目的で保有する土地や建物等は「有形固定資産」に表示せず、投資不動産として「投資その他の資産」に表示します。またその場合、投資不動産にかかる減価償却費は営業外費用に計上されます。

内容	貸借対照表の表示区分	減価償却費の表示区分
投資の目的で保有する土地・建物等	『投資不動産』*01) として「投資その他の資産」に表示	営業外費用
将来営業に使用する目的をもつ遊休資産	有形固定資産の、土地や建物等に含めて表示	営業外費用
下請会社等に営業目的で貸与している資産	有形固定資産の、土地や建物等に含めて表示	販売費及び一般管理費 （製造原価に含める場合もあり）
不動産業者等が販売の目的を持って所有する土地・建物等	『販売用土地』、『販売用建物』として「流動資産」に表示	— （減価償却の対象とならない）

*01) 投資不動産の減価償却費以外の諸経費
…投資不動産維持費として営業外費用に表示する。
投資不動産の賃貸収入
…投資不動産賃貸料として営業外収益に表示する。

この Chapter での表示と注記

貸借対照表

（資産の部）		（負債の部）	
Ⅰ　流動資産		Ⅰ　流動負債	
貯蔵品	×××	修繕引当金	×××
災害未決算	×××	（純資産の部）	
Ⅱ　固定資産		⋮	
1　有形固定資産[*01]			
建物	×××		
構築物	×××		
機械装置	×××		
車両運搬具	×××		
工具器具備品	×××		
減耗性資産	×××		
土地	×××		
建設仮勘定	×××		
⋮			
3　投資その他の資産			
投資不動産	×××		

＊01）減価償却累計額は直接控除一括注記方式によっている。
（下記の【注記例】を参照）

損益計算書

⋮	
Ⅲ　販売費及び一般管理費	
減価償却費[*02]	×××
修繕費	×××
修繕引当金繰入	×××
⋮	
Ⅴ　営業外費用	
減価償却費[*03]	×××
Ⅵ　特別利益	
土地受贈益	×××
固定資産売却益[*04]	×××
固定資産除却益[*04]	×××
貯蔵品売却益[*04]	×××
保険差益	×××
国庫補助金受贈益	×××
Ⅶ　特別損失	
備品圧縮損	×××
災害損失	×××

＊02）有形固定資産にかかる減価償却費
＊03）投資不動産にかかる減価償却費
＊04）特別損失に計上される場合もある。

【注記例】（一部）
〈貸借対照表等に関する注記〉
・有形固定資産から減価償却累計額×××千円が控除されている。
・建物から建物圧縮額×××千円が控除されている。
〈重要な会計方針に関する注記〉
・固定資産の減価償却方法
　建物…定額法、その他の有形固定資産…定率法

Chapter 6

無形固定資産Ⅰ

皆さんの中には「ブランド品」に目がない方もいらっしゃるのでは…。「ブランド」で商売が成り立つのですから、「ブランド」も企業にとっての立派な資産といえますね。ところが自分で作り上げた「ブランド」は資産計上できないのです。なぜでしょう？

Chapter 6では、姿・形はないけれど資産価値の認められる無形固定資産について学習します。

Section 1

無形固定資産の会計処理

固定資産といえば、建物や土地、機械など目に見える資産がイメージしやすいですが、これらは「“有形”固定資産」です。しかし、経営活動を行っていくうえで、法律上の権利や経済的な価値など、目に見えない資産を所有することがあります。

このSectionでは、実際には目に見えず、形のない資産である「“無形”固定資産」について学習します。そのままですね。

1 無形固定資産とは

無形固定資産とは、有形固定資産のように具体的な物や財として存在しないものの、企業に対して長期にわたり特別の権利が与えられること等により、営業活動に貢献する性質をもつ資産をいいます。会計上、無形固定資産として計上されるものには、主に次のものがあります＊01)。

＊01) ほかにもありますが、試験対策としては、これだけ知っておけば十分です。

特許権	発明を保護するための排他的な権利
商標権	商標＊02)を利用できる排他的な権利
借地権	建物の所有を目的とする地上権および賃借権
権利金	不動産の賃借等にともない支出され、返還されないもの
公共施設負担金	自己が便益を受ける公共的施設(道路や堤防など)の設置または改良のために支出する費用＊03)
共同施設負担金	自己が便益を受ける共同的施設(会館や商店街のアーケードなど)の設置または改良のために支出する費用＊03)
のれん	企業を合併・買収等した場合に、その取得原価が被取得企業の純資産を超えた場合に計上されるもの＊04)
ソフトウェア	コンピュータ等を機能させるように指令を組み合わせて表現したプログラム等＊05)

＊02) ロゴやキャッチコピーをイメージしてください。

＊03) 法人税法等との関係から、無形固定資産または、投資その他の資産(科目は「長期前払費用」)として扱います。

＊04) 本ChapterのSection 2で詳しく学習します。

＊05) 本ChapterのSection 3で詳しく学習します。

2 会計処理（のれん・ソフトウェアを除く）

簿A 財計A
▶▶簿問題集：問題1
▶▶財問題集：問題5

無形固定資産の取引では、取得時および決算日の会計処理が問題となります。

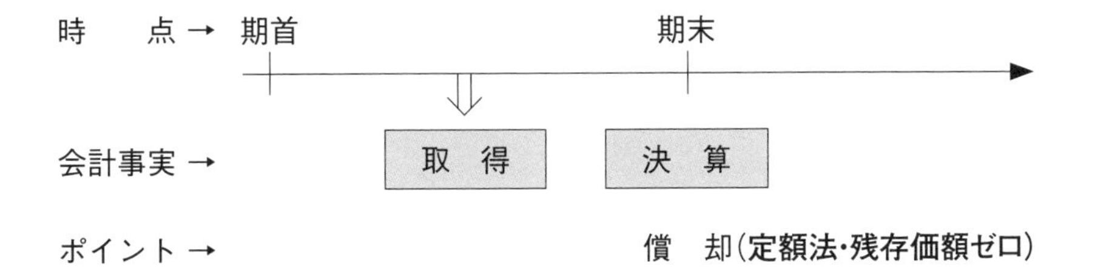

1．取得時の処理

無形固定資産を取得した場合は、その支出額をもって取得原価とします＊01)。

＊01)無償で取得した場合は「公正な評価額」を取得原価とします。

設例 1-1　無形固定資産の取得

次の取引の仕訳を示しなさい。
特許権を取得し、取得に要した費用10,000円を現金で支払った。

(借) 特　許　権	*10,000*	(貸) 現　金　預　金	*10,000*

2．決算時の処理(減価償却)

無形固定資産は、決算日において次の方法により減価償却を行います。

①償却方法：原則として**残存価額をゼロとした定額法**＊02)。
なお、償却額は『○○○償却』(例：『特許権償却』)の科目をもって、「販売費及び一般管理費」(製造にかかるものは「製造経費」)に計上する。
②記帳方法：**直接法**による。
③償却期間：法律が定めている有効期間(法定存続期間)を上限とする＊03)。

＊02)鉱業権は生産高比例法を用いるなど、定額法以外の方法を用いる場合もあります。

＊03)通常、償却期間は問題文で指示があります。

ただし、借地権については時の経過とともに価値が減少しないため、減価償却は行いません＊04)。

＊04)土地を減価償却しないのと同じです。

〈有形固定資産と無形固定資産の表示が相違する理由〉

有形固定資産は取替えや更新を前提としているため、取得原価や要取替額の蓄積である減価償却累計額を示すことが必要となりますが、無形固定資産は取替等を前提としていないため、取得原価や減価償却累計額を示す必要がないので、直接法により表示しています。

設例 1-2　無形固定資産の償却

次の資料にもとづき、決算日(×2年3月31日)において必要な仕訳を示しなさい。なお、当期は×1年4月1日を期首とする1年間である。

【資　料】

1　決算整理前残高試算表　(単位：円)

特許権	48,000	
商標権	36,000	
鉱業権	84,000	

2　決算整理事項

(1)　特許権は×1年4月1日に48,000円で取得したものであり、8年間で月割償却する。

(2)　商標権は×1年12月1日に36,000円で取得したものであり、10年間で月割償却する。

(3)　鉱業権は×1年12月1日に84,000円で取得したものであり、生産高比例法により償却する。この鉱区の推定埋蔵量は14,000トン、当期採掘量は2,100トンである。

解答

	借方科目	金額	貸方科目	金額
(1)	(借) 特許権償却	6,000 *05)	(貸) 特許権	6,000
(2)	(借) 商標権償却	1,200 *06)	(貸) 商標権	1,200
(3)	(借) 鉱業権償却	12,600 *07)	(貸) 鉱業権	12,600

解説　償却方法について特に指示がない場合は、基本的に「定額法」で行います。

*05) 特許権償却：$48{,}000円 \times \frac{12カ月}{12カ月 \times 8年} = 6{,}000円$

*06) 商標権償却：$36{,}000円 \times \frac{4カ月}{12カ月 \times 10年} = 1{,}200円$

*07) 鉱業権償却：$84{,}000円 \times \frac{2{,}100トン}{14{,}000トン} = 12{,}600円$

3　不動産取引にともなう権利金

1．不動産取引にともなう権利金

わが国では、土地や建物などの不動産を賃借する契約を締結するさいに、権利金を支払う慣行があります。このような権利金は、その内容に応じて『借地権』、『敷金』、『権利金』として処理されます。

2．決算時の処理(減価償却)

『権利金』については、他の無形固定資産と同様に、残存価額をゼロとした定額法により月割償却します*01)。

なお、『借地権』と『敷金』については時の経過とともに価値が減少しないため、特別な指示がない限り、減価償却は行いません。

*01) 償却費(○○償却)は基本的に「販売費及び一般管理費」に計上します。

内　　容		B/S科目	表示箇所	償却方法
建物の所有を目的とする土地の賃借にかかるもの		借　地　権	無形固定資産	償却不要
上記以外	返還されるもの＊02)	敷　　金	投資その他の資産または流動資産＊03)	
	返還されないもの	権　利　金	無形固定資産	残存価額をゼロとした定額法による月割償却

＊02)建物を賃借するさいに支払うもので、契約満了時に原状回復費用を差し引いた金額が返還されます。

＊03)一年基準により判定します。

設例 1-3　不動産取引にともなう権利金

次の資料にもとづき、決算日(×6年3月31日)において必要な仕訳を示しなさい。なお、当期は×5年4月1日を期首とする1年間である。

【資　料】

決算整理事項等

(1)　当期の8月1日に、借地権30,000円を現金で取得していたが、未処理であった。

(2)　当期の7月1日に、新たな営業所建物の賃借にともなう権利金22,000円を現金で支払っていたが、未処理であった。なお、そのうち10,000円は契約満了時(3年後)に返還されるものであり、残額については返還されない。また、権利金の当期償却額は2,000円とすること。

解答

		借方科目	金額		貸方科目	金額
(1)	(借)	借　地　権＊04)	30,000	(貸)	現金預金	30,000
(2)	(借)	権　利　金	12,000	(貸)	現金預金	22,000
		敷　　金＊04)	10,000			
	(借)	権利金償却	2,000	(貸)	権　利　金	2,000

＊04)非償却性資産である『借地権』と『敷金』については、減価償却を行いません(問題文に償却する旨の指示がある場合は除きます)。

解説　上記の結果にもとづいて貸借対照表を示すと次のとおりです。

貸　借　対　照　表　　　(単位：円)

(省　略)		
Ⅱ 固 定 資 産		
2 無形固定資産		
借　地　権	30,000	
権　利　金	10,000	
3 投資その他の資産		
敷　　金	10,000	

4 無形固定資産の賃借

無形固定資産の中には、賃借されるものがあります。このような場合に支払った使用料は、『○○使用料』(例：『特許権使用料*01)』)という科目を用いて処理し、商品の販売にかかわるものは「販売費及び一般管理費」に、製品の製造にかかわるものは、製造原価報告書の製造経費に計上します。

なお、翌期以後の使用料もまとめて支払っている場合、翌期以後に費用とすべき部分については『前払費用』として処理をします。

*01)『特許権』は、当社が特許権を取得したさいに支払った金額(申請に要した費用など)を計上します。他社の持つ特許権を使用する場合に、この処理を行います。

設例 1-4 無形固定資産の賃借

次の取引の仕訳を示しなさい。
当期首にＮＳ社に対し１年分の特許権使用料5,000円を現金で支払った。

解答

(借) 特許権使用料	*5,000*	(貸) 現金預金	*5,000*

5 表示区分のまとめ

このSectionで学んだ無形固定資産等の表示区分についてのまとめです。

B／S科目	B／S表示箇所	償却方法	P／L科目	P／L表示箇所
特許権	無形固定資産	定額法	特許権償却	販売費及び一般管理費(または製造経費)
商標権			商標権償却	
権利金			権利金償却	
借地権		償却不要	—	—
敷金	投資その他の資産または流動資産		—	—

※償却が必要なものは、残存価額をゼロとして減価償却を行います。

6 注記事項

無形固定資産の償却期間および償却方法については、重要な会計方針に係る事項として注記が必要です*01)。

*01)会社計算規則における重要な会計方針の「固定資産の減価償却の方法」が該当します。

【注記例】

〈重要な会計方針に係る事項に関する注記〉
・特許権は法定存続期間(８年間)にもとづく定額法により償却している。
・商標権は法定存続期間(10年間)にもとづく定額法により償却している。
・権利金は契約期間(５年間)にもとづく定額法により償却している。

Section 2 のれん

会計の世界では、等価交換を前提としています。たとえば、原価80円のものが100円で売れるのは、「そのモノに100円の価値があるからだ」と考えるのです。これと同様に、買収などにより純資産80億円の会社を100億円で取得したときも、「その会社は純資産以上によく儲かる会社で、100億円の価値があったから」と考えます。

そして、この差額の20億円が「のれん」といわれ、超過収益力（同業他社よりも儲ける力）を資産化したものなのです。

1 のれんとは

のれんとは、**企業結合においての取得原価が、受け入れた資産および引き受けた負債に配分された純額を上回る場合の、その超過額**[*01)]をいいます。

*01)「取得原価＞被取得企業の純資産額」となる場合の差額です。
なお、「取得原価＜被取得企業の純資産額」となる場合の差額である負ののれんは教科書Ⅲ応用編の企業結合で学習します。

〈のれんの取得原価〉

たとえば、以下のA社を現金600千円で買収し、取得[*02)]した場合を考えます。なお、A社の資産を時価評価したところ1,200千円であったものとします。

A社のB／S

諸資産(簿価) 1,000千円 ↓	諸負債(簿価＝時価) 700千円
諸資産(時価) 1,200千円	純資産(簿価) 300千円

この場合、次の仕訳が行われます。

(借)諸資産	1,200	(貸)諸負債	700
のれん	100	現金預金	600

被取得企業であるA社の取得原価(現金支出額)は600千円であり、受け入れた資産および引き受けた負債に配分された純額は500千円(資産時価1,200千円－負債時価700千円)です。この500千円を上回る100千円が『のれん』です。このように、被取得企業の超過収益力[*03)](ブランド力)などを見込んで、割高で取得した場合などに『のれん』が計上されるのです。

*02)取得とは、「ある企業が他の企業または企業を構成する事業に対する支配を獲得して、1つの報告単位となること」をいいます。
詳しくは、教科書Ⅲ応用編の企業結合で学習します。

*03)ある企業の平均収益力が同業他社よりも大きい場合をいっています。

<のれんの計算>

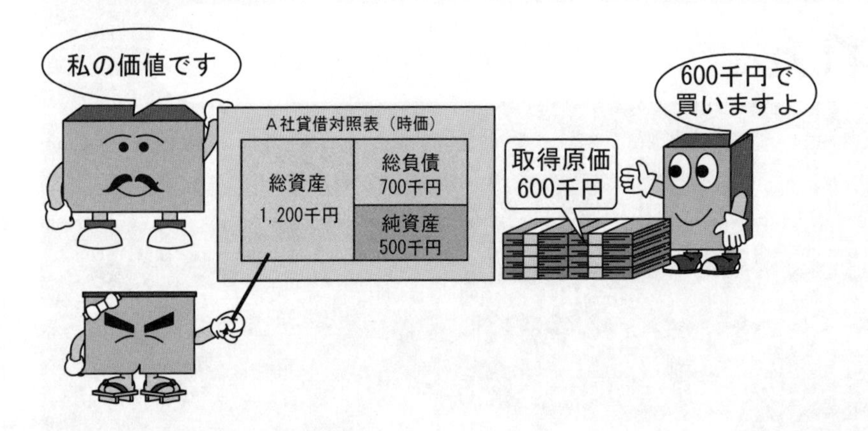

2 のれんの会計処理

簿A 財計A

▶▶簿問題集：問題2
▶▶財問題集：問題6

1．取得時の処理

他の企業の全部または一部を有償で取得した場合は、支払金額(取得原価)と受入純資産額との差額を『のれん』(無形固定資産)として計上します。

のれんの取得原価 ＝ 支払金額 － 受入純資産額

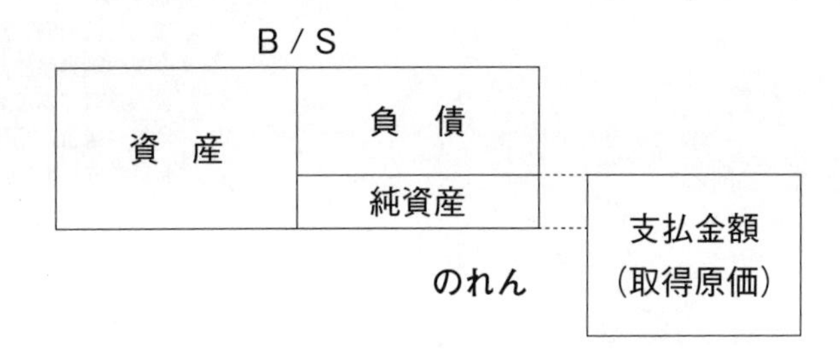

2．決算時の処理

のれんは、取得後**20年以内のその効果の及ぶ期間に定額法その他合理的な方法により規則的に償却**します[*01]。なお、記帳方法は他の無形固定資産と同様に直接法で処理し、償却額は『のれん償却額』(販売費及び一般管理費)として計上します。

＊01)通常、償却期間は問題文で指示があります。また、他の無形固定資産と同様に、償却方法について重要な会計方針の注記が必要となります。

設例 2-1　　のれんの償却

次の取引の仕訳を示しなさい。

決算にあたり、期首に取得したのれん200,000円について償却を行う。なお、償却期間は20年であり、定額法により期割償却する。

解答

(借) のれん償却額	10,000[*02]	(貸) の れ ん	10,000

＊02)当期償却額：200,000円÷20年＝10,000円

Section 3

ソフトウェアの会計処理

ネットスクールにも、表計算ソフトやワープロソフト、はたまた編集のための特殊なソフトがあり、これらを使って原稿をつくっています。これらのソフトウェアの導入には結構な金額がかかりますが、ふと思うと、インストールのもとになるＣＤやＤＶＤ自体にはたいした価値はありません。１枚100円くらいで売っています。

ということは、プログラム等にこそ価値があることになりますが、これらは目に見えないため有形の資産とは言いがたいです。…では、無形の資産になるのでしょうか？

1 ソフトウェアとは

1．ソフトウェアとは

ソフトウェア[*01]とは、コンピュータを機能させるように指令を組み合わせて表現したプログラム等をいいます。また、ソフトウェア制作等に対して支出したものをソフトウェア制作費といいます。

*01)要はパソコンソフトのことをいっています。

2．ソフトウェアに関する規定が設けられた背景

ソフトウェア（ソフトウェア制作費）の会計処理等については、「研究開発費等に係る会計基準」に規定されています。これは、コンピュータの発達により、企業活動の中でソフトウェアの果たす役割が大きくなり、取得のための支出も多額になってきたため、会計基準が必要とされたのです。

3．ソフトウェア制作費の分類

ソフトウェア制作費は、その制作目的によって次のように分類され、それぞれ会計処理も異なります。これは、**制作目的によって、将来の収益との対応関係が異なる**と考えられるからです。

(1)研究開発目的のソフトウェア…『研究開発費』として発生時に費用処理
(2)自社利用のソフトウェア… 一定の要件のもと無形固定資産として計上*02)
(3)市場販売目的のソフトウェア… 一定の要件のもと無形固定資産として計上*02)
(4)受注制作のソフトウェア… 工事契約の会計処理に準じた処理*03)

*02)『ソフトウェア』が勘定・表示科目となります。なお、本試験では『ソフトウエア』(エが大きい)とすることもありますが、本書では『ソフトウェア』で統一します(ただし、神経質になることはありません)。

*03)本Sectionでは扱いません。

なお、制作途中のソフトウェアで無形固定資産として計上できるものは『ソフトウェア仮勘定』などの仮勘定で処理します。また、機械装置等に組み込まれているソフトウェアについては、その機械装置等に含めて処理を行うため、無形固定資産としては計上しません。

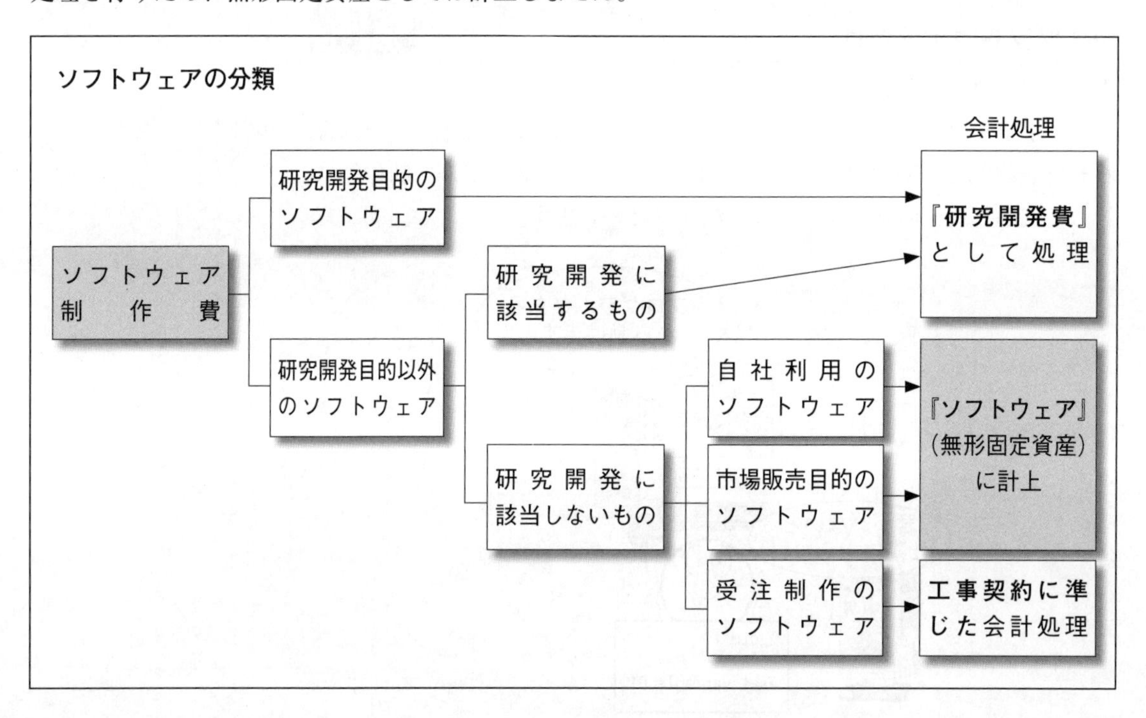

2 自社利用のソフトウェア

簿A 財計A

▶▶簿問題集：問題 3,4
▶▶財問題集：問題 7

1．取得時の処理

「研究開発費等に係る会計基準の設定に関する意見書」では、「将来の収益獲得又は費用削減が確実である自社利用のソフトウェアについては、**将来の収益との対応等の観点**から、その取得に要した費用を資産として計上し、その利用期間にわたり償却を行うべきと考えられる。」とあります。

したがって、市販されているソフトウェアを購入して使用する場合や、独自仕様の社内利用ソフトウェアを自社で制作する場合など自社でソフトウェアを利用する場合に、その取得により将来の収益獲得または費用削減が確実であると認められるものについては、無形固定資産として計上することになります*01)。

*01）収益獲得または費用削減が不確実なものについては、発生時に費用処理します。

なお、自社利用のソフトウェアを外部から購入した場合、ソフトウェア本体の購入金額のほかに、導入にかかる費用のうち購入したソフトウェアを使用可能な状態にするのに不可欠な費用*02)を『ソフトウェア』として無形固定資産に計上します。それ以外のものは、販売費及び一般管理費に費用計上します。

*02）有形固定資産における、「取得原価＝購入代価＋付随費用」と同じ考えです。

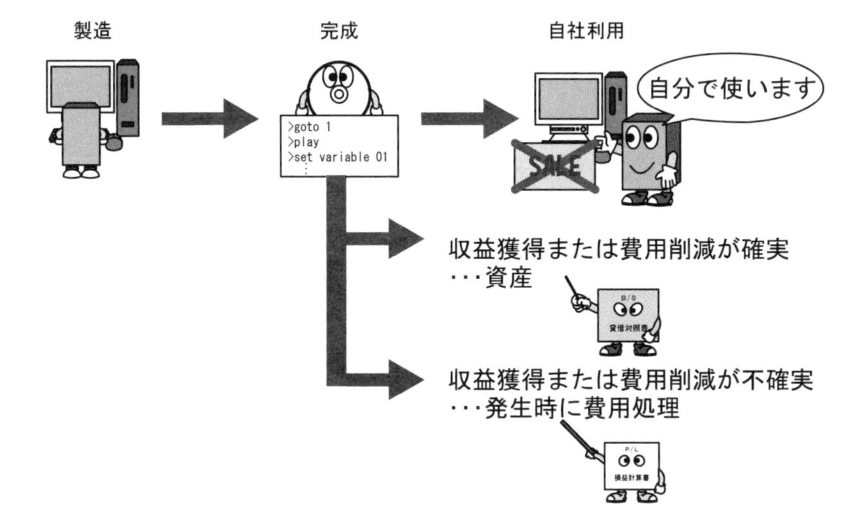

設例 3-1 　　自社利用ソフトウェアの取得

社内利用のソフトウェア(将来の費用削減が確実と認められる)を外部より購入した。導入にかかる費用の内訳は以下のとおりである。ソフトウェアとして無形固定資産に計上される金額を答えなさい。

購入金額	内　　容
45,000円	ソフトウェア本体の代金
5,000円	自社の仕様にあわせるための修正作業費用
2,000円	データのコンバート(移行)費用
1,500円	操作研修のための講師派遣費用
500円	自社の研修受講者のテキスト代

ソフトウェアの計上金額： *50,000*＊03) 円

＊03)「ソフトウェア本体の代金(購入代価)」と「自社の仕様にあわせるための修正作業費用(付随費用)」が無形固定資産として計上されます。データの移行費用や研修費用は、ソフトウェアの価値を高めることはなく、またそれらを行わなくとも(自社社員が使いこなせないだけであって)ソフトウェアは問題なく稼動すると考えます。

2．決算時の処理(減価償却)

無形固定資産として計上したソフトウェア(自社利用)は、原則として5年以内の残存価額をゼロとした定額法により償却します。なお、償却額は『ソフトウェア償却』の科目をもって、「販売費及び一般管理費」(製造にかかるものは「製造経費」)に計上します。

設例 3-2 　　自社利用ソフトウェアの償却

次の自社利用のソフトウェアに関する資料にもとづいて、当期末における減価償却についての仕訳を示しなさい。

【資　料】

1　取得原価：50,000円(当期首に取得し、当期は1年間である)

2　取得時における見込利用可能期間：5年間

3　償却方法：定額法(月割償却)

(借) **ソフトウェア償却** 　*10,000*＊04) 　(貸) **ソ フ ト ウ ェ ア** 　*10,000*

＊04)当期償却額：50,000円÷5年＝10,000円

3．耐用年数の変更時の処理

新たに入手可能となった情報にもとづいて耐用年数を変更した場合、過去に定めた耐用年数がその時点で合理的なものだった場合には、会計上の見積りの変更に該当します＊05)。たとえば、当期末に耐用年数を変更した場合、当期の償却額は変更前の残存耐用年数で計算し、翌期の償却額は変更後の残存耐用年数で計算します。

＊05)過去に定めた耐用年数がその時点で合理的な見積りでなく、これを合理的な見積りに変更する場合には、過去の誤謬の訂正になります。

当期末に耐用年数の変更を行った場合の計算式

$$当期の償却額 = 当期首未償却残高 \times \frac{当事業年度の期間}{当期首における変更前の残存耐用年数}$$

$$翌期の償却額 = 翌期首未償却残高 \times \frac{翌事業年度の期間}{翌期首における変更後の残存耐用年数}$$

設例 3-3 耐用年数の変更時の処理

次の資料にもとづき、ソフトウェアの減価償却に関する×１年度、×２年度、×３年度の決算整理仕訳を示しなさい。

1. ×１年度期首、自社利用のソフトウェア（取得原価300,000円、見込利用可能期間５年）を取得した。
   当社では、当該ソフトウェアを、無形固定資産として計上し、定額法により償却を行っている。
2. 当社は、×２年度末に当該ソフトウェアについての利用可能期間の見直しを行ったところ、残存利用可能期間が２年であることが判明した。

解答

×１年度
（借）**ソフトウェア償却** *60,000*　（貸）ソフトウェア *60,000*

×２年度
（借）**ソフトウェア償却** *60,000*　（貸）ソフトウェア *60,000*

×３年度
（借）**ソフトウェア償却** *90,000*　（貸）ソフトウェア *90,000*

解説

×１年度

$$300{,}000円 \times \frac{1年}{5年} = 60{,}000円$$

×２年度

×２年度の計算は、変更前の残存耐用年数の４年（５年－１年）で計算を行います。

$$(300{,}000円 - 60{,}000円) \times \frac{1年}{(5年 - 1年)} = 60{,}000円$$

×３年度

×３年度の計算は、未償却残高を変更後の利用可能期間（残存耐用年数）の２年で償却を行います。

$$(300{,}000円 - 120{,}000円^{*06)}) \times \frac{1年}{2年} = 90{,}000円$$

＊06）60,000円＋60,000円＝120,000円

4．廃棄時の処理

新しいソフトウェアの導入などにより、従来のソフトウェアを使用期間の途中であっても使用しなくなることがあります。この場合、以下の算式で求めた金額を『ソフトウェア廃棄損*07)』として計上します。

なお、特に指示がない限り、廃棄時における価値はゼロとして計算します。

*07)『ソフトウェア除却損』とする場合もあります。

ソフトウェア廃棄損 ＝ 期首未償却残高 － 当期償却額

設例 3-4 自社利用ソフトウェアの廃棄

次の自社利用のソフトウェアに関する資料にもとづき、廃棄時の仕訳を示しなさい。なお、当社の決算日は毎年3月31日の年1回である。

【資　料】

1　取得原価：50,000円(前期首に取得)
2　取得時における見込利用可能期間：５年間
3　償却方法：定額法(月割償却)
4　上記ソフトウェアを、当期の12月末日をもって使用を停止し、廃棄した。

解答

(借)			(貸)	
ソフトウェア償却	*7,500**09)		ソフトウェア	*40,000**08)
ソフトウェア廃棄損	*32,500**10)			

*08) ソフトウェア期首残高：$50{,}000円-50{,}000円\times\frac{12カ月}{60カ月}=40{,}000円$

*09) 当期償却額：$40{,}000円\times\frac{9カ月}{48カ月}=7{,}500円$

*10) ソフトウェア廃棄損：貸借差額(40,000円－7,500円＝32,500円)

このChapterでの表示と注記

＊無形固定資産は主なもののみ

貸借対照表

（資産の部）		（負債の部）
⋮		⋮
Ⅱ　固定資産		
⋮		（純資産の部）
2　無形固定資産		⋮
特許権	×××	
権利金	×××	
公共施設負担金	×××	
共同施設負担金	×××	
のれん	×××	
ソフトウェア	×××	
3　投資その他の資産		
敷金	×××	

損益計算書

⋮	
Ⅲ　販売費及び一般管理費	
特許権償却	×××
権利金償却	×××
公共施設負担金償却	×××
共同施設負担金償却	×××
のれん償却額	×××
研究開発費	×××
ソフトウェア償却	×××
⋮	
Ⅶ　特別損失	
ソフトウェア廃棄損	×××

【注記例】（一部）

〈重要な会計方針に係る事項に関する注記〉

・特許権は法定存続期間（８年間）に基づく定額法により償却している。
・権利金は契約期間（５年間）に基づく定額法により償却している。
・自社利用のソフトウェアは利用可能期間（５年間）に基づく定額法により償却している。

〈研究開発費の総額に関する注記〉

・一般管理費及び当期製造費用に研究開発費×××千円が含まれている。

Chapter 7
営業費

企業は、日々の業務活動において様々な費用を負担しています。たとえば従業員に支払う給料、賞与や文房具代など…。

このChapterでは、企業が負担する人件費や諸経費といった営業費の会計処理を学習します。

Section 1

営業費の概要

営業費と聞くと、企業の営業部が得意先を接待する費用…なんてイメージがあります。もちろん、それも営業費ですが、それ以外にも商品・製品を売り上げるためには様々な販売活動や経営管理活動が不可欠で、それらに必要な費用も営業費に含まれます。

このSectionでは、販売・経営管理に必要な営業費の概要について学習します。

1 営業費とは

簿B 財計B

▶▶財問題集：問題5

営業費とは、企業の主要な営業活動にかかる費用のうち、売上原価を除く部分をいい、財務諸表上は「**販売費及び一般管理費**」に該当します。

販売費とは、商品・製品の物流・在庫管理・販売促進等にかかる費用*01)のことをいい、**一般管理費**とは、生産管理部門*02)・経営支援部門等*03)にかかる費用または維持管理費のことをいいます。

実務上、これらは厳密に区別できない部分があるので、一括して「販売費及び一般管理費」(営業費)として処理します。

*01) 輸送費、倉庫費、広告宣伝費などが該当します。

*02) 材料や人員の調達から、原価や品質に至るまでの生産工程全般を管理する工場の要となる部門です。

*03) 経理や人事、総務などが該当します。

2 営業費の項目

営業費には、人件費(給料、賞与など)や諸経費(租税公課、通信費、消耗品費など)のほか、多くの項目があります*01)*02)。

*01) 問題によっては、諸項目を一括して『営業費』、『販売費』、『一般管理費』、あるいは『その他販売費及び一般管理費』などの勘定科目が与えられる場合があります。

*02) なお、特に財務諸表論では、販売費及び一般管理費の内訳を問われる場合もあります。どの項目が営業費(販売費及び一般管理費)に該当するか、主要項目だけでも覚えておきましょう。

営業費(販売費及び一般管理費)の項目例

「☆」マークの項目を、本Chapterで学習します。

項目	学習する所	項目	学習する所
給料	☆	研究開発費	無形固定資産
賞与	☆	消耗品費	☆
役員報酬	☆	減価償却費	有形固定資産
法定福利費	☆	特許権償却	無形固定資産
貸倒損失	金銭債権	貸倒引当金繰入	金銭債権
租税公課	法人税等・租税公課	賞与引当金繰入	☆
見本品費	棚卸資産	役員賞与引当金繰入	☆
通信費	☆	役員退職慰労引当金繰入	☆
修繕費	有形固定資産	退職給付費用	退職給付会計

上記のほか、旅費交通費や広告宣伝費などがありますが、難易度や本試験での重要度から、本書では特に取り上げません。

Section 2

人件費

従業員と役員では仕事内容が違うので、当然に給料の額も違います。ところで、従業員の給料と役員の給料とでは会計処理でも違うところがあるのでしょうか？

このSectionでは、給料などの人件費の会計処理について学習します。

1 人件費とは

人件費とは、毎月定期的に支払われる給料や賃金、一般にボーナスといわれる賞与およびその他諸手当(通勤手当、住宅手当等)、退職金のことをいい*01)、会計上は従業員に対するものと、役員*02)に対するものに分けて処理を行います。

*01) これらを総称して、給付といいます。

*02) 取締役や監査役のことをいいます。

給料や賞与など、人件費(給付)は様々な形で発生しますが、会計上はいずれも**費用として計上**します。

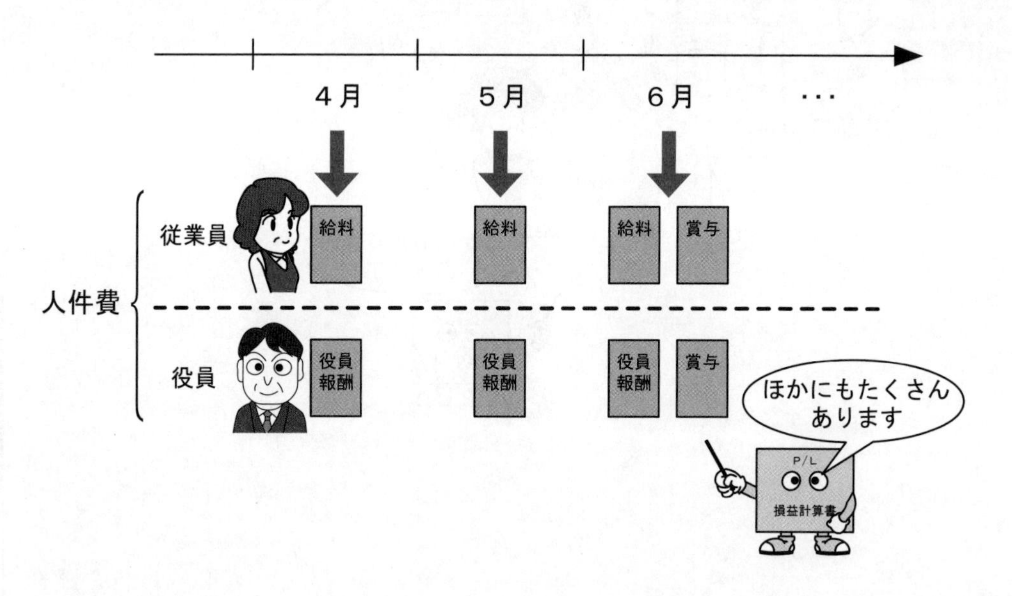

▶▶簿問題集：問題1

2 従業員の人件費

1．従業員の給料

企業は、従業員の給料*01)を支払うとき、給料総額から所得税や社会保険料*02)の従業員負担額などを**源泉徴収***03)し、残額を従業員に対して支払います。源泉徴収額は、従業員が支払うべき税金等を企業が預かっているだけなので、『**預り金**』として計上しておきます。

なお、源泉徴収額を後日納付するさいに、社会保険料については制度上、従業員と企業が折半して負担するので*04)、従業員負担額である『**預り金**』と、企業負担額である『**法定福利費**』とを、合わせて納付することになります。

*01) 賞与や役員報酬なども源泉徴収の対象となりますが、税理士試験では対象外として扱うことが通常です。したがって源泉徴収は給料についてだけ注意すれば十分です。

*02) 社会保険とは、医療保険、年金保険、労災保険、雇用保険、介護保険です。

*03) 本来従業員が納付すべき所得税等を企業が預かり、従業員に代わって国等に納付する制度をいいます。

*04) 負担割合は基本的に$\frac{1}{2}$ずつです。
（労災保険だけは例外で全額会社負担で、従業員負担はありません）
期末未納付分は『未払費用』を計上します。

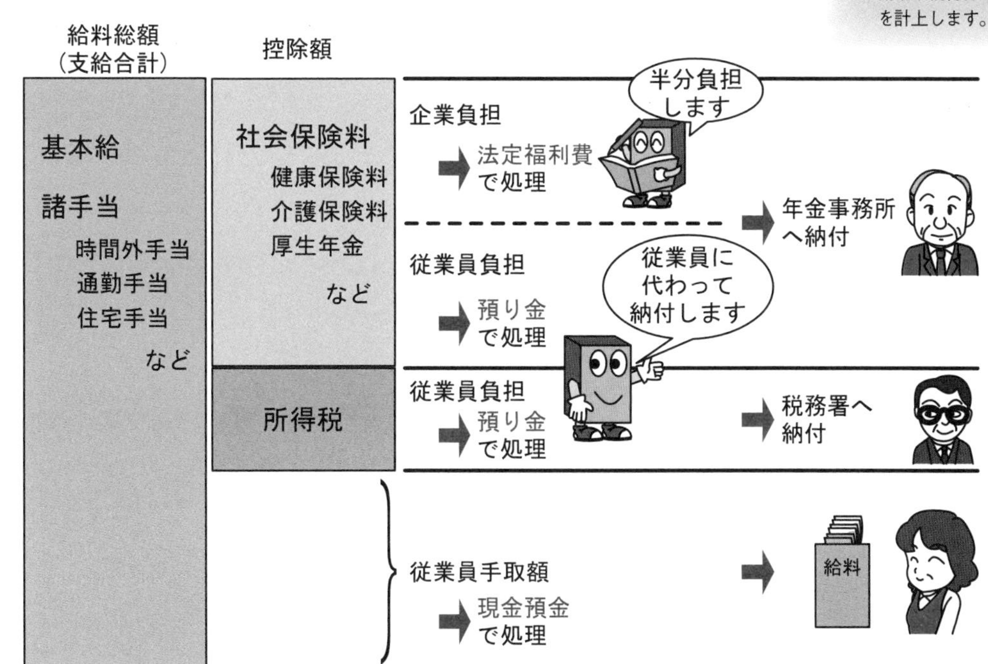

設例 2-1　　従業員給料支払時

次の取引の仕訳を示しなさい。

従業員に給料手取額として、315,000円を現金で支払った。なお、所得税として15,000円、社会保険料の従業員負担額として20,000円が源泉徴収されている。

(借)			(貸)	
給　　料[*05]	*350,000*		現　金　預　金	*315,000*
			預　り　金	*35,000*

＊05）従業員の『給料』については様々な勘定科目（給料、給与、給料手当など）が考えられます。問題文の指示に従ってください。『賞与』も同様（賞与、賞与手当など）です。

設例 2-2　　所得税および社会保険料納付時

次の取引の仕訳を示しなさい。

所得税および社会保険料を国に現金で納付した。内訳は**設例2-1**の預り金および社会保険料の企業負担分20,000円からなる。

解答

(借)			(貸)	
預　り　金	*35,000*		現　金　預　金	*55,000*
法定福利費	*20,000*			

2．従業員の賞与

賞与とは、一定期間の労働に対する報酬として支給されるもので、一般に、給与規程に支給時期や支給対象期間[*06]が決められています。

＊06）賞与の支払対象となる、労働を提供した期間（勤務期間）をいいます。

従業員に賞与を支給したときは『**賞与**』を計上し、給料と同様に費用処理します。ただし、従業員賞与の支給対象期間が当期と翌期にまたがっている場合は、予定される賞与支給総額のうち、当期に属する金額を『**賞与引当金**』として計上し、『**賞与引当金繰入**』を費用処理します。

なお、この『**賞与引当金**』は、翌期の賞与支払時に全額を取り崩します。

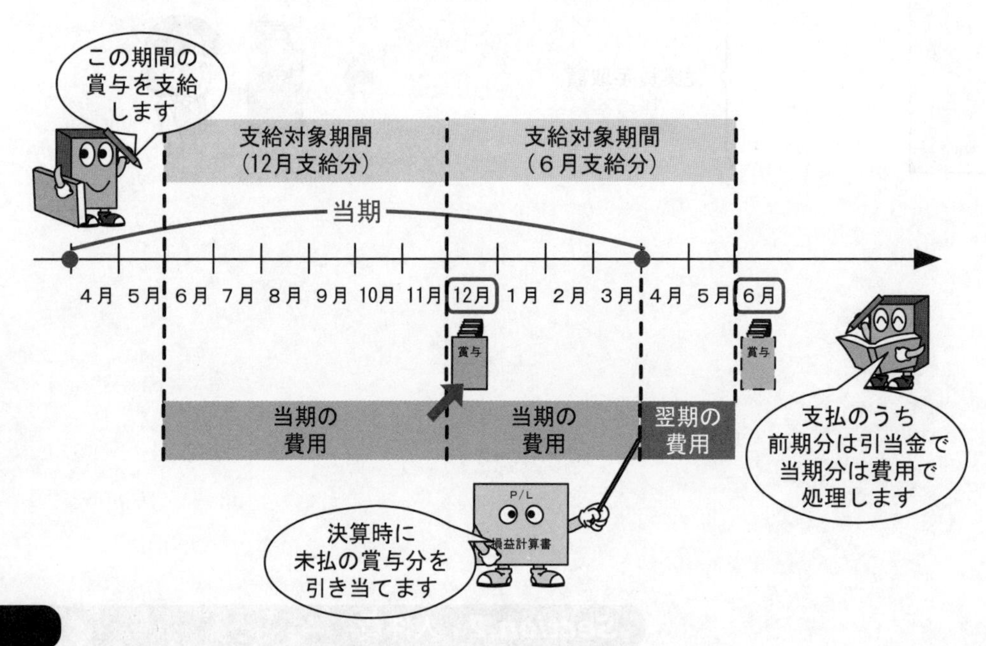

設例 2-3 賞与引当金

次の取引にもとづいて(1)当期決算時、(2)翌期６月賞与支給時、(3)翌期12月賞与支給時の仕訳を示しなさい。

当社の決算日は３月末日であり、翌期６月１日、12月１日に支給する従業員賞与は各15,000円の予定である。賞与の支給対象期間は、６月支給分は当期12月１日～翌期５月31日までの６カ月間、12月支給分は翌期６月１日～翌期11月30日までの６カ月間であり、当期負担額を引当金計上する。引当金の計算は月割りにより行い、賞与の支給は現金によっている。

解答

(1) 当期決算時【支給対象期間の**途中に決算がある場合**】

(借)	**賞与引当金繰入**	*10,000*	(貸) **賞与引当金**	*10,000*

(2) 翌期６月賞与支給時

(借)	**賞与引当金**	*10,000*	(貸) **現金預金**	*15,000*
	賞与	*5,000*		

(3) 翌期12月賞与支給時【支給対象期間の**途中に決算がない場合**】

(借)	**賞与**	*15,000*	(貸) **現金預金**	*15,000*

解説

従業員賞与の支給対象期間の途中に決算日がある場合は、決算日において当期負担額を『**賞与引当金**』として引当金計上します。

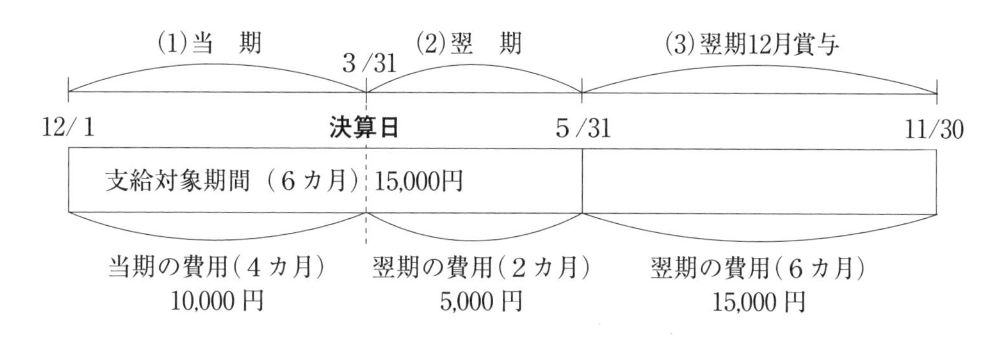

3 役員の人件費

簿C 財計B

▶▶簿問題集：問題2
▶▶財問題集：問題6

1．役員報酬*01)

役員報酬の支払手続・会計処理方法は、従業員の給料と同じです。

ただし、勘定科目は**『役員報酬』**を用いて、従業員についての**『給料』**とは区別します。

*01) 簿記で「給料」というと、通常は従業員に対して支払われるものを指します。役員に対して支払われるものは、「報酬」といいます。

設例 2-4 役員報酬

次の取引の仕訳を示しなさい。

役員に対して、報酬90,000円を現金で支払った。

解答

(借) 役員報酬	90,000	(貸) 現金預金	90,000

2．役員賞与

当期の職務にかかる役員賞与は、翌期の株主総会の決議等を経て支給されます*02)。そこで、期末時点では、その株主総会で決議事項とする額またはその見込額を、原則として**『役員賞与引当金』**として計上し、**『役員賞与引当金繰入』**を当期の費用として処理します。

*02) 役員が自分たちで決めた賞与をそのまま受け取るのでは、自分たちに都合のよい金額となるおそれがあるため、株主総会の承認を得る必要があります。

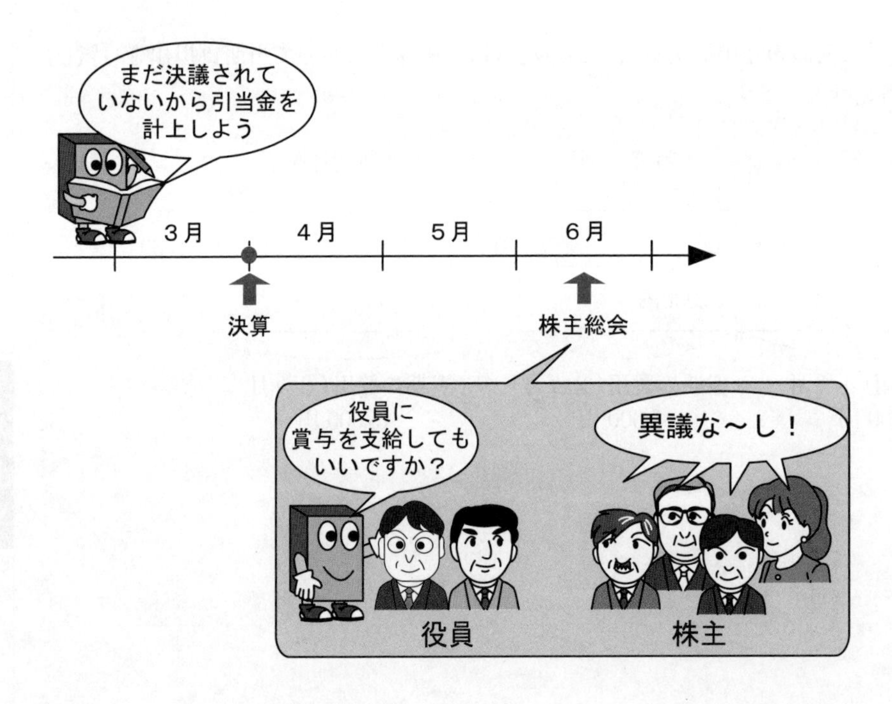

設例 2-5 役員賞与（決算時）

次の取引の決算日における仕訳を示しなさい。
翌期の株主総会に決議事項として提案する予定の役員賞与額は、150,000円である。

（借）	役員賞与引当金繰入	150,000	（貸）役員賞与引当金	150,000

設例 2-6 役員賞与（支払時）

次の取引の仕訳を示しなさい。
設例2-5について、翌期に開催された株主総会において、役員賞与に関する議案が可決されたため、150,000円の役員賞与を現金で支払った。

（借）	役員賞与引当金	150,000	（貸）現金預金	150,000

3．役員退職慰労金

役員退職慰労金とは、役員が退職するさいに支払われる慰労金*03)をいいます*04)。当期においてすでに発生していると認められる金額を、『**役員退職慰労引当金**』として計上し、『**役員退職慰労引当金繰入**』を当期の費用として処理します。

*03) 従業員における退職金に相当します。なお、従業員の退職金は教科書Ⅱ基礎完成編の退職給付会計を参照してください。

*04) 役員退職慰労金の制度を設けていない会社もあります。

設例 2-7 役員退職慰労金（決算時）

次の取引の仕訳を示しなさい。
決算にあたり、当期の役員退職慰労引当金として50,000円を繰り入れる。

（借）	役員退職慰労引当金繰入	50,000	（貸）役員退職慰労引当金	50,000

設例 2-8 役員退職慰労金（支払時）

次の取引の仕訳を示しなさい。
役員の退職にともない、役員退職慰労金500,000円（合計額）を現金により支払い、設定していた引当金500,000円を取り崩した。

（借）	役員退職慰労引当金	500,000	（貸）現金預金	500,000

Section 3

諸経費(消耗品費、通信費等)

文房具から電話代、交通費など様々なものが諸経費に該当します。郵便局で切手を買って手紙を出せば通信費という諸経費になりますが、たくさんの切手を買って当期に使い切らなかったらどうなるのでしょうか？

このSectionでは、諸経費のうち、計算上注意が必要な項目について学習します。

1 消耗品費と消耗品

消耗品購入額のうち、当期使用分は『**消耗品費**』として費用処理し、未使用分は『**消耗品**』として資産計上します[*01]。

消耗品の具体的な処理方法については、**(1)購入時に資産計上する方法**と**(2)購入時に費用計上する方法**の2通りの方法がありますが、いずれの方法で処理しても、最終的な計算結果は同じになります。

*01)決算にさいして処理します。

(1)購入時に資産計上する方法	(2)購入時に費用計上する方法
購入時に『**消耗品**』(資産)で処理し、決算時に当期使用分を『**消耗品費**』(費用)に振り替えます。	購入時に『**消耗品費**』(費用)で処理し、決算時に当期未使用分を『**消耗品**』(資産)に振り替えます。

設例 3-1 消耗品費

次の取引について、購入時と決算時の仕訳を示しなさい。なお、(1)購入時に資産計上する方法と、(2)購入時に費用計上する方法に分けて答えること。

当期に消耗品7,500円を現金で購入し、そのうち5,000円分を当期中に消費した。

解答

	(1)購入時に資産計上する方法	(2)購入時に費用計上する方法
購入時	(借)消 耗 品 *7,500* (貸)現金預金 *7,500*	(借)消耗品費 *7,500* (貸)現金預金 *7,500*
決算時	(借)消耗品費 *5,000* (貸)消 耗 品 *5,000*	(借)消 耗 品 *2,500* (貸)消耗品費 *2,500*

解説

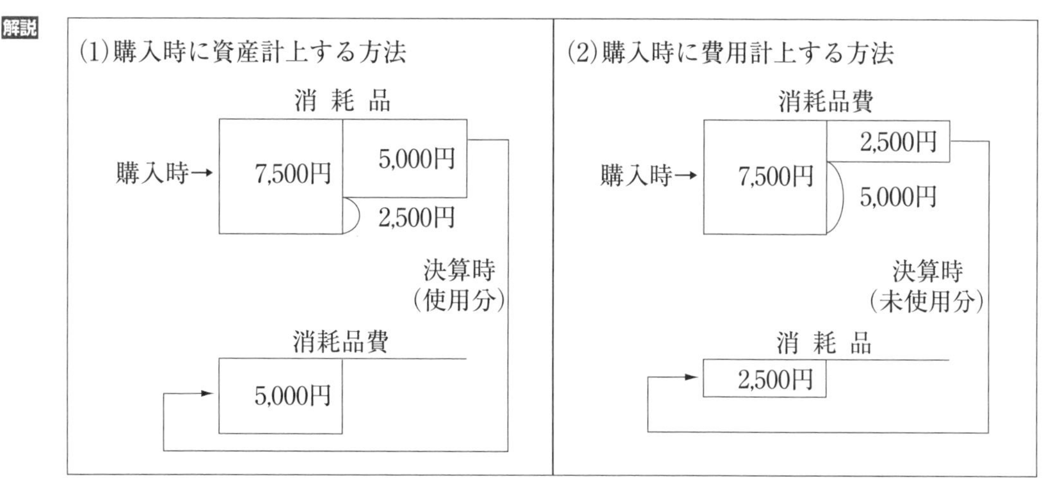

いずれにしても『**消耗品費**』(P/L) 5,000円、『**消耗品**』(B/S) 2,500円となることに変わりはありません。

2 通信費と貯蔵品

▶▶簿問題集：問題3,4
▶▶財問題集：問題7

郵便切手については、購入時にすべて『**通信費**』で処理しますが、期末に未使用分がある場合は『**貯蔵品**』に振り替えます。また、決算整理前残高試算表の貯蔵品に前期未使用分が含まれている場合は『**通信費**』に振り替えます[*01]。

*01)商品を購入した時点で『仕入』という費用で処理し、期末に未販売分の原価を『仕入』から『繰越商品』へ振り替える処理と同じ考え方です。

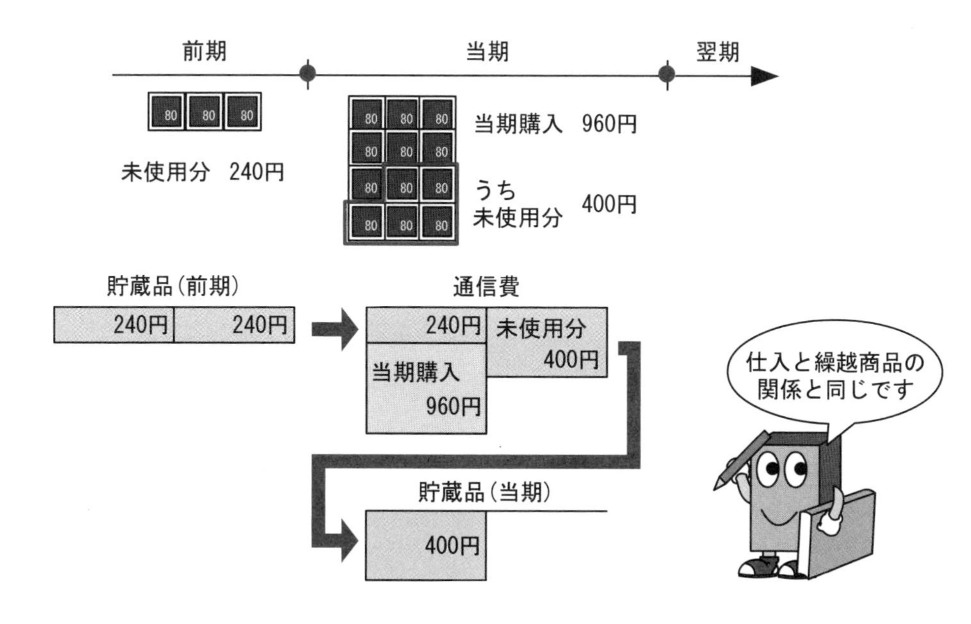

設例 3-2　郵便切手の処理

次の一連の取引(1)〜(3)の仕訳を示しなさい。

(1)　郵便切手10,000円を現金で購入した。

(2)　期末現在、郵便切手の未使用分が500円ある。当期は×1年度である。

(3)　×2年度の決算整理前残高試算表の貯蔵品のうち500円は、郵便切手の前期未使用分であるため通信費に振り替える。

解答

(1)	(借) 通　信　費	*10,000*	(貸) 現　金　預　金	*10,000*
(2)	(借) 貯　蔵　品	*500*	(貸) 通　信　費	*500*
(3)	(借) 通　信　費	*500*	(貸) 貯　蔵　品	*500*

なお、営業費となる項目には、このほかにも収入印紙がありますが、収入印紙の処理については教科書Ⅱ基礎完成編の法人税等・租税公課で学習します。

このChapterでの表示と注記

貸借対照表

(資産の部)		(負債の部)	
Ⅰ　流動資産		Ⅰ　流動負債	
消耗品	×××	預り金	×××
貯蔵品	×××	賞与引当金	×××
⋮		役員賞与引当金	×××
		役員退職慰労引当金	×××
		⋮	
		(純資産の部)	
		⋮	

損益計算書

⋮	
Ⅲ　販売費及び一般管理費	
給料	×××
賞与	×××
役員報酬	×××
法定福利費	×××
通信費	×××
消耗品費	×××
賞与引当金繰入額	×××
役員賞与引当金繰入額	×××
役員退職慰労引当金繰入額	×××

Chapter 8

金融商品 I

金融商品というとすごく堅苦しく聞こえますが、ここで取り上げるテーマは株式、社債、国債といった有価証券です。皆さんの中にも株式や社債に投資をしてひと儲けといった人もいるのでは…。

Chapter 8では、金融商品について学習します。有価証券は主に日商２級で学習しますが、ここではもう少し細かく見ていきます。出題頻度がとても高いテーマです。しっかりとクリアしましょう。

Section 1 有価証券の基礎知識

有価証券には様々なものがありますが、なかでも株券や債券は代表的なものです。これらを保有することで、売却益で儲けたり、利息や配当を受け取ったりできるだけでなく、子会社支配といったこともできます。まさに有価証券は「価値のある紙」なのです。

このSectionでは、有価証券の概要について学習します。

1 有価証券の範囲

法律上の有価証券には、株式、社債、国債などの資本証券の他に、手形・小切手などの貨幣証券や船荷証券・商品券などの物品証券があります。これらのうち、**会計上の有価証券**は、株式会社が発行する**株式**や**社債**、国や地方公共団体が発行する**国債**や**地方債**などの**資本証券のみ**となります。

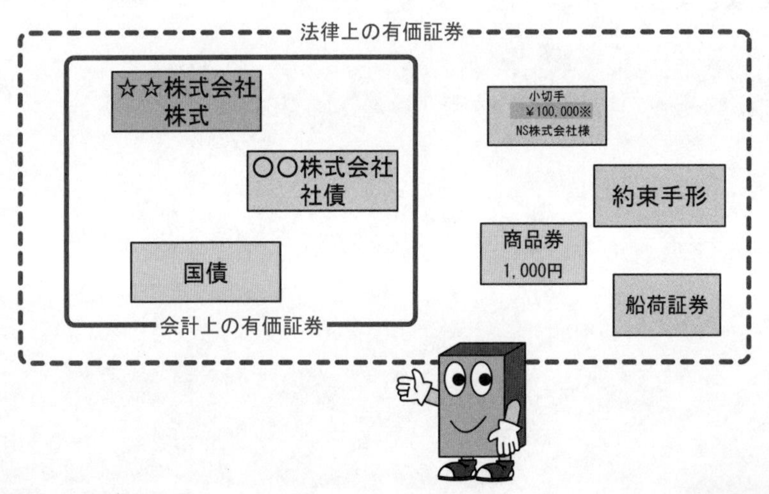

2 有価証券の取引の流れ

簿B 財計B

有価証券の取引では、取得時、追加取得時、決算時、売却時の４時点の会計処理が問題となります。

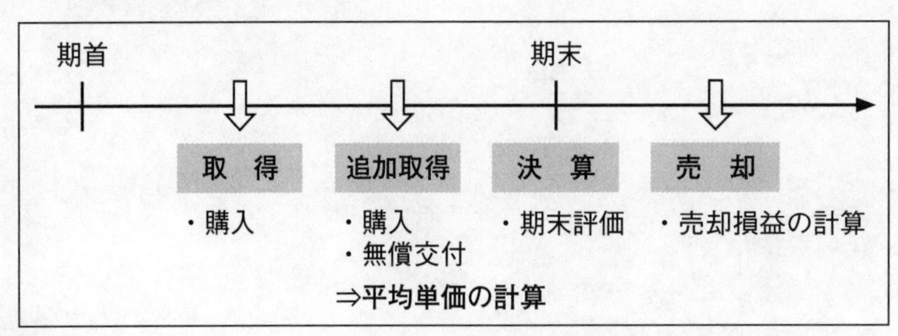

3 有価証券の分類

有価証券は、保有目的によって次のように分類され、貸借対照表に表示されます。なお、税理士試験の出題傾向から、表示科目を用いて説明します。

保有目的		勘定科目*01)	表示科目*02)
売買目的		売買目的有価証券	有価証券
非売買目的	満期保有目的	満期保有目的の債券	投資有価証券*03)
	支配目的	子会社株式	関係会社株式
	影響力行使目的	関連会社株式	
	その他の目的	その他有価証券	投資有価証券*03)

*01) 本試験では表示科目で問題が与えられることが多いので、勘定科目と表示科目の対応もチェックしましょう。

*02)『有価証券』だけは流動資産に、それ以外は固定資産の「投資その他の資産」に表示されます。

*03) 満期日まで1年以内の債券は『有価証券』に含めます。

(1)売買目的有価証券

売買目的有価証券とは、**時価の変動により利益を得ることを目的**として保有する有価証券をいいます。

(2)満期保有目的の債券

満期保有目的の債券とは、**満期まで所有**する意図をもって保有する社債その他の債券をいいます。

(3)子会社株式および関連会社株式(合わせて『関係会社株式』)

子会社株式とは、**他企業の支配を目的**として保有する有価証券です。

関連会社株式とは、**他企業への影響力の行使を目的**として保有する有価証券です。

(4)その他有価証券

その他有価証券とは、(1)～(3)**以外**の有価証券をいいます。

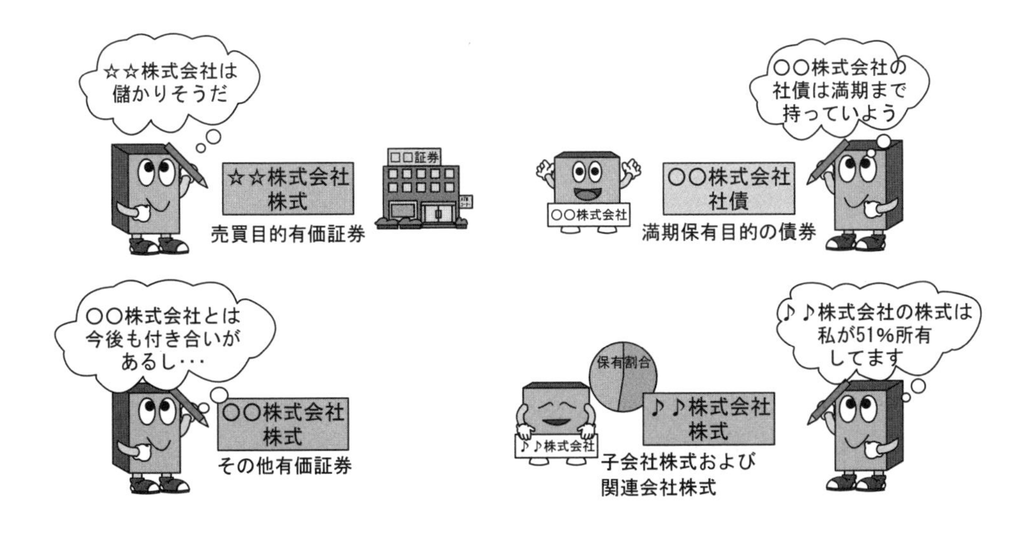

Section 2

有価証券の取得・売却

有価証券を保有する目的は様々です。たとえば株を買って株価が上がったら売却してひと儲けしようとか…。このときの儲けは買ったときの金額と売ったときの金額の差額です。

このSectionでは、有価証券の取得時、売却時の処理について学習します。

1 有価証券の取得

1．有価証券の取得原価

有価証券の取得原価は、購入代価（支払代価）に買入手数料等の付随費用を加算した金額です＊01)。

＊01）商品の取得原価と同じ考え方です。

有価証券の取得原価

取得原価 ＝ 購入代価 ＋ 付随費用

設例 2-1 有価証券の取得原価

次の取引の仕訳を示しなさい。

１株50円の株式200株を売買目的で購入し、手数料500円とともに現金で支払った。

解答

(借)		(貸)	
有価証券	10,500＊02)	現金預金	10,500

＊02）@50円×200株＋500円（手数料）＝10,500円

※債券を利息支払日（または発行日）以外の日に購入した場合は、端数利息も含めた金額を支払うことになりますが、この端数利息は付随費用に該当しないため、取得原価には含めない点に注意が必要です。

2．株式の無償交付

株式分割＊03)などによって、既存の株主に新株式を無償で交付することがあります。この場合、株式を交付した会社との間で金銭の授受がなく、新株式の取得原価はゼロになるため、**仕訳は行いません**。ただし、保有株式数は増加するため、**株式の単価を計算しなおす必要があります**。

＊03）たとえば、これまでの１株を２株に分けることです。

Point

仕訳を行わないからといって、単価の再計算を忘れないようにしましょう。

有価証券の単価の計算(無償交付)

$$\text{無償交付後の株式単価} = \frac{\text{帳簿価額}}{\text{旧保有株式数} + \text{交付株式数}}$$

2 有価証券の売却

▶▶簿問題集:問題1,2,3

1. 売却手数料の処理

株式を売却した場合、売却手数料(売却に要した費用)の会計処理方法として**総額法**と**純額法**という2つの方法があります。この売却手数料の処理方法の違いによって、売却損益の額が異なります*01)。

*01)売却損益には違いが生じますが、営業外損益の最終値には違いは生じません。

(1) 総額法

総額法とは、売却手数料を『支払手数料』として処理する方法です。この総額法により会計処理を行う場合、売却損益は売却価額から帳簿価額を控除した額になります。

売却損益の計算(総額法)

売却価額 − 帳簿価額 = { (+)⇒売却益 / (−)⇒売却損 }

(2) 純額法

純額法とは、売却手数料を売却損益の借方項目*02)として処理する方法です。売却損益は、実際の手取額(=売却価額−売却手数料)から帳簿価額を控除した額になります。

*02)売却手数料も売却損益の一部と考えます。

売却損益の計算(純額法)

手 取 額 − 帳簿価額 = { (+)⇒売却益 / (−)⇒売却損 }

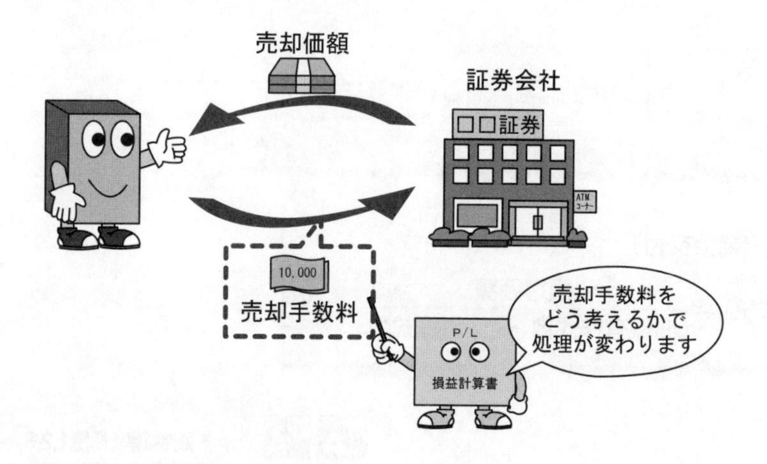

2．売却損益の処理方法

計算された売却損益は、有価証券の種類によって使用する勘定科目(表示科目)が異なります。

有価証券の種類	表示科目	表示区分
売買目的有価証券	有価証券売却益(損)＊03)	営業外収益(費用)
子会社株式 関連会社株式	関係会社株式売却益(損)	特別利益(損失)
その他有価証券	投資有価証券売却益(損)	営業外収益(費用) または 特別利益(損失)

＊03)売買目的有価証券は、その運用により利益を得ることが目的なので、それにかかる損益(評価損益、売却損益、受取配当金など)を区別せず、一括して『有価証券運用損益』とすることも認められています。問題の指示にしたがいましょう。

営業外損益項目は、有価証券の種類別に売却益と売却損を相殺した金額である純額表示を行い、特別損益項目は、表示科目ごとに売却損と売却益をそのまま総額表示を行います。

設例 2-2 有価証券の売却

次の有価証券の売却取引について、売却手数料を(1)支払手数料として処理する方法(総額法)、(2)売却損益に含めて処理する方法(純額法)による仕訳を示しなさい。

当社はかねてから売買目的で保有しているA社株式100,000円(100株)のすべてを1株あたり1,050円で売却し、売却手数料2,000円を差し引かれた残額を現金とした。

解答

(1) 総額法

(借)		(貸)	
現金預金	103,000 *04)	有価証券	100,000
支払手数料	2,000	有価証券売却損益	5,000 *05)

(2) 純額法

(借)		(貸)	
現金預金	103,000 *04)	有価証券	100,000
		有価証券売却損益	3,000 *06)

*04)手取額：@1,050円×100株−2,000円(手数料)＝103,000円
*05)@1,050円×100株−100,000円(帳簿価額)＝5,000円
*06)103,000円−100,000円＝3,000円

3．売却原価の算定

同一銘柄の有価証券を異なる価格(無償で取得した場合を含む)で取得した場合、売却時に(1)総平均法、(2)移動平均法などの方法により、売却単価を計算します。

(1) 総平均法

総平均法とは、**期末において**期首残高と当期取得原価の合計額を、期首株式数と当期取得株式数の合計で割ることによって平均単価を計算する方法です。この方法によった場合、期末になるまで売却単価が確定しません。

$$平均単価 = \frac{期首残高 + 当期取得原価}{期首株式数 + 当期取得株式数}$$

(2) 移動平均法

移動平均法とは、**取得する都度**、取得直前残高と取得原価の合計額を、取得直前株式数と取得株式数の合計で割ることによって平均単価を計算する方法です。

$$平均単価 = \frac{取得直前残高 + 取得原価}{取得直前株式数 + 取得株式数}$$

＜売却原価の算定＞

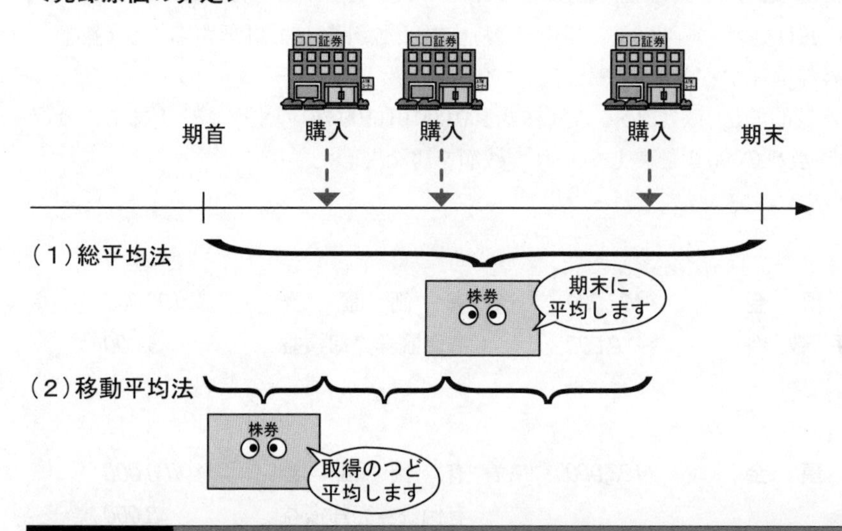

設例 2-3　　有価証券の売却原価

次の売買目的有価証券にかかる一連の取引について、売却原価の計算を(1)総平均法によった場合および(2)移動平均法によった場合の各仕訳を示しなさい。なお、期首現在、前期に取得したNS社株式(@168円)を30株保有している。また、取引はすべて現金預金勘定を通じて行っている。

① NS社株式を@156円で60株追加取得した。
② NS社株式を@184円で80株売却した。
③ NS社株式を@180円で90株追加取得した。
④ 本日、決算をむかえた。期末におけるNS社株式の時価は@175円であった。

解答

(1) 総平均法

	借方	金額	貸方	金額
①	(借)有価証券	9,360	(貸)現金預金	9,360
②	(借)現金預金	14,720	(貸)仮受金*07)	14,720
③	(借)有価証券	16,200	(貸)現金預金	16,200
④	(借)仮受金	14,720	(貸)有価証券	13,600*08)
			有価証券売却損益	1,120
	(借)有価証券	500	(貸)有価証券評価損益	500

(2) 移動平均法

	借方	金額	貸方	金額
①	(借)有価証券	9,360	(貸)現金預金	9,360
②	(借)現金預金	14,720	(貸)有価証券	12,800
			有価証券売却損益	1,920*09)
③	(借)有価証券	16,200	(貸)現金預金	16,200
④	(借)有価証券評価損益	300	(貸)有価証券	300

解説

(1) 総平均法

	取得			払出			残高		
	株式数	単価	合計	株式数	単価	合計	株式数	単価	合計
期首	30	168	5,040				30		
①	60	156	9,360				90		
②				80	?	?	10		
③	90	180	16,200				100		
期末	180	*170*	30,600	80	*170*	13,600	100	*170*	*17,000*

(i) まず取得で当期の単価を計算します。

(ii) そのあとに、その単価をもとに売却原価を算定して売却損益を計算します。

(iii) 期末に保有している株式について、時価で評価する場合は時価評価を行います。

(2) 移動平均法

	取得			払出			残高		
	株式数	単価	合計	株式数	単価	合計	株式数	単価	合計
期首	30	168	5,040				30	168	5,040
①	60	156	9,360				90	160	14,400
②				80	*160*	*12,800*	10	160	1,600
③	90	180	16,200				100	178	17,800
期末							100	*178*	*17,800*

*07) 総平均法による単価は、期末時点にはじめて確定します。期中の売却時点では平均単価が未確定で、売却損益の計算ができないため、現金預金の受入額を『仮受金』として処理しておきます。

*08) @170円×80株＝13,600円

*09) 移動平均法によると、有価証券を取得するつど、平均単価を計算するため、期中に売却原価および売却損益の算定が可能です。

Section 3

有価証券の期末評価

有価証券は、「売却益で儲けたい」あるいは「子会社を支配したい」など、様々な目的で保有されます。このような有価証券を期末に保有していた場合、有価証券の資産価値はどのように決めるのでしょうか。

このSectionでは、様々な目的で保有する有価証券別の期末評価について学習します。

1 有価証券の期末評価方法

有価証券の期末貸借対照表価額は、保有目的により異なります。また、評価差額の表示科目と表示区分も保有目的により異なります。これらをまとめると、次のとおりです。

（有価証券の減損処理については、本Chapter Section 4を参照してください）

*01）売却損益などとあわせて『有価証券運用損益』を用いることもあります。

*02）取得原価と額面金額の差額が金利の調整と認められる場合は、償却原価法が強制適用されます。

*03）時価評価を行った場合、評価差額については原則として税効果会計を適用します。

	貸借対照表価額（評価方法）	処理方法	評価差額（償却額）の計上	
			勘定科目（表示科目）	表示区分
売買目的有価証券	時　価	切放法・洗替法	有価証券評価損益*01） （有価証券評価益） （有価証券評価損）	P／L 営業外損益
満期保有目的の債券	取得原価（原則）	—	—	—
	償却原価*02）	原則：利息法 容認：定額法	有価証券利息	P／L 営業外損益
子会社株式 関連会社株式	取得原価	—	—	—
その他有価証券*03）	時　価	（洗替法） 全部純資産直入法	その他有価証券評価差額金	B／S 純資産の部
		（洗替法） 部分純資産直入法	時価＞帳簿価額 その他有価証券評価差額金	B／S 純資産の部
			時価＜帳簿価額 投資有価証券評価損	P／L 営業外費用

2 売買目的有価証券

簿B 財計A ▶▶簿問題集：問題4

1．期末評価(貸借対照表価額)

売買目的有価証券は、**期末時価**＊01) をもって貸借対照表価額とします。

これは、有価証券の保有目的から投資家にとっての有用な情報および企業にとっての財務活動の成果は売買目的有価証券の期末時点の時価に求められると考えられるためです。

＊01)売買を行って利益を得ることが目的の有価証券なので、期末時価が重要な情報となるためです。なお、期末時価の代表例としては、決算日における市場価格があげられます。

売買目的有価証券は、必ず期末の時価で評価します。

2．評価差額

(1)取扱い

売買目的有価証券の評価差額(帳簿価額と時価との差額)は、**当期の損益**として『有価証券評価益』または『有価証券評価損』で処理します。

時価＞帳簿価額	⇒	有価証券評価益(営業外収益)
時価＜帳簿価額	⇒	有価証券評価損(営業外費用)

これは、売買目的有価証券を保有する会社にとって売却することについての制約がなく、時価の変動にあたる評価差額が企業にとっての財務活動の成果と考えられるためです。

<売買目的有価証券>

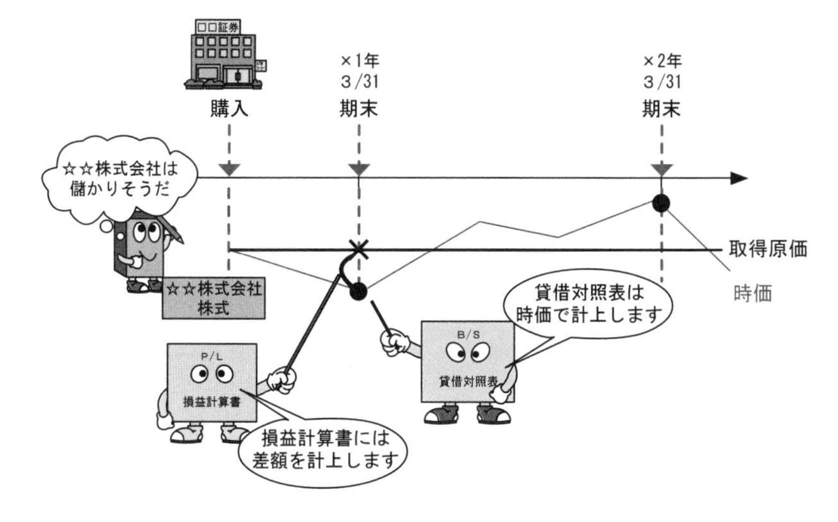

〈実現可能概念について〉

売買目的有価証券の評価差額は、「いま売ったらいくらになる」という期待利益にすぎず、「いくらで売れた」という実現利益ではありません。しかし、その発生した期間の企業の財務活動の成果として、実現損益に準ずる性格のものとして当期の損益として処理されます。

これを正当化する考え方として「実現可能概念」があります。実現可能概念により、実現可能(信頼できる価格で容易に売却可能)であれば、有価証券の価格変動時に損益を認識することが正当化されます。

(2)処理方法

売買目的有価証券の評価差額の処理方法としては、**切放法**と**洗替法**の2つがあります。

①切放法

切放法とは、有価証券を期末時価で評価し、その**評価額を翌期首の帳簿価額とする処理方法**です。

設例3-1　売買目的有価証券の評価(切放法)

当社が売買目的で保有するNS社株式にかかる価格情報は、次のとおりである。切放法を採用した場合の、第1期と第2期それぞれの仕訳を示しなさい。

第1期：取得原価1,000円　　期末時価900円

第2期：帳簿価額　？　円　　期末時価950円

解答

第1期

	(借)		(貸)	
期中	有価証券	*1,000*	現金預金	*1,000*
期末	有価証券評価損益	*100*＊02)	有価証券	*100*

第2期

	(借)		(貸)	
期首	仕訳なし			
期末	有価証券	*50*	有価証券評価損益	*50*＊03)

※有価証券評価損益は、有価証券評価損(評価益)や有価証券運用損益などの科目でも可。

＊02)900円(時価)－1,000円(簿価)＝△100円(評価損)、B/S価額900円

＊03)950円(時価)－900円(簿価)＝50円(評価益)、B/S価額950円

②洗替法

洗替法とは、有価証券を期末時価で評価し、**翌期首に帳簿価額を取得原価に振り戻す処理方法**です。

設例3-2 売買目的有価証券の評価(洗替法)

当社が売買目的で保有するNS社株式にかかる価格情報は、次のとおりである。洗替法を採用した場合の、第1期と第2期それぞれの仕訳を示しなさい。

第1期：取得原価1,000円　　期末時価900円

第2期：帳簿価額　?　円　　期末時価950円

解答

第1期

	借方	金額	貸方	金額
期中	(借)**有価証券**	1,000	(貸)**現金預金**	1,000
期末	(借)**有価証券評価損益**	100	(貸)**有価証券**	100

第2期

	借方	金額	貸方	金額
期首	(借)**有価証券**	100	(貸)**有価証券評価損益**	100*04)
期末	(借)**有価証券評価損益**	50*05)	(貸)**有価証券**	50

*04)前期末から繰り越されてきた帳簿価額900円を取得原価1,000円に振り戻します。

*05)950円(時価)－1,000円(簿価)＝△50円(評価損)、B/S価額 950円

3 満期保有目的の債券

▶▶簿問題集：問題5,6,7

1．期末評価(貸借対照表価額)

満期保有目的の債券は、**原則**として**取得原価**をもって貸借対照表価額とします。

これは、満期保有目的の債券は満期まで保有することによる約定利息および元本の受取りを目的としており、時価が算定できるものであっても満期までの間の金利変動による価格変動のリスク*01)を認識する必要がないためです。

ただし、その債券を債券金額*02)と異なる価額で取得した場合で、か**つ取得価額と債券金額との差額が金利の調整と認められるとき***03)は、**償却原価法**にもとづいて算定した価額をもって、貸借対照表価額とします。

*01)社債などの債券は固定金利であるため、市場金利が高くなると債券の時価は下がり、市場金利が低くなると債券の時価は上がることになります。

*02)額面金額のことです。

*03)取得価額と額面金額との差額が、金利の調整と認められない場合には取得価額で評価します。

原則：取得原価

一定の条件下で強制適用：**償却原価**

債券を債券金額より低い価額または高い価額で取得した場合で、その差額が金利の調整と認められるときは、償却原価法にもとづいて算定された価額(償却原価)が貸借対照表価額となります。

<満期保有目的の債券>

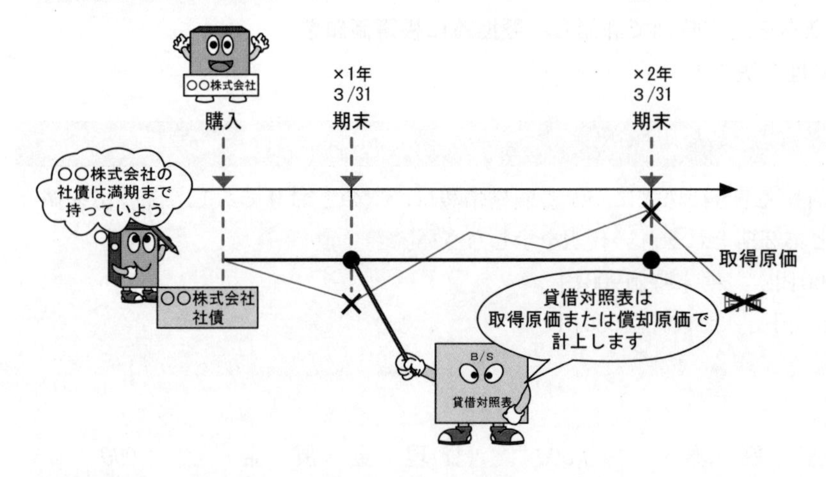

〈信用リスクについて〉

償却原価法の対象となるのは、取得差額が金利の調整と認められる部分についてのみであり、取得差額が信用リスク*04)により生じた場合は含まれません。なお、信用リスクの高い債券は満期保有目的と判断できないので、一般に満期保有目的の債券の取得差額は、金利調整差額のみから構成されると考えられます。

*04)発行会社が倒産して、債券が償還されなくなるリスクのことです。

2．償却原価法

(1)償却原価法とは

償却原価法とは、取得原価と額面金額との差額を、毎期一定の方法で(満期保有目的の債券の)**帳簿価額に加減する方法**です。なお、この加減した金額を償却額といい、加減後の金額を**償却原価**といいます(相手勘定は『有価証券利息』となります)。

償却原価の計算
償却原価 ＝ 帳簿価額 ± 当期償却額

①「額面金額＞取得原価」の場合

当期償却額を投資有価証券(満期保有目的の債券)の帳簿価額に加算します。

②「額面金額＜取得原価」の場合

当期償却額を投資有価証券(満期保有目的の債券)の帳簿価額から減算します。

設例 3-3　満期保有目的の債券の評価（償却原価法の基本）

当期に満期保有目的で取得した債券について償却原価法を適用する。(1)償却原価法適用の仕訳および(2)償却原価を示しなさい。

取得原価9,500円　　額面金額10,000円　　当期償却額100円

(1)	(借)**投資有価証券**	*100* *05)	(貸)**有価証券利息**	*100*
(2)	*9,600* *06) 円			

*05) 9,500円（取得原価）＜10,000円（額面金額）より、投資有価証券を加算する処理を行います。

*06) 9,500円（取得原価）＋100円（償却額）＝9,600円

(2) 償却額の計算方法

償却額の計算方法には、**利息法**（原則法）と**定額法**（簡便法）の２種類の方法があります。

①利息法（原則）

利息法とは、帳簿価額に実効利子率*07) を掛けた金額（利息配分額）から、利札による利札受取額を差し引いた金額を、その期の償却額として帳簿価額に加減する方法です。

*07) 実効利子率とは、券面利子率に償却額を加味した利子率をいいます。

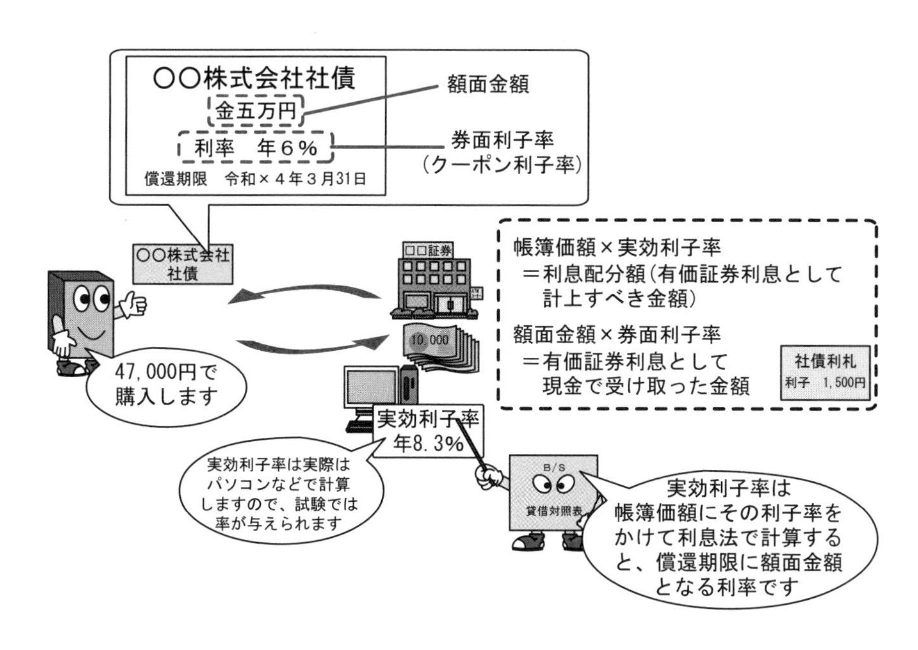

<利息法の計算方法>

(i) **帳簿価額**に**実効利子率**を掛けて、その期間に配分される利息配分額を算定します。

(ii) **額面金額**に**券面利子率**(クーポン利子率)を掛けて、利札受取額(クーポン利息受取額)を算定します。

(iii) 利息配分額から利札受取額を控除して償却額を算定するとともに、この償却額を満期保有目的の債券の帳簿価額に加減します。

利息法による計算手順

(i) **利息配分額 = 帳簿価額 × 実効利子率**

(ii) **利札受取額 = 額面金額 × 券面利子率**

(iii) **償　却　額 = 利息配分額 − 利札受取額**

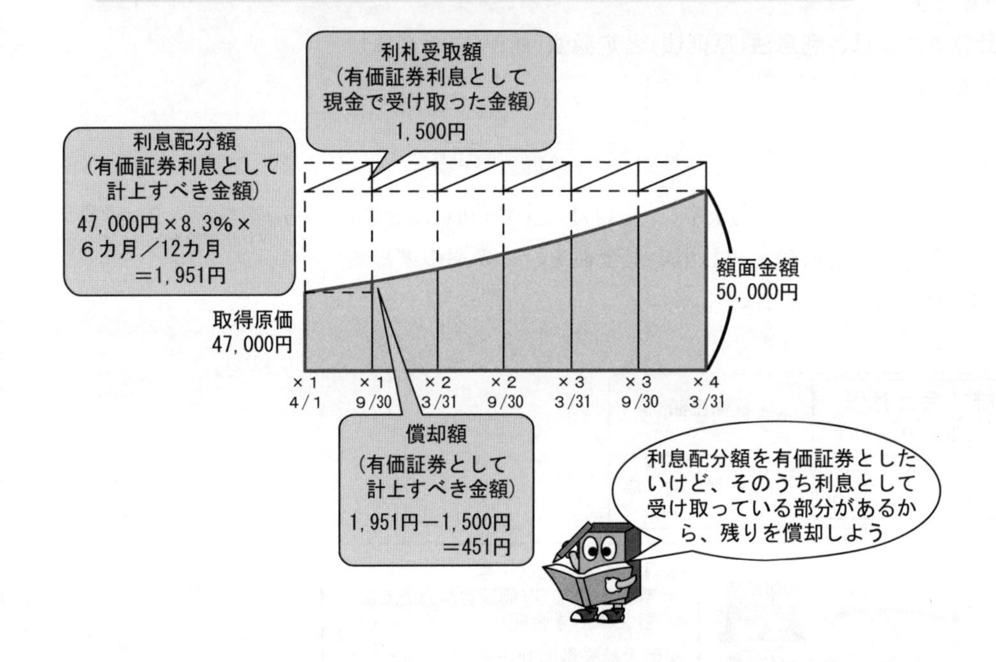

設例3-4　満期保有目的の債券の評価（償却原価法・利息法）

次の資料にもとづき、(1)×1年4月1日（取得日）および(2)×2年3月31日（第1回利払日・決算日）の仕訳を示しなさい。

【資　料】

当社（決算日：毎年3月31日）は、×1年期首に満期保有目的でA社社債（額面金額：50,000円、満期日：×4年3月31日、券面利子率：年5％、利払日：3月末日）を47,000円で取得した。取得原価と額面金額との差額は金利の調整と認められるため、償却原価法（利息法、実効利子率は年7.3％）を適用する。計算上端数が生じた場合は、円未満を四捨五入すること。なお、取引はすべて現金で行っている。

(1)	(借)**投資有価証券**	*47,000*	(貸)**現金預金**	*47,000*
(2)	(借)**現金預金**	*2,500* *09)	(貸)**有価証券利息**	*3,431* *08)
	投資有価証券	*931* *10)		

※利息法の場合は、券面利息の受取りと償却原価の算定のどちらも**期中取引**となります。

*08) 47,000円（取得原価）×7.3%（実効利子率）＝3,431円

*09) 50,000円（額面金額）×5.0%（券面利子率）＝2,500円

*10) 償却額：3,431円－2,500円＝931円

なお、利息法に関して×2年3月31日以降の償却額、償却原価の算定については、次のような表を作成します。

償却額・償却原価の算定（利息法）　（単位：円）

利払日	(1)調整前帳簿価額	(2)利息配分額 =(1)×実効利子率	(3)券面利息額	(4)償却額 =(2)－(3)	(5)調整後帳簿価額 =(1)+(4)
×2.3.31	47,000	3,431	2,500	931	47,931
×3.3.31	47,931	3,499	2,500	999	48,930
×4.3.31	48,930	3,570	2,500	1,070	50,000

×実効利子率（7.3％）　－券面利息分（2,500円）

※最終年度は、調整後帳簿価額が50,000円（額面金額）となるように、償却額（または利息配分額）を差額で求めます。

②**定額法**(簡便法)

定額法とは、毎期一定の償却額を帳簿価額に加減する方法です。

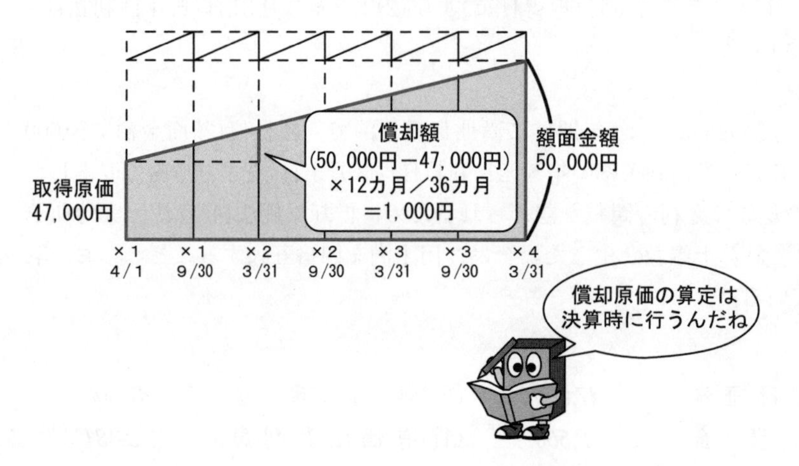

償却原価の算定は決算時に行うんだね

<定額法の計算方法>

取得原価と額面金額の差額を、取得日から満期日までの期間に按分(月数按分)することで、償却額を算定する方法です。

定額法による計算

償却額＝(額面金額－取得原価)× $\dfrac{\text{当期の保有期間}^{*11)}}{\text{取得日から満期日までの期間}^{*11)}}$

＊11)本試験では、通常、月割計算を行います。

設例 3-5　満期保有目的の債券の評価（償却原価法・定額法）

次の資料にもとづき、(1)×1年4月1日(取得日)および(2)×2年3月31日(第1回利払日・決算日)の仕訳を示しなさい。

【資　料】

当社(決算日：毎年3月31日)は、×1年期首に満期保有目的でA社社債(額面金額：50,000円、満期日：×4年3月31日、券面利子率：年5％、利払日：3月末日)を47,000円で取得した。取得原価と額面金額との差額は金利の調整と認められるため、償却原価法(定額法、月割計算によること)を適用する。なお、取引はすべて現金で行っている。

	借方	金額	貸方	金額
(1)	(借)投資有価証券	47,000	(貸)現金預金	47,000
(2)	(借)現金預金	2,500	(貸)有価証券利息	2,500
	(借)投資有価証券	1,000＊12)	(貸)有価証券利息	1,000

※定額法の場合は券面利息の受取りは**期中取引**ですが、償却原価の算定は**決算整理事項**となります。

＊12) {50,000円(額面金額)－47,000円(取得原価)}× $\dfrac{12\text{カ月}}{36\text{カ月}}$ ＝1,000円

〈償却原価法を適用するタイミング〉

償却原価法を適用するタイミングは、利息法か定額法か、さらに利払日と決算日が一致しているかどうかで異なります。券面利息計上に関する仕訳のタイミングとあわせて確認します。

(1)　利払日と決算日が一致する場合

券面利息の計上に関しては、利息法、定額法どちらの場合も利払日に処理します。

償却原価法の処理に関しては、**利息法は利払日（期中）の仕訳**として処理しますが、**定額法は決算整理仕訳として**処理します。

満期日については、決算日であるか否かにかかわらず、利息法、定額法どちらの方法によっても券面利息の計上および償却原価法に関する処理を行います。

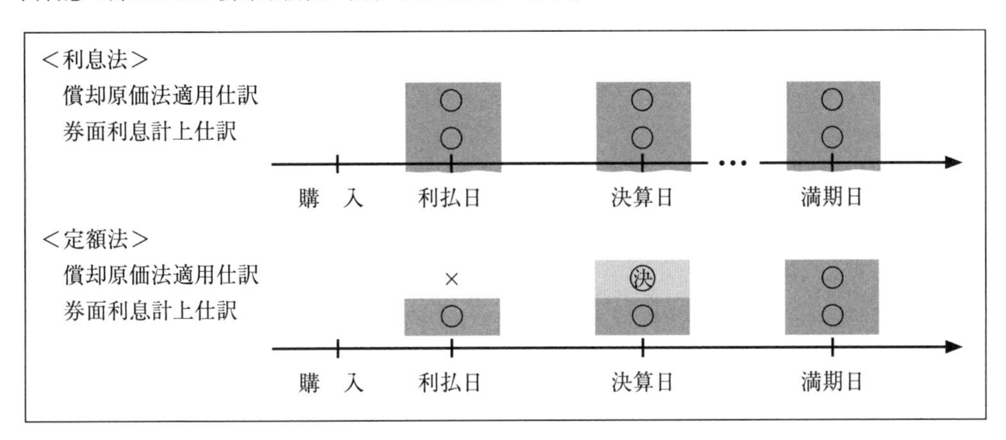

※利払日が年２回ある債券を想定し、そのうち１回が決算日と一致すると仮定しています。
※○は期中取引として、㊓は決算整理事項として処理することを示しています。

(2)　利払日と決算日が異なる場合

利払日の処理に関しては(1)と同様です。

決算日の処理に関しては利息法・定額法のいずれも利息の見越計上を行います。この利息(見越計上)は償却原価法適用による利息と券面利息の両方が含まれます。

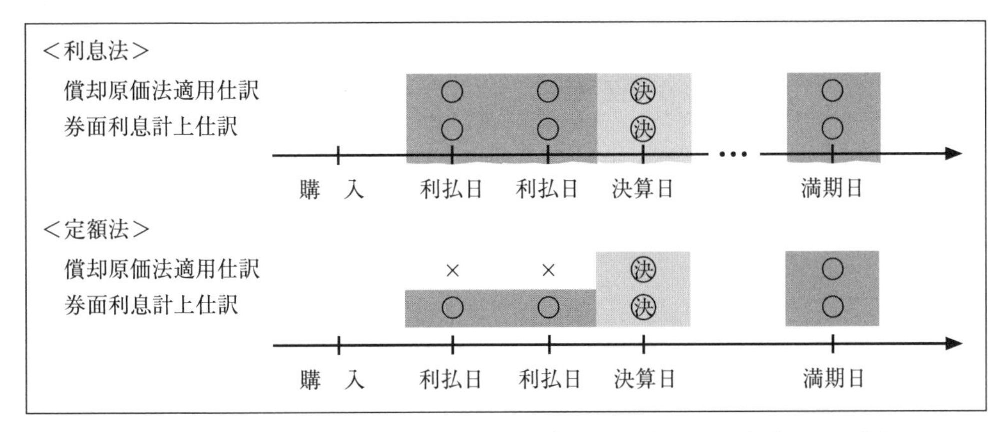

※利払日が年２回ある債券を想定し、その両方が決算日と一致しないと仮定しています。
※○は期中取引として、㊓は決算整理事項として処理することを示しています。

4 子会社株式および関連会社株式

子会社株式および関連会社株式[*01]は、原則として**取得原価**[*02]をもって貸借対照表価額とします。

子会社株式の保有は、キャピタルゲインを得る目的ではなく、子会社の支配を通じて事業を行うためであり、事業投資と同様に時価の変動を財務活動の成果と捉えることはできません。そのため、子会社株式は取得原価で評価します[*03]。

また、関連会社株式についても子会社株式と同様に、事実上の事業投資であり、事業投資と同様の会計処理を行うことが適当と考えられるため、取得原価で評価します。

*01)貸借対照表上は、両者をあわせて『関係会社株式』として計上します。

*02)通常は時価で売却することを予定していない株式なので、時価評価は行いません。

*03)事業目的で固定資産を購入して、取得原価で評価するのと同じです。

子会社株式および関連会社株式は、原則として取得原価で評価するため、決算整理仕訳は不要です。

<子会社株式および関連会社株式>

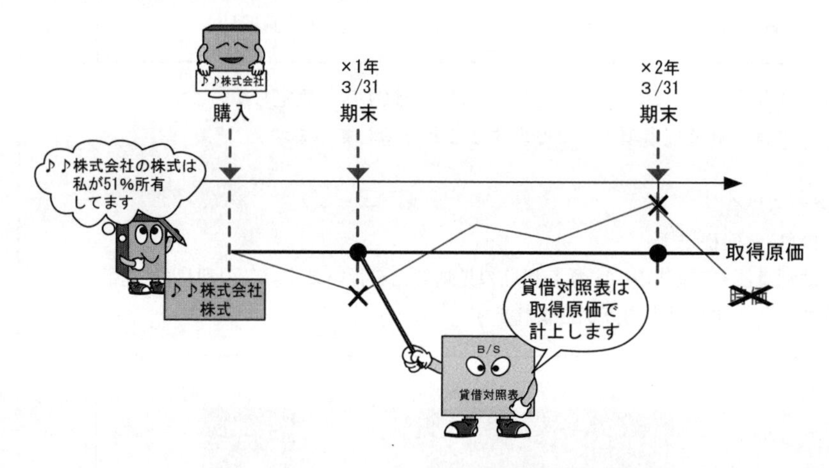

設例 3-6　子会社株式および関連会社株式

次の資料にもとづき、貸借対照表(一部)を完成させなさい。

【資　料】

銘柄	取得原価	期末時価	備　　考
A社株式	9,500円	7,700円	売買目的で取得した
B社株式	18,800円	19,200円	当社の子会社に該当する
C社株式	14,500円	12,300円	当社の関連会社に該当する

解答

貸借対照表　(単位：円)

有価証券	7,700	
関係会社株式	33,300 *04)	

※関係会社株式(子会社株式および関連会社株式)は期末において時価評価しません。

*04) 18,800円(子会社)＋14,500円(関連会社)＝33,300円

5 親会社株式

会社法では親会社株式の取得は原則禁止されていますが、吸収合併による取得など一定の場合には例外的に取得が認められています。

親会社株式は売買目的有価証券またはその他有価証券と同様の処理を行い、売買目的として保有しているときは流動資産に、それ以外は投資その他の資産に表示されます*01)*02)。

*01) 貸借対照表等に親会社株式の各表示区分別の金額を注記として開示する必要があるので、注意しましょう。

*02) 本試験で特に指示がないときは、その他有価証券の評価に準じた処理を行います。

	会社法上の範囲	株式の分類と評価	B/S表示科目	B/S表示区分
親会社	関係会社	売買目的またはその他(時価評価)	関係会社株式(注記あり)	売買目的：流動資産
				それ以外：投資その他の資産
子会社(関連会社)		子会社または関連会社(原価評価)	関係会社株式	投資その他の資産

【注記例】

<貸借対照表等に関する注記>

親会社株式が、流動資産に 500千円、投資その他の資産に 800千円計上されている。

6 その他有価証券

▶▶簿問題集：問題 8,9,10

1．期末評価（貸借対照表価額）

その他有価証券は、期末時価[*01]をもって貸借対照表価額とします。

その他有価証券はその保有目的が多岐にわたり、保有目的に即して評価することは困難である点を考慮して、金融資産の評価基準に関する基本的な考え方にもとづき、時価で評価します。

*01）ただし、市場価格のない株式等については、取得原価で評価します。

2．評価差額

(1) 取扱い

その他有価証券については、事業遂行上等の必要性からただちに売買・換金を行うことには制約をともなう要素もあり、評価差額をただちに当期の損益として処理することは適切でないと考えられます。そのため、評価差額については、洗替方式にもとづいて、**全部純資産直入法**または**部分純資産直入法**のいずれかの方法で処理します。評価差額を純資産の部に計上する場合には、「**評価・換算差額等**」の項目に記載します。

その他有価証券は時価評価するものの、事業遂行上等の必要性からただちに売買・換金を行うことに制約をともなうため、評価差額は当期の損益とせずに、原則として純資産の部に計上します。

＜その他有価証券＞

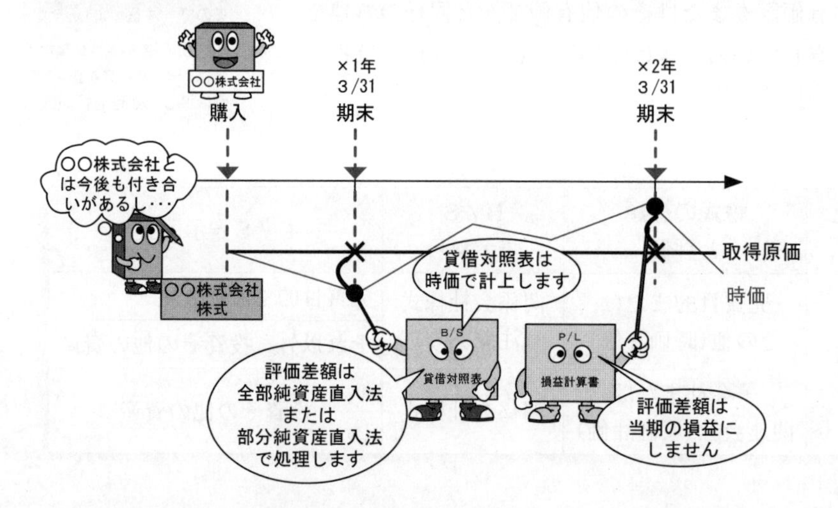

〈全部純資産直入法と部分純資産直入法〉

その他有価証券の評価差額の処理方法には、全部純資産直入法と部分純資産直入法があります。全部純資産直入法とは、評価差額の合計額を純資産の部に計上する方法であり、部分純資産直入法とは、時価が取得原価を上回る銘柄にかかる評価差額は純資産の部に計上し、時価が取得原価を下回る銘柄にかかる評価差額は当期の損失として処理する方法です。

(2) 処理方法

①全部純資産直入法

全部純資産直入法とは、**評価差額の合計額**(評価益と評価損を相殺した純額)を**『その他有価証券評価差額金』**として**貸借対照表の純資産の部**に計上する方法です。

設例3-7　その他有価証券の評価(全部純資産直入法)

当社の保有する「その他有価証券」は次のとおりである。(1)第1期期末、(2)第2期期首および(3)第2期期末の仕訳を示しなさい。なお、評価差額は全部純資産直入法により処理し、税効果は無視するものとする[*02)]。

銘柄	第1期		第2期
	取得原価	期末時価	期末時価
A社株式	5,000円	6,500円	6,900円
B社株式	6,000円	5,800円	6,100円
合　計	11,000円	12,300円	13,000円

第1期

(1) 期末 (借)**投資有価証券** *1,300*[*03)] (貸)その他有価証券評価差額金 *1,300*

第2期

(2) 期首 (借)その他有価証券評価差額金 *1,300* (貸)**投資有価証券** *1,300*

(3) 期末 (借)**投資有価証券** *2,000*[*04)] (貸)その他有価証券評価差額金 *2,000*

*02) 税効果を適用した場合の仕訳(税率30%の場合)

第1期(決算時)

(借) 投資有価証券 1,300 (貸) 繰延税金負債 390
その他有価証券評価差額金 910

第2期(期首)

(借) 繰延税金負債 390 (貸) 投資有価証券 1,300
その他有価証券評価差額金 910

第2期(決算時)

(借) 投資有価証券 2,000 (貸) 繰延税金負債 600
その他有価証券評価差額金 1,400

*03) 12,300円(時価合計)－11,000円(取得原価合計)＝1,300円

*04) 13,000円(時価合計)－11,000円(取得原価合計)＝2,000円

②**部分純資産直入法**

時価が取得原価を上回る銘柄に生じた評価差額(**評価益**)については『**その他有価証券評価差額金**』として**貸借対照表の純資産の部**に計上し、時価が取得原価を下回る銘柄に生じた評価差額(評価損)については『**投資有価証券評価損益**』(または『投資有価証券評価損』)で処理し、**損益計算書の営業外費用**に計上する方法です。

評価差額の表示区分

期末時価 > 取得原価 ⇒ その他有価証券評価差額金(貸借対照表の純資産の部)

期末時価 < 取得原価 ⇒ 投資有価証券評価損益(損益計算書の営業外費用)

全部純資産直入法と部分純資産直入法で処理が異なるのは、評価損が生じる銘柄のみです。評価益が生じる銘柄の処理はどちらも同じ処理となります。

設例3-8　その他有価証券の評価(部分純資産直入法)

当社の保有する「その他有価証券」は次のとおりである。(1)第1期期末、(2)第2期期首および(3)第2期期末の仕訳を示しなさい。なお、評価差額は部分純資産直入法により処理し、税効果は無視するものとする[*05]。

銘柄	第1期		第2期
	取得原価	期末時価	期末時価
A社株式	5,000円	6,500円	7,500円
B社株式	6,000円	5,800円	5,500円
合　計	11,000円	12,300円	13,000円

解答

第1期

		借方	金額	貸方	金額
(1)	期末	(借)投資有価証券	1,500[*06]	(貸)その他有価証券評価差額金	1,500
		(借)投資有価証券評価損益	200	(貸)投資有価証券	200[*07]

第2期

		借方	金額	貸方	金額
(2)	期首	(借)その他有価証券評価差額金	1,500	(貸)投資有価証券	1,500
		(借)投資有価証券	200	(貸)投資有価証券評価損益	200
(3)	期末	(借)投資有価証券	2,500[*08]	(貸)その他有価証券評価差額金	2,500
		(借)投資有価証券評価損益	500	(貸)投資有価証券	500[*09]

※各時点の仕訳のうち、上段はA社株式、下段はB社株式に関する仕訳です。

＊05)税効果を適用した場合の仕訳(税率30%の場合)

第１期(決算時)

(借)	投資有価証券	1,500	(貸)	繰延税金負債	450
				その他有価証券評価差額金	1,050
(借)	投資有価証券評価損益	200	(貸)	投資有価証券	200
(借)	繰延税金資産	60	(貸)	法人税等調整額	60

第２期(期首)

(借)	繰延税金負債	450	(貸)	投資有価証券	1,500
	その他有価証券評価差額金	1,050			
(借)	投資有価証券	200	(貸)	投資有価証券評価損益	200

※この税効果の仕訳は期末に行います。

※(借)	法人税等調整額	60	(貸)	繰延税金資産	60

第２期(決算時)

(借)	投資有価証券	2,500	(貸)	繰延税金負債	750
				その他有価証券評価差額金	1,750
(借)	投資有価証券評価損益	500	(貸)	投資有価証券	500
(借)	繰延税金資産	150	(貸)	法人税等調整額	150

＊06)6,500円(Ａ株時価)－5,000円(Ａ株取得原価)＝1,500円

＊07)5,800円(Ｂ株時価)－6,000円(Ｂ株取得原価)＝△200円

＊08)7,500円(Ａ株時価)－5,000円(Ａ株取得原価)＝2,500円

＊09)5,500円(Ｂ株時価)－6,000円(Ｂ株取得原価)＝△500円

３．償却原価法の適用(債券の処理)

その他有価証券に分類される債券のうち、**取得原価と額面金額との差額が金利の調整と認められるもの**については、次にあげる(ⅰ)および(ⅱ)の処理を行います。

(ⅰ) 償却原価法を適用して、償却原価を算定します

(ⅱ) 償却原価と時価との差額については純資産直入法[＊10)]による処理を行います

なお、翌期首には、当期末に行った時価評価の仕訳((ⅱ)の仕訳)は振り戻しますが、**償却額の計上の仕訳**((ⅰ)の仕訳)**は振り戻しません。**

＊10)原則は「全部純資産直入法」です。

その他有価証券の債券の処理は、時価評価の前に償却原価法の処理を行います。

設例3-9　その他有価証券（債券）の評価

次の各問いにつき、当期末および翌期首に必要な仕訳を示しなさい。なお、評価差額は全部純資産直入法により処理し、税効果については無視する。

問１　当期首に甲社が取得したＡ社社債（その他有価証券に区分され、取得価額と額面金額との差額は金利の調整と認められる）の状況は次のとおりである。

取得原価	当期償却額	期末償却原価	期末時価
95,500円	1,500円	各自推定	98,000円

問２　当期首に乙社が取得したＢ社社債（その他有価証券に区分され、取得価額と額面金額との差額は金利の調整と認められる）の状況は次のとおりである。

取得原価	当期償却額	期末償却原価	期末時価
103,717円	△888円	各自推定	102,329円

解答

問１　（甲社保有のＡ社社債）

当期末（借）**投資有価証券**　*1,500*　（貸）**有価証券利息**　*1,500*

（借）**投資有価証券**　*1,000*＊11)　（貸）**その他有価証券評価差額金**　*1,000*

翌期首（借）**その他有価証券評価差額金**　*1,000*　（貸）**投資有価証券**　*1,000*

問２　（乙社保有のＢ社社債）

当期末（借）**有価証券利息**　*888*　（貸）**投資有価証券**　*888*

（借）**その他有価証券評価差額金**　*500*　（貸）**投資有価証券**　*500*＊12)

翌期首（借）**投資有価証券**　*500*　（貸）**その他有価証券評価差額金**　*500*

※期末に計上した評価差額についてだけ、翌期首に振戻しを行います。

＊11）期末償却原価＝95,500円（取得原価）＋1,500円（当期償却額）＝97,000円
98,000円（時価）－97,000円（期末償却原価）＝1,000円

＊12）期末償却原価＝103,717円（取得原価）－888円（当期償却額）＝102,829円
102,329円（時価）－102,829円（期末簿価）＝△500円

7　市場価格のない株式＊01)

時価をもって貸借対照表価額とする有価証券であっても、市場価格のない株式については、**取得原価**をもって貸借対照表価額とします。

＊01）市場価格のない株式とは、市場において取引されていない株式のことです。

<市場価格のない株式>

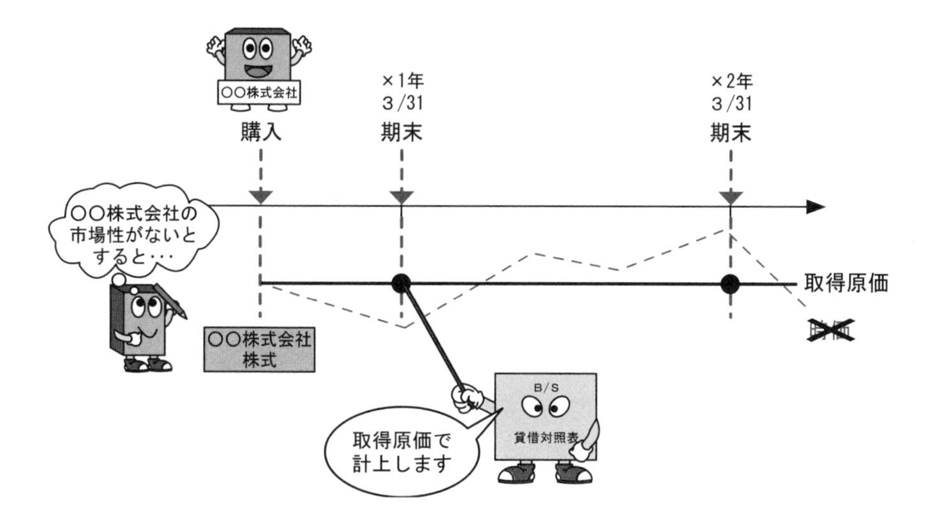

8 重要な会計方針にかかる事項に関する注記 

金融商品に関する会計基準にもとづく評価方法を採用している場合、有価証券の評価基準、評価方法は重要な会計方針として注記しなければなりません。

【注記例】

〈重要な会計方針に係る事項に関する注記〉

1．　有価証券の評価基準および評価方法

イ　売買目的有価証券は時価法を採用し、売却原価は総平均法にて算定している。

ロ　満期保有目的の債券は、償却原価法(利息法)を採用している。

ハ　子会社株式および関連会社株式は、移動平均法による原価法を採用している。

ニ　その他有価証券は、時価法を採用し、評価差額は全部純資産直入法、売却原価は総平均法にて算定している。

Section 4

有価証券の減損処理

子会社株式は取得原価、その他有価証券は時価評価でも差額は基本的には純資産に計上すると、前の Section で学習しましたが、時価があまりにも下がった場合でもそれでいいのでしょうか？　また、時価がない場合でも相手の会社がずっと赤字の場合、取得原価のままでいいのでしょうか？

このSection では、有価証券の減損処理について学習します。

1 有価証券の強制評価減と実価法

有価証券のうち、売買目的有価証券以外の有価証券*01)について、その時価が著しく下落または実質価額が著しく低下している場合には、強制的に時価または実質価額に評価を切り下げます。これを強制評価減または実価法*02)といいます。

*01)売買目的有価証券は、その保有目的による評価方法から強制評価減および実価法の対象になりません。

*02)「著しく下落または著しく低下」の場合に対する簿価の臨時的な切下げをいい、評価差額を当期の損失として切放法によって処理します。

2 市場価格のある有価証券

売買目的以外の有価証券の時価が著しく下落*01)したときは、回復する見込みがあると認められる場合を除き*02)、時価をもって貸借対照表価額とし、評価差額は当期の損失として特別損失に表示します(**強制評価減**)。

なお、翌期において、再振替仕訳は行われません(切放方式)。

*01)時価が帳簿価額の50％を下回った場合などが該当します。

*02)回復する見込がない場合と、回復するかどうか不明な場合、減損処理を行います。

設例4-1　有価証券の減損処理(強制評価減)

子会社であるA社株式(取得原価100,000円)の時価が著しく下落し30,000円になり、回復可能性は不明である。A社株式の期末の貸借対照表価額と評価損の金額を求めなさい。

解答

貸借対照表価額：*30,000*円*03)

評価損の金額：*70,000*円*04)

*03)時価

*04)30,000円−100,000円＝△70,000円

3 市場価格のない株式

市場価格のない株式は、取得原価を貸借対照表価額とします。ただし、その株式の発行会社の財政状態の悪化により実質価額*01)が著しく低下した場合*02)、実質価額を貸借対照表価額とし、評価差額は当期の損失として特別損失に表示します(**実価法**)。

なお、翌期において、再振替仕訳は行われません(切放方式)。

実質価額は、純資産をもとに次のように計算します。

*01) 1株あたりの純資産額

*02) 実質価額が取得原価の50%を下回った場合などが該当します。

実質価額の計算

$$\text{実質価額} = \frac{\text{発行会社の純資産額}}{\text{発行会社の発行済株式数}} \times \text{保有株式数}$$

4 評価差額の処理

▶▶簿問題集：問題 11,12
▶▶財問題集：問題 14,15

(1)投資有価証券(満期保有目的の債券・その他有価証券)

評価差額は当期の損失として『**投資有価証券評価損**』(特別損失)を計上するとともに、投資有価証券を減額します。

(2)関係会社株式(子会社株式および関連会社株式)

評価差額は当期の損失として『**関係会社株式評価損**』(特別損失)を計上するとともに、関係会社株式を減額します。

設例4-2 **有価証券の減損処理**

子会社株式（市場価格なし、取得原価@65,000円）40株について、子会社の財政状態が次のように悪化したため、実質価額に評価替えを行う。このときの仕訳を示すとともに、子会社株式の貸借対照表価額を求めなさい。なお、同社の発行済株式総数は70株である。

貸借対照表　（単位：円）

諸資産	5,500,000	諸負債	3,400,000
		資本金	3,000,000
		繰越利益剰余金	△900,000
	5,500,000		5,500,000

解答

（借）関係会社株式評価損　*1,400,000*　（貸）関係会社株式　*1,400,000*

貸借対照表価額 *1,200,000* 円

解説

子会社の純資産額：5,500,000円（諸資産）－3,400,000円（諸負債）＝2,100,000円

当社保有株式の実質価額（B／S価額）：

$$\frac{2,100,000円（純資産）}{70株（発行済株式数）} \times 40株（保有）= 1,200,000円$$

取得原価：@65,000円×40株＝2,600,000円

よって

関係会社株式評価損：1,200,000円（実質価額）－2,600,000円（取得原価）＝△1,400,000円

Section 5

有価証券の認識基準

有価証券の認識基準とは、有価証券をいつ計上するかという話です。売買が会計期間の途中であれば、その会計期間に計上さえすれば財務諸表に与える影響は同じです。でも、決算日が近い場合、当期に計上するか次期に計上するかにより財務諸表に与える影響は大きく異なります。

このSectionでは、決算日近くに有価証券を購入または売却した場合に、有価証券の計上（または減少）をいつ行うかについて学習します。

1 約定日基準（原則）

有価証券を購入すると約定した時点(約定日[*01])で資産計上します。

*01)約定日とは、売買の相手方と購入または売却の契約を行った日のことです。

2 修正受渡日基準（例外）

▶▶財問題集：問題13

有価証券を受け取った時点で資産計上します。なお、約定日と受取日の間に決算日がある場合は、受け取る予定の有価証券についても期末に時価評価を行い、評価損益を計上します。

修正受渡日基準では、受け取る予定の有価証券も時価評価を行い、評価差額を計上します。

設例 5-1 有価証券の認識基準

×1年3月27日にA社株式(帳簿価額9,800円)の売買契約が成立した。この売買契約の約定代金は10,000円であり、代金の支払いは受渡日に行っている。次の資料から、①約定日基準、②修正受渡日基準により買い手と売り手の必要な仕訳を示しなさい。なお、A社株式は売買目的で所有し、切放法により処理している。

【資　料】

決算日　×1年3月31日のA社株式の時価　10,500円

受渡日　×1年4月2日のA社株式の時価　10,600円

解答

① 約定日基準　（単位：円）

	買い手側の仕訳	売り手側の仕訳
3/27 （約定日）	（借）有　価　証　券　10,000 （貸）未　　払　　金　10,000	（借）未　収　入　金　10,000 （貸）有　価　証　券　9,800 有価証券売却損益　200
3/31 （決算日）	（借）有　価　証　券　500＊01) （貸）有価証券評価損益　500	（借）仕　訳　な　し （貸）
4/2 （受渡日）	（借）未　　払　　金　10,000 （貸）現　金　預　金　10,000	（借）現　金　預　金　10,000 （貸）未　収　入　金　10,000

② 修正受渡日基準　（単位：円）

	買い手側の仕訳	売り手側の仕訳
3/27 （約定日）	（借）仕　訳　な　し （貸）	（借）有　価　証　券　200 （貸）有価証券売却損益　200＊02)
3/31 （決算日）	（借）有　価　証　券　500 （貸）有価証券評価損益　500	（借）仕　訳　な　し （貸）
4/2 （受渡日）	（借）有　価　証　券　10,000 （貸）現　金　預　金　10,000	（借）現　金　預　金　10,000 （貸）有　価　証　券　10,000

＊01）10,500円－10,000円＝500円

＊02）10,000円－9,800円＝200円

このChapterでの表示と注記

貸借対照表			
（資産の部）		（負債の部）	
Ⅰ　流動資産		⋮	
有価証券	×××	（純資産の部）	
Ⅱ　固定資産		⋮	
⋮		Ⅱ　評価・換算差額等	
3　投資その他の資産		その他有価証券評価差額金	×××
投資有価証券	×××		
関係会社株式	×××		

損益計算書	
⋮	
Ⅳ　営業外収益	
有価証券利息	×××
受取配当金	×××
有価証券売却益*01)	×××
有価証券評価益*01)	×××
Ⅴ　営業外費用	
投資有価証券評価損	×××
Ⅵ　特別利益	
関係会社株式売却益*02)	×××
投資有価証券売却益*03)	×××
Ⅶ　特別損失	
投資有価証券評価損	×××
関係会社株式評価損	×××

＊01) 営業外費用に計上される場合もある。
＊02) 特別損失に計上される場合もある。
＊03) 営業外収益または費用に計上される場合もある。

【注記例】（一部）
〈貸借対照表等に関する注記〉
・投資有価証券のうち×××千円を長期借入金の担保にしている。
・親会社株式が投資その他の資産に×××千円計上されている。
〈重要な会計方針に係る事項に関する注記〉
1．有価証券の評価基準及び評価方法
イ　売買目的有価証券は時価法を採用し、売却原価は総平均法にて算定している。
ロ　満期保有目的の債券は、償却原価法（利息法）を採用している。
ハ　子会社株式及び関連会社株式は、移動平均法による原価法を採用している。
ニ　その他有価証券は、時価法を採用し、評価差額は全部純資産直入法、売却原価は総平均法にて算定している。

索　引

あ行

預り金……7-5
圧縮記帳……5-38
洗替法……3-24、4-30、8-13
一勘定制……2-10
一年基準……1-20、3-3
一括間接控除方式……3-32、5-23
一括注記方式……3-13
一般債権……3-23
移動平均法……4-23、8-7
受入国庫補助金……5-39
受取手形……2-3、3-2
売　上……4-9
売上原価……4-18
売上原価対立法……4-18
売上債権……3-2
売上値引……4-35
売上戻り……4-35
売掛金……3-2
営業外受取手形……3-2、3-8、3-9
営業外債権……3-2、3-3、3-22
営業外支払手形……3-8、3-9
営業サイクル……1-20
営業債権……3-2、3-3、3-22
営業損益計算の区分……1-24
営業手続……1-3、1-5
営業費……7-2
英米式簿記法……1-10、1-15、1-29
親会社……3-12
親会社株式……8-21

か行

会計期間……1-3
会計上の見積りの変更……5-26
会計上の有価証券……8-2
会計方針の変更……5-27
開始残高……1-27
開始仕訳……1-27
開始手続……1-3
回収可能価額……3-21
回収不能見込額……3-21
外部仕入諸掛……4-44
貸倒懸念債権……3-22、3-23、3-28、3-30
貸倒実績率法……3-27
貸倒損失……3-25、3-33
貸倒引当金……3-21
株式の無償交付……8-4
株式引受権……1-19
株主資本……1-16、1-19
株主資本等変動計算書（S/S）のひな型……1-18
科目別間接控除方式……3-32、5-23
科目別注記方式……3-13、5-23
借入資本の利子……5-7
為替手形……3-4、3-5
関係会社……3-12
関係会社株式……1-16、8-3
関係会社株式売却益（損）……1-17、8-6
関係会社株式評価損……8-29
勘定科目……1-21
間接控除法……5-39、5-40、5-41
間接法……5-15
完全工業簿記……1-2
関連会社……3-13
関連会社株式……8-3、8-10、8-20
期間損益計算……1-3
企業残高基準法……2-11、2-15
期首……1-3
期末……1-3
期末実地棚卸数量……4-27、4-29
期末帳簿棚卸数量……4-27
級数法……5-6、5-16、5-18
旧定額法……5-19、5-22
旧定率法……5-19、5-22
九分法……4-6
給　料……7-5、7-8
強制評価減……8-28
共同施設負担金……6-2
切放法……4-30、8-10、8-12
銀行勘定調整表……2-11
銀行残高基準法……2-15
金銭債権……3-2、3-21
金利の調整……3-21、8-13
繰越試算表……1-15
繰越商品……4-9、4-44

繰延仕入諸掛……4-45
繰延資産……1-16、1-19
経営成績……1-2
経過勘定項目……1-3、1-8、1-27
経常損益計算の区分……1-25
継続記録法……4-22
決算整理後残高試算表(後T/B)……1-6、1-8
決算整理仕訳……1-6、1-8
決算整理前残高試算表(前T/B)……1-6
決算手続……1-3
決算日(貸借対照表日)……1-19
決算振替仕訳……1-10
決算本手続……1-8
決算予備手続……1-6
現価係数……3-17
現価係数表……3-18
減価償却……5-15
減価償却方法の変更……5-27
原価率……4-33、4-35
研究開発費……6-10
研究開発目的のソフトウェア……6-10
現金……2-2
現金過不足……2-5
検収基準……4-39、4-40
建設仮勘定……5-3、5-9
源泉徴収……7-5
現物出資……5-11
券面利子率……8-16
減耗性資産……5-3
権利金……6-2、6-4
交換……5-11
公共施設負担金……6-2
工業簿記……1-2
合計残高試算表……1-7
合計試算表……1-7
工事負担金……5-38
子会社……3-12
子会社株式……8-3、8-20
小口現金……2-17
国庫補助金……5-38
国庫補助金収入……5-39
国庫補助金受贈益……5-39
固定資産……1-16、1-19
固定資産圧縮額……5-40
固定資産圧縮損……5-39
固定資産除却益(損)……5-34
固定資産売却益(損)……5-30
固定負債……1-16、1-19
誤謬……5-26、6-12
個別引当法……3-26

さ行

災害損失……5-35
災害未決算……5-35
債権……3-2
財政状態……1-2
再振替仕訳……1-27、1-30
財務諸表……1-2
財務内容評価法……3-27、3-30
債務保証……3-6
差額補充法……3-24
先入先出法(FIFO)……4-23
先日付小切手……2-2、2-3
雑収入(雑益)……2-5
雑損失(雑損)……2-5
残存耐用年数……5-26、5-28-、5-44
残高試算表……1-7
三分法……4-6、4-9
仕　入……4-9
仕入諸掛……4-44
仕入諸掛費……4-44、4-45
仕入値引……4-5
仕入戻し……4-6
仕入割引……4-7、4-8
自家建設……5-6
敷金……3-22、6-4
次期繰越……1-15
事業投資……8-20
自己金融効果……5-17
自己振出小切手……2-3
試算表……1-6
自社利用のソフトウェア……6-10、6-11
市場販売目的のソフトウェア……6-10
実価法……8-28、8-29
実効利子率……8-15、8-16
実質価額……8-28、8-29
資本的支出……5-43
借地権……6-2、6-3、6-4
借用証書……2-4
収益的支出……5-43

修正受渡日基準……8-31、8-32
修正再表示……3-33
修繕費……5-43、5-45
修繕引当金……5-45
修繕引当金戻入……5-45
受注制作のソフトウェア……6-10
出荷基準……4-40、4-41
純額法……8-5
純損益計算の区分……1-26
償却原価……3-21、8-14
償却原価法……3-21、8-13、8-14
償却性資産……5-2
商業簿記……1-2
商標権……6-2
商品有高帳……4-25
商品営業譲受高……4-55
商品合併継承高……4-55
商品災害損失振替高……4-52
商品低価切下額……4-30
商品盗難損失振替高……4-52
商品等引渡請求権……3-2
商品販売益……4-11、4-12
商品評価損……4-29
正味売却価額……4-29
消耗品……7-10
消耗品費……7-10
賞　与……7-6
賞与引当金……7-6
賞与引当金繰入……7-6
新株予約権……1-16、1-19
人件費……7-4
随時補給制……2-18
生産高比例法……5-16、5-19
正常営業循環基準……3-3、1-20
前期繰越……1-15
全部純資産直入法……8-10、8-22、8-23
総額法……8-5
総括引当法……3-26
総記法……4-14、4-16
総平均法……4-23、8-7
贈与……5-13
遡求義務……3-7
その他有価証券……8-3、8-10、8-22
その他有価証券評価差額金……8-23
ソフトウェア……6-9
ソフトウェア償却……6-12
ソフトウェア制作費……6-9、6-10
ソフトウェア廃棄損……6-14
損益計算書……1-23
損益計算書(P/L)のひな型……1-17

た行

貸借対照表……1-16、1-19
貸借対照表(B/S)のひな型……1-16
貸借対照表価額……3-21、3-22、5-38
大陸式簿記法……1-10
他勘定振替高……4-51、4-52
棚卸計算法……4-22
棚卸減耗費……4-28
棚卸資産……4-2
棚卸資産の費用配分……4-21
棚卸表……1-8
他人振出小切手……2-9
短期貸付金……3-3
長期貸付金……3-3
長期性預金……2-8
長期未収入金……3-3
直接減額方式……5-39
直接控除一括注記方式……3-32、5-23
直接控除科目別注記方式……3-32、5-23
直接控除法……5-39
直接法……5-15、6-3
貯蔵品……2-4、7-11
貯蔵品売却益(損)……5-34
賃貸等不動産……5-46
通貨……2-2
通貨代用証券……2-2
通信費……7-11
積立金方式……5-39
定額資金前渡制(インプレスト・システム)……2-17
定額法……5-16、5-19、6-3
定期預金……2-8
定率法……5-17、5-20、5-21
手形売却損……3-6
適正な原価計算基準……4-4、5-6
電子記録債権(電子記録債務)……3-10
当座……2-10
当座借越……2-10
当座預金……2-3、2-9
投資その他の資産……1-16、1-19

投資不動産…………………………………………5 - 46
投資不動産維持費……………………………………5 - 46
投資不動産賃貸料……………………………………5 - 46
投資有価証券………………………………1 - 16、8 - 3
投資有価証券売却益(損) ………………………8 - 6
投資有価証券評価損益……………………………8 - 24
独立科目表示方式……………………………………3 - 13
土地受贈益…………………………………………5 - 13
特許権……………………………………………………6 - 2

な 行

内部仕入諸掛…………………………………………4 - 44
二勘定制………………………………………………2 - 10
入荷基準………………………………………………4 - 39
値引き……………………………………………4 - 3、4 - 5
年金現価係数…………………………………………3 - 20
年金現価係数表……………………………3 - 18、3 - 20
のれん……………………………………………………6 - 7
のれん償却額…………………………………………6 - 8

は 行

配当金領収証…………………………………………2 - 2
売買目的有価証券…………………………8 - 3、8 - 11
破産更生債権等………………………………………3 - 23
販売基準………………………………………………4 - 40
販売費……………………………………………………7 - 2
販売費及び一般管理費………………………………7 - 2
引渡基準………………………………………………4 - 40
非償却性資産…………………………………………5 - 2
備品振替高……………………………………………4 - 52
評価・換算差額等 ……………………………………1 - 19
表示科目…………………………1 - 9、1 - 16、1 - 21
不完全工業簿記(商的工業簿記) …………………1 - 2
付随費用……………………………4 - 3、4 - 44、5 - 4
普通預金…………………………………………………2 - 8
船積基準………………………………………………4 - 42
部分純資産直入法…………………8 - 10、8 - 22、8 - 24
不渡手形…………………………………………………3 - 7
分記法…………………………………………………4 - 11
平均法……………………………………4 - 23、4 - 26
閉鎖残高………………………………………………1 - 12
返　品……………………………………………4 - 5、4 - 6
法人税等の還付通知書………………………………2 - 2
法定福利費………………………………………………7 - 5
法律上の有価証券……………………………………8 - 2
簿記………………………………………………………1 - 2
保証債務…………………………………………………3 - 6
保証債務取崩益…………………………………………3 - 6
保証債務費用……………………………………………3 - 6

ま 行

満期保有目的の債券……………………8 - 3、8 - 13
未収入金…………………………………………………3 - 2
見積追加製造原価……………………………………4 - 29
見積販売直接経費……………………………………4 - 29
未取立小切手…………………………………………2 - 13
未取付小切手…………………………………………2 - 13
見本品費振替高………………………………………4 - 52
未渡小切手……………………………2 - 12、2 - 13
無形固定資産………………………………1 - 16、6 - 2

や 行

役員賞与引当金…………………………………………7 - 8
役員賞与引当金繰入……………………………………7 - 8
役員退職慰労金…………………………………………7 - 9
役員退職慰労引当金……………………………………7 - 9
役員退職慰労引当金繰入………………………………7 - 9
役員報酬…………………………………………………7 - 8
約定日…………………………………………………8 - 31
約定日基準……………………………………………8 - 31
約束手形…………………………………………………3 - 4
有価証券…………………………………………………8 - 2
有価証券運用損益………………………………………8 - 6
有価証券の減損処理………………………8 - 10、8 - 28
有価証券売却益(損) ……………………………………8 - 6
有価証券評価益(損) ……………………8 - 10、8 - 11
有価証券利息…………………………………………8 - 10
有形固定資産……………………………………………5 - 2
郵便為替証書……………………………………………2 - 2
要償却額………………………………………………5 - 16

ら 行

利益加算率……………………………………………4 - 34
利害関係者………………………………………………1 - 2
利息法……………………………………………5 - 6、8 - 15
利息未決算………………………………………………5 - 5
利廻法……………………………………………………5 - 6
流動・固定の分類基準 ………………………………1 - 20
流動資産…………………………1 - 9、1 - 16、1 - 19
流動負債…………………………1 - 9、1 - 16、1 - 19

両者区分調整法……………………………………2-11
臨時損失…………………………………………5-35

わ行

割引……………………………………………3-6、4-7
割引計算…………………………………………3-16
割引現在価値……………………………………3-16
割引率……………………………………………3-16
割戻し………………………………4-3、4-5、4-35

本書の発行後に公表された法令等及び試験制度の改正情報、並びに判明した誤りに関する訂正情報については、弊社WEBサイト内の『**読者の方へ**』にてご案内しておりますので、ご確認下さい。

https://www.net-school.co.jp/

なお、万が一、誤りではないかと思われる箇所のうち、弊社WEBサイトにて掲載がないものにつきましては、**書名（ＩＳＢＮコード）と誤りと思われる内容**のほか、お客様の**お名前**及び**郵送の場合はご返送先の郵便番号とご住所**を明記の上、弊社まで**郵送またはe - mail**にてお問い合わせ下さい。

＜郵送先＞　〒101－0054
東京都千代田区神田錦町3－23メットライフ神田錦町ビル３階
ネットスクール株式会社　正誤問い合わせ係

＜e - mail＞　seisaku@net-school.co.jp

※正誤に関するもの以外のご質問、本書に関係のないご質問にはお答えできません。
※**お電話によるお問い合わせはお受けできません。**ご了承下さい。

税理士試験　教科書

簿記論・財務諸表論Ⅰ　基礎導入編　【2025年度版】

2024年８月８日　初版　第１刷

著　　者　ネットスクール株式会社

発 行 者　桑原知之

発 行 所　ネットスクール株式会社　出版本部
〒101－0054　東京都千代田区神田錦町3－23
電　話　03（6823）6458（営業）
ＦＡＸ　03（3294）9595
https://www.net-school.co.jp

執筆総指揮　熊取谷貴志

表紙デザイン　株式会社オセロ

編　　集　吉川史織　加藤由季

ＤＴＰ制作　中嶋典子　石川祐子　吉永絢子
有限会社ドアーズ本舎　長谷川正晴

印刷・製本　日経印刷株式会社

ISBN　978-4-7810-3819-3